Gustav Zürcher

›Trümmerlyrik‹

Monographien
Literaturwissenschaft 35

Gustav Zürcher

›Trümmerlyrik‹

Politische Lyrik 1945 – 1950

Scriptor Verlag Kronberg/Ts.

1977

CIP-Kurztitelaufnahme der Deutschen Bibliothek

Zürcher, Gustav
»Trümmerlyrik« : polit. Lyrik 1945 – 1950. – 1.
Aufl. – Kronberg/Ts. : Scriptor-Verlag, 1977.
  (Monographien : Literaturwiss. ; 35)
  ISBN 3–589–20569–5

© 1977 Scriptor Verlag GmbH & Co KG
Wissenschaftliche Veröffentlichungen
Kronberg/Ts.
Alle Rechte vorbehalten
Gesamtherstellung: Friedrich Pustet, Regensburg
Printed in Germany
ISBN 3-589-20569-5

Inhaltsverzeichnis

I Einleitung

1. Vorhaben und Vorgehen

"Die frühe Nachkriegszeit ist nur aus der jeweils eigenen Erinnerung zugänglich"[1] – ein nicht gerade ermutigender Satz für jemand, der, Jahrgang 44, sich diese Zeit zugänglich machen will. Und nur ein schwacher
Trost ist es, daß auch einer im 'erinnerungsfähigen' Alter – und als en-
gagierter junger Literat an den erinnerungswürdigen Vorgängen seinerzeit
nicht eben achtlos vorbeigegangen – sich diesen Vorsprung schon 1962 nicht
mehr in der gewünschten Weise zunutze machen konnte:

"Man versucht sich zu erinnern, aber das Gedächtnis gibt nur Bruchstücke
her: Bildfetzen und Impressionen aus einem quälenden Traum, den man früh-
morgens mit kaltem Wasser abduscht. Den PKW in der Garage, im Wohnzimmer
Television und Stereo-Anlage, den Grill und den Eisschrank in der Küche,
fernbeheizt und abends französischer Cognac: aus dieser Perspektive wird
die Not zur Legende. Grimms Märchen aus dem Jahr 47, den Kindern am
flackernden Schwedenkamin erzählt. Und staunend liest man in den fünfzehn
Jahre alten, aber schon angegilbten Blättern, was sich damals eine politisch und menschlich schwer geprüfte Generation von der Seele schrieb –
was man sich selbst von der Seele schrieb."[2]

Inzwischen ist Vielen das Staunen leichter gemacht worden, denn der in
Mode gekommene Blick zurück hat auch jene Jahre erfaßt, die mit ihren
"vielen Ungewißheiten", aber auch mit ihren "vielen Möglichkeiten" zum
prickelnden Abenteuer mit der Sehnsucht geradezu einladen.[3] Welche fas-
zinierenden Assoziationen vermag, in Zeiten ökonomischer Stagnation und
politischer Reaktion allemal, allein das Wort von der 'Stunde Null' nicht
nur bei den Jüngeren, sondern auch bei denen auszulösen, die mit einver-
ständigem Lächeln an jene Täuschung zurückdenken. Im übrigen machten das
Jubiläum zum 25-jährigen Bestehen des Grundgesetzes und der 30. Jahres-
tag des Endes des 2. Weltkrieges eine gewisse Aufhellung der Vorgeschichte
der Bundesrepublik gleichsam zur Pflicht. Der Katalog zu der Marbacher
Ausstellung 'Als der Krieg zu Ende war'[4] vermittelt ein umfassendes Bild
vom Geist jener Jahre, das die Mehrheit des Bundesbürger auch am Bild-
schirm – die vielen 'Trümmerfilme' wurden nicht nur in den Dritten Programmen gezeigt – Revue passieren lassen konnte. Bereits 1952 hat Heinrich

Böll ein 'Bekenntnis zur Trümmerliteratur' abgelegt[5], dem man sich, indem man die typische 'Trümmergeschichte', die Kurzgeschichte, zu höchsten Ehren kommen ließ, anscheinend bereitwillig anschloß[6]. Die 'Trümmer-l y r i k ' hingegen wurde weder in dieses damalige "Bekenntnis" noch in das wiedererwachte heutige Interesse (an der Nachkriegsliteratur) sicht-bar einbezogen; und das, obwohl das Bedürfnis nach Lyrik und die tatsäch-liche Lyrikproduktion solche Ausmaße annahmen, daß Hans Egon Holthusen schon damals von einer "Volksseuche" glaubte sprechen zu müssen. Karl Krolow, einer der wenigen, die literarisch doch noch überlebt haben, gibt 1961 eine lapidare Erklärung dafür ab, warum die 'Trümmerlyrik' für die Heutigen gestorben ist: "Eine deutsche Lyrik, über die sich reden läßt, haben wir seit etwa zehn Jahren wieder"[7], seit der Anschluß an die Moderne gelungen ist. Man schweigt, worüber sich nicht "reden" läßt - "Versuchs-ballons", "Unkraut" - und verschweigt, was man seinerzeit geschrieben hat: Günter Eich verweigert einer Neuauflage von 'Abgelegene Gehöfte' (1948) zwanzig Jahre lang seine Zustimmung; Wolfgang Weyrauch nimmt in seinen 1972 erschienenen Sammelband 'Mit dem Kopf durch die Wand' lediglich ein ein-ziges von über hundert 1945-1950 geschriebenen Gedichten auf; Krolow selbst stellt in 'Gesammelte Gedichte' (1965) zwar etliche frühere Gedichte vor, aber diejenigen, denen man ihre Herkunft aus der 'Trümmerzeit' am deut-lichsten ansieht, fehlen. Gerade die politischen Gedichte fielen dem schlechten Gewissen über die literarischen Jugendsünden zum Opfer, konnten einer Kritik, der die ästhetische Gestalt zum alleinigen Wertmaßstab wurde, nicht standhalten.

Politische Lyrik in den Nachkriegsjahren? Diese Arbeit will einem verbrei-teten Vorurteil nachgehen und zeigen, daß das lyrische Ich nicht nur ver-stört allem Öffentlichen den Rücken kehrte - und sich manchmal auch unge-stört im Bereich von Wald und Wiese erging - , sondern sich auch mit den seinerzeit "wichtigsten gesellschaftlichen Fragen" befaßte, die sich als Leitfragen für das Hauptkapitel anboten. Das vorangestellte Kapitel über Charakter und Hintergründe der "reinen" - der von einem 'reinen Dichter' verfaßten, von allen Zeitbezügen gereinigten und wenn möglich auch 'rein dargebotenen'[8] - Lyrik ist darum nicht überflüssig, sondern steckt das dominierende poetische Umfeld ab, in dem das politische Gedicht sich be-haupten mußte und von dem es auch geprägt wurde. Nachhaltig geprägt in Sprache, Struktur und Thematik wurde es vor allem vom politischen und

geistigen Umfeld insgesamt, dessen Kenntnis Voraussetzung zum Verständnis
bzw. zur Einschätzung der aufklärerischen Leistung der Gedichte ist und
darum einleitend in einem Überblick dargestellt wird. Da dieser nicht nur
das 'Umfeld' der politischen Lyrik abstecken, sondern zugleich ihre stoff-
liche Grundlage abgeben, d.h. über ihre Inhalte vorinformieren will, sind
in ihm die Schwerpunkte mit Blick auf die später verhandelten und dort ver-
tieften Themen gesetzt, wobei sein Fortgang historisch dem Verlauf der
politischen Aufbruchsbewegung folgt, über deren Schicksal spätestens 1948
entschieden ist. Wie eben dieser Verlauf sich poetisch in der Lyrik ab-
bildet und auch über   i h r   Schicksal entscheidet, macht das Schluß-
kapitel (vor allem an einem Längsschnitt durch Weyrauchs Lyrik) deutlich,
das die Verbindung zum (historischen) Einleitungskapitel zusammenfassend
herstellt.

'Politische Lyrik 1945-1950': dem schwierigen Unterfangen, 'politische
Lyrik' einzugrenzen, gilt der nächste Abschnitt; '1945' bedarf keiner Erklärung; '1950' markiert nicht nur optisch eine Wende, sondern auch

- ökonomisch: den Jahren der Not folgen die Jahre der Fülle, die Weichen
  für die Fahrt ins deutsche Wirtschaftswunder sind gestellt, mit anderen
  Worten: "Das 'Volk der Dichter und Denker' begann zum kapitalistischen
  Materialismus zu pervertieren ..."[9];
- politisch: der Restaurationsprozeß in der eben gegründeten Bundesrepublik
  - sie bekam die freiheitlichste Verfassung, die das deutsche Volk je
  besaß - schien irreversibel;
- literarisch (lyrisch): Auszug aus der deutschen Provinz, Anschluß an die
  lyrische Moderne, beides um den Preis der Politik, der jedoch nicht von
  allen gezahlt wurde.

'1945-1950' meint die Vorgeschichte und die Anfänge der Bundesrepublik.
Zur Geschichte des deutsch-deutschen Verhältnisses gehört, daß, wer klare
Verhältnisse schaffen will, in Schwierigkeiten gerät, insbesondere dann,
wenn sich seine Definitionsbemühungen auf jene Jahre beziehen, in denen das
deutsche zum deutsch-deutschen Dilemma sich herausbildete. Es zu verhindern
wurden vor allem in der Vierzonenstadt Berlin vielfältige Anstrengungen
unternommen[10]; im literarisch-kulturellen Bereich seien als Beispiele genannt: der Erste Deutsche Schriftstellerkongreß 1947, die Zeitschrift 'Ost
und West' und der 'Ulenspiegel', der seiner Lyrikfreundlichkeit wegen für
diese Arbeit besonders wichtig geworden ist. - Niemand wird bezweifeln,

daß Johannes R. Becher ein 'östlicher', der (damalige) 'Ulenspiegel'-
Redakteur Wolfgang Weyrauch ein 'westlicher' Dichter ist, auch wenn
letzterer im Ostberliner Aufbau-Verlag seine ersten Gedichte und die ge-
samtdeutsche Anthologie 'Die Pflugschar' herausgebracht hat. Doch auf
welche Seite mit den vielen Unbekannten, die nicht nur im 'Ulenspiegel'
zu Wort kamen und hier wieder, neben den Bekannten, zu Wort kommen sollen?
Zur Vorgeschichte der Bundesrepublik gehören auch solche gesamtdeutschen
Verwicklungen, gehört z.B. die Ungewißheit, daß der zitierte Alba Troß,
womöglich noch ein Pseudonym, wer weiß, vielleicht in Leipzig wohnt.

Bei der derzeitigen Materiallage[11] ließ sich eine ausführliche Text-
präsentation nicht umgehen; gleichzeitig habe ich versucht, die Gedichte
so in den Argumentationsgang zu integrieren, daß sie, indem sie diesen
unter der jeweiligen Fragestellung vorantreiben, den Lesefluß nicht zu
sehr aufhalten[12]. Ebenso müssen, um für den heutigen Leser ein auch nur
annähernd 'richtiges Zeitbild' erstehen zu lassen, jene Zeitgenossen ge-
bührend berücksichtigt werden, die vor allem in den vielen Zeitschriften
eine so lebendige und aufrichtige Öffentlichkeit herstellten, daß die wehmütigen Erinnerungen derer, die 'dabei' waren und nun die heutige Öffentlichkeit betrachten, zumindest verständlich werden. Dabei wird die damalige Rezeption (der vorgestellten Lyrik), soweit sie in Aufsätzen, Rezensionen, Verlagsmitteilungen u.ä. auszumachen war, durch die spätere und
speziell auch durch die Rezeption in Schule und Hochschule ergänzt[13].

Die 'Trümmerjahre' hielten einiges verborgen, was ich nicht ohne Sympathie
freilegen konnte. Sofern von dieser Sympathie auch in die Darstellung ein-
geflossen ist, hoffe ich, daß sie die Wissenschaftlichkeit der Untersuchung
nicht schmälert.

2. Zum Begriff der politischen Lyrik

Einen "Streit um Worte" hat Hans Magnus Enzensberger den Streit darüber,
was als politische Lyrik zu gelten habe, genannt[14], und diesen Streit -
vorbereitet bzw. aufbereitet durch Theodor W. Adorno[15] und Karl Krolow[16] -
mit seinen eigenen streitbaren Worten erst richtig und in einer Weise ent-
facht, daß, je mehr sich daran beteiligten, die Hoffnung auf eine prakti-
kable Übereinkunft zu sinken scheint, weil die "terminologische Verwir-

rung"[17] immer weiter um sich greift. Sie ging vor allem von folgenden
denkwürdigen Sätzen aus: "Der politische Aspekt der Poesie muß ihr selber
immanent sein." - "... daß Politik nicht über es verfügen kann: das ist
sein politischer Gehalt" (gemeint ist Brechts Gedicht 'Der Radwechsel'). -
"Poesie und Politik sind nicht 'Sachgebiete', sondern historische Prozesse,
der eine im Medium der   S p r a c h e , der andere im Medium der
M a c h t ."[18]

Der letzte Satz verweist zugleich auf die beiden Voraussetzungen, die man
kennen muß, um Enzensbergers wichtigen Aufsatz als einen Beitrag zur Be-
griffsbestimmung politischer Lyrik richtig einschätzen zu können: es geht
ihm gar nicht um politische Poesie, sondern um das Verhältnis von Poesie
und Politik in seiner historischen Entwicklung, was durchaus ein Unterschied ist. Das politische Gedicht wird lediglich als "Brecheisen" benutzt,
um die "Krusten", die dieses Verhältnis verdecken, aufzubrechen[19]. In
dieser Funktion bricht es in seinem Wesen selber auf: es ist, wie am Beispiel des Herrscherlobs demonstriert - zu ihrer Sicherung versichert sich
Herrschaft der poetischen Huldigung - von seinen Anfängen her affirmativ.
Doch seit um 1800 die traditionelle Herrschaft ins Wanken geriet, hat sich
das Verhältnis von Poesie und Herrschaft geändert: beide sind unvereinbar
geworden. Statt der Affirmation übernimmt Poesie fortan die Aufgabe der
Kritik. Jeder Versuch, Poesie weiterhin affirmativen, d.h. "agitatorischen
oder repräsentativen Zwecken" zu unterwerfen - darunter fallen "Kampfge-
sänge und Marschlieder, Plakatverse und Hymnen, Propaganda-Choräle und
versifizierte Manifeste, gleichgültig, wem und welcher Sache sie nützen
sollen"[20] -, muß, da Poesie als Poesie sich solcher Indienstnahme sperrt,
fehlschlagen. Mit anderen Worten: derartige Texte haben, nach Enzensberger,
"mit Poesie nichts zu tun"[21], was zur Folge hätte, daß große Teile dessen,
was gemeinhin zur politischen Lyrik gezählt wird, den Namen Poesie zu Unrecht tragen.

Somit scheinen aber nicht mehr nur Poesie und Herrschaft, sondern auch
Poesie und politische Poesie unvereinbar. Der tiefere Grund dafür ist in
der zweiten Voraussetzung zu suchen: Enzensberger operiert mit einem einge-
schränkten Politikbegriff; Politik ist für ihn identisch mit Macht und
Herrschaft, die zu unterwandern und zu brechen zur wahren Natur der Poesie
geworden ist - und dies werden konnte, weil sie durch ihr "bloßes Dasein
subversiv" ist[22]. Sie ist subversiv, "anarchisch"[23], insofern sie

S p r a c h e ist, über die die herrschende M a c h t nicht verfügen
kann. Sie kann dies um so weniger, je mehr sich die Lyrik, um mit Adorno,
dem Vater dieser Gedanken, zu reden, ihre 'Jungfräulichkeit' bewahrt[24],
die sich dort am reinsten erhalten kann, "wo sie (die Lyrik; G.Z.) nicht
der Gesellschaft nach dem Munde redet", das heißt aber, "wo sie nichts
mitteilt". Dort auch, wo das Subjekt, fern von der Gesellschaft, "zum Ein-
stand mit der Sprache selber kommt", zeigt sich die Lyrik "am tiefsten
gesellschaftlich verbürgt"[25]. Wie Adorno mit 'Gesellschaft' und 'gesellschaftlich', so verfährt Enzensberger mit 'Politik' und 'politisch':
politisch ist, was gegen Politik sich richtet, und das ist - als Sprache
der Poesie - "jedes nennenswertes Gedicht"[26]. Vom politischen 'Gehalt'
oder 'Aspekt' eines Gedichtes zu reden ist also offenbar etwas anderes,
als von einem politischen Gedicht zu reden, über das sich - seiner affirmativen Herkunft wegen und nachdem Poesie zum Inbegriff von Anarchie geworden
ist - zu reden auch gar nicht mehr lohnen soll: "Fragwürdig bis zur Un-
brauchbarkeit wird unter solchen Auspizien der Begriff des politischen Gedichtes."[27]

Doch fragwürdig scheint zuallererst, mit dem Begriff des Politischen so
'flexibel' umzugehen, daß dem politischen Gedicht von zwei Seiten das Urteil gesprochen werden kann: von denen, die Dichtung und Politik für un-
vereinbare Gegensätze halten, und von denen, für die Dichtung immer politischer Natur, die besondere Kennzeichnung 'politisches Gedicht' überflüssig und irreführend ist. Während das erste Argument lange und immer
wieder von herkömmlicher bürgerlicher Literaturwissenschaft dazu benutzt
wurde, politische Lyrik ihrem 'eigentlichen' Gegenstandsbereich entweder
ganz fernzuhalten, totzuschweigen oder sie als minderwertig zu diffamieren
- nach dem Motto "Ein garstig Lied! Pfui! ein politisch Lied"[28] - , wird
die zweite Position von recht unterschiedlichen Sachwaltern gehalten: die
Vertreter der 'Konkreten Poesie' denken das Postulat von der Autonomie
des Ästhetischen bzw. der Sprache gegenüber Herrschaft und Gesellschaft -
diese Autonomie ist dabei der deutlichste Ausdruck von Gesellschaftlich-
keit - konsequent zu Ende[29], wenn sie in der Revolutionierung der
herrschenden Sprache als der Sprache der Herrschenden die wahre revolutionäre Tat erkennen und die Ergebnisse, die tatsächlich 'herrschaftsfrei',
weil beliebig oder gar nicht mit Bedeutung zu besetzen sind, zur wahren
'politischen' Poesie erklären.[30] - Wird hier der politische Charakter

aller Poesie insofern in der Sprache gesehen, als diese entweder, als re-
pressive, weiterhin - zwangsläufig - affirmativ benutzt[31] oder in revolutionärer Absicht mitunter bis zur Unkenntlichkeit zerlegt, von Grund auf
erneuert wird, steht für eine materialistisch betriebene Literaturwissenschaft das politische Wesen der Literatur deshalb außer Frage, weil diese
zu den ideologischen Formen des 'Überbaus' gehört, als solche mit den Bewegungen an der 'Basis' vermittelt und folglich auch nicht "klassenjensei-
tig" ist[32]. So richtig dieser Zusammenhang und so wichtig es auch ist,
die Genese des Begriffs der politischen Dichtung als eines von Anfang an
'deformierten' Produktes der bürgerlichen Literaturtheorie zu rekonstru-
ieren, das mit dieser einst "verschwinden" wird[35], so falsch wäre es,
deswegen - jetzt schon - und angesichts der "ziemlich desolaten Ergeb-
nisse(n)" aus den Versuchen über politische Lyrik insgesamt ihr als einem
"Terminus der Gattungspoetik im Grunde die Existenzberechtigung abzusprechen"[34]: wiederum würden - die lauteren Motive ändern daran wenig -
die Voraussetzungen geschaffen, politische Lyrik, wie sie sich historisch
entwickelt hat und als die sie geschrieben wurde und geschrieben wird (und
daher einen Namen verdient), zu negieren.

Wer sich weder in affirmativer noch in kritischer Absicht an der 'Aufhebung'
des Begriffs der politischen Lyrik beteiligen will, muß von anderen Voraussetzungen ausgehen und dabei versuchen, das Spektrum all jener immer wieder
reproduzierten begrifflichen Unklarheiten transparent zu machen - mit dem
Ziel, sie, wenn nicht zu beseitigen, so doch zu verringern - , die mit dem
Adjektiv 'politisch' in der Wortverbindung 'politische Lyrik' gesetzt sind
und die ich ergänzend in zwei Gruppen zusammenfassen möchte:

1. a) die Gleichsetzung von 'politisch' und 'gesellschaftlich' in dem Sinne,
daß alle Literatur als Überbauphänomen gesellschaftlichen Charakter hat;

   b) die Gleichsetzung von 'politisch' und 'gesellschaftlich' in dem Sinne,
daß die Sprache ein Mittel zur gesellschaftlichen Verständigung ist;

   c) die behauptete Identität von 'politisch' und 'ästhetisch' (poetische
Sprache) insofern, als die erfolgreiche Weigerung, sich mit Politik einzu-
lassen, als der wahre politische Akt, den Poesie als Poesie vollzieht, angesehen wird (hierbei wird 'Politik' mit 'Macht' identifiziert, 'politisch'
mit dem, was ihr entgegensteht);

   d) die behauptete Unvereinbarkeit von 'politisch' und 'ästhetisch' in
dem Sinne, daß Poesie als Poesie sich aufgibt, wenn sie sich mit Politi-

schem befaßt (hierbei wird 'politisch' entweder im Sinne von 'Macht' verwendet oder allgemein als das 'Niedere' angesehen, das dem 'Höheren' der
Literatur abträglich ist).

2. Ein Gedicht heißt dann ein politisches Gedicht,

    a) wenn der Autor mit ihm eine politische A b s i c h t   verfolgen
will;

    b) wenn der A n l a ß , es zu schreiben, ein politischer gewesen ist;

    c) wenn es eine politische W i r k u n g   ausüben kann;

    d) wenn das, wofür das Gedicht eintritt, seine politische
R i c h t i g k e i t   hat, politisch sinnvoll ist;

    e) wenn es in einem politischen K o n t e x t   steht bzw. dorthin
gestellt wird;

    f) wenn in ihm ein politischer Sachverhalt thematisch gemacht, d.h.
eine politische N a c h r i c h t   mitgeteilt wird[35].

Ontologische, funktionale, normative und empirisch-pragmatische Gesichts-
punkte bestimmen die Diskussion um das Politische politischer Lyrik, sei's,
um diesem Terminus die "Existenzberechtigung" abzusprechen, sei's, um
sie nachzuweisen. Ersteres ist Absicht oder Folge der unter 1) genannten
Sehweisen, die daher nicht weiter zu berücksichtigen sind, während unter
2) mögliche Bedingungen für politische Lyrik bzw. verschiedene Kriterien
aufgeführt sind, die das Spezifische politischer Lyrik gegenüber sonstiger
Lyrik kenntlich machen könnten. Dabei stellen sich bei jedem Abgrenzungs-
versuch auch ganz spezifische Schwierigkeiten ein:

zu a) Von bekannten Lyrikern liegen zwar allgemeine Absichtserklärungen
in Form von Reflexionen über ihr Schreiben vor - dann um so zahlreicher,
wenn die Lyrik zur "Geheimwissenschaft" tendiert und der Eigenkommentie-
rung dringend bedarf[36] - , doch die Autorintention in Bezug auf das einzelne Gedicht ist daraus ebensowenig verbindlich abzulesen wie aus der Ge-
dichtintention[37].

zu b) Hier treten ähnliche Schwierigkeiten auf. Den wenigsten Gedichten
- Domins Anthologie 'Nachkrieg und Unfrieden' bestätigt als Ausnahme die
Regel - sind Daten über ihren Anlaß beigegeben, der ebensowenig wie die
Autorintention im Text selbst transparent gemacht sein muß[38].

zu c) 'Wirkung' scheint als Abgrenzungskriterium unhaltbar; der Begriff
politische Lyrik würde ins Uferlose entgrenzt, da jedes Gedicht, auch das
verträumteste Naturgedicht, indem es z.B. von Politik abhält, politische

Wirkung haben kann.

zu d) Auch hier wäre eine Einigung kaum in Aussicht, würden doch die ideologischen Kämpfe der verschiedenen politischen Gruppen auf die gattungstheoretische Ebene verlagert. Wer z.B. die Ohrfeige, die Beate Klarsfeld
dem damaligen Bundeskanzler Kiesinger (wegen seiner Haltung im 3. Reich)
gegeben hat, für politisch richtig hält, würde demnach auch das Gedicht mit
dem Titel 'Die Ohrfeige, die Deutschland brauchte'[39], in dem Klarsfeld
ihre Ohrfeige rechtfertigt, politisch nennen. Dagegen gehörte für den, der
eine solche Handlung für politisch falsch, für ein Zeichen von 'unpo-
litischem' Bewußtsein hält, dieses Gedicht nicht zur Kategorie politischer
Lyrik.

zu e) 'Politischer Kontext' meint z.B. politische Anthologie, politisches
Theater, nationale Feiern, politische Versammlungen, Demonstrationen u.ä.
Die Schwierigkeiten scheinen hier vergleichsweise gering; weder muß man
langwierige Nachforschungen beim Autor noch Wirkungsgeschichte betreiben,
sondern man registriert die Umgebung bzw. die Art des Gebrauchs eines Gedichts. Da aber der Kontext eines Gedichtes und das Gedicht den Kontext
wechseln kann, erweist sich dieses Kriterium als zu 'dynamisch'. Oder soll
ein Gedicht, einmal auf einer politischen Veranstaltung an passender Stelle
vorgetragen, dann im Feuilleton neben einer Abhandlung über die Muse veröffentlicht, im ersten Fall ein politisches heißen, im zweiten aber nicht?

zu f) Dieser Ansatz hat gegenüber den bisherigen (von d) abgesehen, der
aber auch nicht weiterführt) den Vorteil, daß jenes Moment, das über das
Politische eines politischen Gedichtes entscheiden soll, nicht vor, neben
oder nach dem Gedicht, sondern in diesem selber liegt, also nicht von außerhalb bestimmt werden muß (was nicht heißt, daß man, um die mitgeteilten
Sachverhalte als politische identifizieren zu können, auf zusätzliche
historische Informationen immer verzichten kann). Enzensbergers Postulat,
der politische Aspekt müsse der Poesie selber "immanent" sein, erhält so
die 'materielle' Basis, auf der sich der Begriff der politischen Lyrik
allein halten kann.

Politische Gedichte sind "objektgebunden"[40], sie müssen Nachrichten über
politische Realität, d.h. politische Nachrichten enthalten. 'Nachricht'
impliziert, daß jemand benachrichtigt werden soll. Folglich muß, das ist
die zweite Bedingung für politische Lyrik, die mit der eben genannten untrennbar verknüpft ist, die Nachricht so ausgewählt und präpariert sein,

daß sie als politische beim Empfänger ankommen kann[41]. Beide Bedingungen,
die in dieser Definition - mit ihr sind die Schwierigkeiten nicht beseitigt,
sondern erst abgesteckt - genannt sind, gilt es zu konkretisieren.

Die verschiedenen 'Lesarten' von 'politisch', die sich, diese Einschränkung
sei betont, lediglich im Rahmen einer Begriffsklärung 'politische Lyrik'
als untauglich erweisen, wurden sortiert. Das Kriterium der politischen
Nachricht, in der politische Sachverhalte mitgeteilt werden, setzt einen
- außersprachlichen - Wirklichkeitsbereich voraus, der als politischer
identifizierbar ist; das heißt: wie etwa Naturlyrik oder Liebeslyrik, so
bezieht sich auch politische Lyrik auf einen bestimmten Realitätsaus-
schnitt[42], auf "Probleme innenpolitischer oder außenpolitischer Art, ...
Besitzverhältnisse oder Existenz- und Wirkungsmöglichkeiten einzelner
Gruppen, Schichten und Klassen"[43], auf Themen also, deren politischer
Charakter, in dieser Allgemeinheit formuliert, unumstritten sein dürfte.
Spezifizierungen und Ergänzungen wären möglich, doch ist es sinnvoll, sie
jeweils nur für einen überschaubaren Untersuchungszeitraum vorzunehmen,
um die Änderungen im öffentlichen Bewußtsein, d.h. die je zeitgenössischen
Vorstellungen über das Politische mit aufnehmen zu können (was nicht heißt,
sich ihnen sklavisch anzupassen). So wird man angesichts der zunehmenden
Informationsüberflutung, die den heutigen Zeitgenossen gegenüber geheimer
Verführung stumpf und wehrlos macht, den Informationsvorgang selber als
Politikum gelten lassen und die zahlreichen zeitgenössischen Gedichte, in
denen Sprachmanipulationen entlarvt werden, zu den politischen zählen[44].
Für die vorliegende Untersuchung heißt dies, sich anhand zeitgenössischer
Äußerungen (1945-1950) ein Bild von den damaligen Vorstellungen vom Po-
litischen und von politischer Lyrik zu machen.

Wenn es richtig ist - so mein Leseergebnis - , daß die Wörter 'Politik'
und 'politisch' von der lebhaft diskutierenden Öffentlichkeit vergleichsweise selten gebraucht werden, wäre damit schon statistisch angezeigt,
was in entsprechenden Äußerungen bestätigt wird: Politik ist etwas, was zu
meiden bzw. zu überwinden ist - "Politisches Leben ist eine Art Krankheits-
zustand, welcher überwunden werden muß"[45] - oder doch in seinem Wert für
den Menschen gesunken ist: "Alle Kräfte, alle Talente des Landes werden als
das A und O der deutschen Zukunft das Lernen und das Lehren zu betrachten
haben. Es handelt sich da um eine Aufgabe, die v o r der Politik liegt."
Ihr gegenüber sei eine "große Zurückhaltung" angebracht und stattdessen

mit einer "neuen Bildung einzusetzen", die es ermöglichen soll, das Dasein
"nach Art der Gärtner zu verbessern" - im Gegensatz zur Daseinsvergewalti-
gung durch den totalen Staat. Auch der Versuch, "das leidige Heute als
eine Folge des Vergangenen zu begreifen", "Gewissensforschung" zu betreiben, "eine neue Bestimmung des Rechts, eine neue Erklärung der Freiheit
des einzelnen als Grundlage der menschlichen Würde, das nachdrückliche Ab-
schwören des Inhumanen" anzustreben, sollte als ein "Vorgang nicht politischer, sondern theologischer Natur hingenommen und als solcher gewür-
digt werden."[46] - Fragen der deutschen Zukunft, Probleme des leidigen
Heute, Erforschung der Vergangenheit und Gewissenserforschung als Suche
nach den Gründen für die "deutsche Katastrophe"[47] - dies alles aus dem
Bereich des Politischen herausnehmen, hieße, diesen Bereich selber nahezu
aufgeben. Tatsächlich muß man die Aussagen dieses Zeitgenossen - er selbst
gibt dafür einen Hinweis - in gewisser Weise gegen den Strich lesen: da
er mit Blick auf das, "was man bei uns zu Lande Politik genannt hat" -
das deutsche Volk sei "unkritisch 'verpolitisiert'" worden[48] - , die
zentralen Lebensfragen des deutschen Volkes offensichtlich nicht gleich
wieder mit Politik in Verbindung bringen und sie stattdessen der Moral, der
Theologie, dem 'inneren Menschen' überantworten will, muß man um so mehr
hinter solchen Umdeutungen das Politische zu erkennen suchen, das unter
den besonderen Bedingungen der Jahre nach dem Krieg und dem Ende der
nationalsozialistischen Gewaltherrschaft eine Ausweitung ins Moralisch-
Menschliche erfährt. So verbirgt sich hinter dem Politik-Verdacht das
Interesse, Politik und Mensch (wieder) zusammenzubringe, oder auch: Moral
zu einem integralen Bestandteil von Öffentlichkeit zu machen.

Dieser erweiterte Politikbegriff wird auch dem politischen Gedicht zugrunde
gelegt, wie zeitgenössischen Aussagen, spärlich und zumeist in Rezensionen
verstreut[49], zu entnehmen ist: "Wenn es sich um die Ursituationen handelt,
um das Elementarische, um Schlaf und Hunger und Brot, um Leben oder Tod,
mit einem Wort, wenn der Alltag, dem stets die Existenz innewohnt, die
Ewigkeit durchsäuert, dann müssen die Gedichte politisch sein."[50] Die genannte Erweiterung des politischen Bereichs, das zeigt dieser Satz in aller
Deutlichkeit, wird die Unterscheidung von politischer und sonstiger Lyrik
der Nachkriegsjahre nicht eben vereinfachen, die Konturen drohen mitunter
zu zerfließen; entsprechend hoch ist die Zahl derjenigen Gedichte, die man
zu Grenzfällen politischer Lyrik erklären könnte[51]. Wohl auch aus diesem
Grund - um diese Ausweitung begrifflich wieder einzuholen (und nicht nur,

um störende Assoziationen zu vermeiden) - hat man seinerzeit oft anstatt
vom politischen von dem inhaltlich beliebig dehnbaren 'Zeitgedicht' gesprochen[52].

Soweit zur zeitspezifischen Konkretisierung der ersten Bedingung politischer
Lyrik, der politischen Nachricht. Ob und wie die zweite Bedingung - die
Nachricht muß für den Leser als politische identifizierbar sein - eingelöst
(oder verhindert) wird, hängt zum einen von der Art der Kodierung des mit-
zuteilenden Sachverhalts, zum anderen von der Informiertheit, der Erwartung
und dem Interesse der jeweiligen Leser ab - beides Faktoren, über deren
'Funktionieren' man Genaueres erst bei einer eingehenden Analyse von
Texten und Leserbewußtsein erfährt. Dennoch sind, im Anschluß an die Überlegungen von Walter Hinderer, ein paar allgemein theoretische und vorweg
auch einige zeitspezifische Bemerkungen am Platze.

Das Postulat der Objektgebundenheit politischer Lyrik - wobei das Objekt
der Aussage in einem nachprüfbaren Wirklichkeitszusammenhang stehen muß -
unterstellt eine Skala mit den Endpunkten Subjektpol und Objektpol. Je
mehr sich nun die Aussage vom Objektpol entfernt und sich in den Subjektpol zurückzieht, "das Erlebnis, das Gefühl oder auch das Medium wichtiger
wird als der Gegenstand"[53], desto mehr wird die politische Intention ab-
geschwächt und desto größere Schwierigkeiten hat folglich auch der Leser,
die politische Information durch die in den Vordergrund gerückte Subjektivität hindurch aufzuspüren.

Dieses Strukturmodell ist brauchbar nur unter der Voraussetzung - die
Hinderer nicht oder nicht deutlich genug kenntlich macht - , daß mit der
Forderung der Objektorientiertheit die Möglichkeit auch extrem   s u b -
j e k t i v e r   politischer Lyrik nicht geleugnet wird und daß, wo sie
dies nicht wird, die Subjekt-Objekt-Skala lediglich als Skala zur Abgrenzung und Gliederung, nicht aber zur   W e r t u n g   politischer Lyrik
benutzt wird: Brecht hätte sich wohl selber dagegen gewehrt, als heilige
Kuh gegen den "Kitschmenschen" Enzensberger ausgespielt zu werden, der,
weil in Agressivität und mit Pathos um sich schlagend, der "Sache", d.h.
dem Objektpol, angeblich nicht so nahe kommt wie die nüchterne Dialektik
Brechts[54]. Eine Sache, dem Leser in zügelloser Emotionalität hinge-
schleudert, kann ein deutlicheres Profil erhalten als eine in kühler Distanz dargebotene. Rückzug in den Subjektpol ist nur dann identisch mit
einer Verflüchtigung des Politischen, wenn das Subjekt das Realitätsobjekt

immer mehr vergißt und es schließlich ganz übersieht, so daß es im Gedicht auch in emotionaler Färbung nicht mehr erscheint. - Ohne diese Klarstellung wären auf der Subjekt-Objekt-Skala große Teile der politischen Lyrik der Nachkriegszeit gar nicht ablesbar oder a priori mit dem Makel der Minderwertigkeit behaftet, denn demonstrative Sachlichkeit war nicht die Sache derer, die, aufgewühlt von dem Erlebten, das Erlebte und das, was sie noch erleben wollten, niederzuschreiben versuchten.

Der zweite Faktor, der (neben der Art der sprachlichen 'Verpackung') darüber entscheidet, ob eine Nachricht als politische ankommt, ist der Leser selbst. Der ausschließlich politisch orientierte Leser wird nach dem "Gebrauchswert", der ausschließlich literarisch orientierte nach dem "Darstellungswert" fragen[55]. Da, wie zu zeigen sein wird, 'der Leser' der Nachkriegsjahre mehr zum Leseverhalten nach dem ersten Muster neigt, also mehr am Inhaltlichen als am Formalen interessiert ist, scheint von seiner Seite keine allzu große Gefahr für eine Verfälschung (Negierung) einer intentionalen politischen Nachricht auszugehen.

Ich unterbreche hier die zeitspezifische Konkretisierung der prinzipiellen Befunde zum Begriff der politischen Lyrik. Sie wird im Anschluß an den systematischen Textdurchgang in einer zusammenfassenden Charakterisierung der politischen Lyrik 1945-1950 weitergeführt[56]. Der Begriff der politischen Lyrik, dessen Bestimmung hier versucht wurde, wird dort zuerst, nachdem er historische Gestalt annehmen konnte, seine wahre Bestimmung erhalten.

3. Der gescheiterte Aufbruch. Zur politischen und geistigen Lage der Nachkriegsjahre

Nach der Kapitulation im Mai 1945 war es "nicht mehr an den Deutschen, auf die Frage, was Deutschland sei, eine Antwort zu geben, die in der Welt zählte"[57]. Hingegen zählte die Antwort, die die Alliierten, welche am 5. Juni 1945 die Regierungsgewalt übernahmen und sie im Kontrollrat institutionalisierten, auf der Potsdamer Konferenz im Juli und August gaben (unter Berücksichtigung der schon auf verschiedenen Kriegskonferenzen vereinbarten Grundsätze): "Der deutsche Militarismus und Nazismus werden ausgerottet, und die Alliierten werden in gemeinschaftlichen Einverständnis dafür Sorge tragen, daß Deutschland niemals wieder seine Nachbarn und den Weltfrieden bedrohen kann"[58]. Zur Durchsetzung dieses leitenden Prinzips wurden u.a. die Zerstörung des deutschen Kriegspotentials und die Dezentralisierung des Wirtschaftslebens beschlossen "mit dem Ziel der Vernichtung der bestehenden übermäßigen Konzentration der Wirtschaftskraft, dargestellt insbesondere durch Kartelle, Syndikate, Trusts und andere Monopolvereinigungen"[59]. Das allein schien ein friedfertiges künftiges Deutschland noch nicht zu garantieren; nicht nur auf ökonomischer, sondern auch auf ideologischer Ebene waren Zwangsmaßnahmen erforderlich: Prozesse gegen Kriegsverbrecher, Entnazifizierung und Umerziehung des vor und an der Welt schuldig gewordenen deutschen Volkes zu Demokraten – die These von der Kollektivschuld gab die moralische Rechtfertigung dafür ab[60]. Andererseits hatte man nicht die Absicht, "das deutsche Volk zu vernichten oder zu versklaven", sondern wollte ihm, auf politischer Ebene, "die Möglichkeit geben, sich darauf vorzubereiten, sein Leben auf einer demokratischen und friedlichen Grundlage von neuem wiederaufzubauen"[61]. Daher beschloß man die Initiierung lokaler Selbstverwaltungen sowie die Zulassung demokratischer Parteien.

Mit diesem Abkommen, das in seinen Einzelheiten darzustellen zu weit führen würde, war nicht nur die weitere politische Entwicklung entscheidend festgelegt, sondern auch ein Konfliktpotential geschaffen, das sich sowohl zwischen den Alliierten untereinander als auch zwischen Siegern und Besiegten entladen sollte, hier vor allem in der Frage der Kollektivschuld und den daraus resultierenden Maßnahmen der Sieger. Zwar wurde der Morgenthau-Plan, der "die Umwandlung Deutschlands in ein Weideland" vorsah[62], nicht realisiert, aber die Ideologie, als deren extremste Konsequenz dieser absurde Plan überhaupt erst entstehen konnte – er wurde den Deutschen übrigens nicht nur von alliierter Seite zugemutet[63] –, hat sich gleichwohl erhalten: als eine von den Westalliierten vertretene Feindbildtheorie, die den Faschismus auf einen verwerflichen deutschen Nationalcharakter bzw. auf eine spezifisch deutsche Krankheit zurückführte[64] und so seinen strukturellen Zusammenhang mit dem eigenen kapitalistischen System, das man den Deutschen zu ihrer 'Heilung' verschrieb, verdeckte. Einer Identifikation des deutschen Volkes mit dem Nationalsozialismus, die Goebbels immer behauptet und vor der Stalin schon 1942 gewarnt hatte[65], stand nichts mehr im Wege. Wenn der gewiß unverdächtige Eugen Kogon einen Artikel in den 'Frankfurter Heften', deren Mitherausgeber er ist, demon-

strativ mit dem Titel 'Das Recht auf politischen Irrtum' überschrieb[66],
dann wollte er die Deutschen von der Verantwortung für die begangenen Verbrechen nicht freisprechen, formulierte aber das allgemeine Unbehagen darüber, daß "Freiweillige, Getäuschte und Gefangene" unterschiedlos, weil
eine "umfassende, wahrheitsgemäße deutsche Bestandsaufnahme versäumt"
wurde, zur Rechenschaft gezogen wurden[67]. "Denazifizierung nach Formalismus, nach Klassengesichtspunkten, nach Gefühl oder nach Beziehungen des
Zufalls, der Laune, der Korruption"[68] - das alles "ließ eine Art Solidarität mit dem geschlagenen Regime wiedererstehen"[69], so daß - Erinnerungen
an den Versailler Vertrag wurden außerdem lebendig - Denazifizierung zunächst einmal Renazifizierung bedeutete und "das böse Wort" in Umlauf kam:
"'Seitdem uns die demokratische Sonne scheint, werden wir immer brauner'"[70].
Die Chance, den Deutschen zu einer selbstkritischen Abrechnung mit ihrer
unmittelbaren Vergangenheit zu verhelfen, wurde weitgehend vertan. Dabei
war der Wille zu einer solchen Selbstprüfung bei vielen vorhanden, wie
sich beispielsweise an den Reaktionen auf das vielgespielte Theaterstück
'Des Teufels General' von Carl Zuckmayer belegen läßt[71].

Ebenso wichtig aber war die mit der Vergangenheitsbewältigung unmittelbar
zusammenhängende Frage nach dem Wiederaufbau, nach den realen Möglichkeiten, die den Deutschen gegeben wurden und die sie von sich aus wahrnahmen.

Die Aufrufe, Stellungnahmen und Programme der politischen Parteien dokumen-
tierten nicht nur den aufrichtigen Willen zur Erneuerung, sondern schienen
auch in der Frage, in welche Richtung diese Erneuerung zu gehen habe, weitgehend übereinzustimmen. Sie alle plädierten zunächst leidenschaftlich für
eine antifaschistisch-demokratische Ordnung, wobei "Christentum und Demokratie, Sozialismus, Pazifismus und Internationalismus ... als die wahren
Alternativen zum Nationalsozialismus" erschienen[72]. Wenn sich gar Teile
der CDU nicht nur zu einem etwas verschwommenen christlichen, sondern gar
zum wirtschaftlichen Sozialismus bekannten - so bereits in den 'Frankfurter Leitsätzen' vom September 1945[73], so noch im 'Ahlener Wirtschafts-
programm' vom Februar 1947[74] - und Jakob Kaiser, einer ihrer Wortführer,
auf der Berliner Tagung der CDU 1946 klassenkämpferisch ausrief, "Erkennen
wir, was nötig ist: Der Sozialismus hat das Wort"[75], dann ist die Frage
von Walter Dirks im Hinblick auf die Parteien - "Wo stehen sie nun eigentlich, links oder rechts?"[76] - zumindest verständlich. Unverständlich
ist allerdings sein Fazit: "Die Sache der Rechten ist Haltung und Weisheit,

die Sache der Linken ist die Tat ..."[77]; daher solle man "r e c h t s
s e i n   u n d   l i n k s   h a n d e l n"[78].

Die scheinbare Relativität der verschiedenen Positionen beruhte auf der
geradezu magischen Wirkung, die von dem Wort 'Sozialismus' ausging, das
jeder fortschrittlich Gesinnte für sich in Anspruch nahm. Auch wenn man zu
Recht von 'Sozialismen' sprach[79], war es vor allem der von Kurt Schumacher
propagierte 'demokratische Sozialismus' der SPD, der noch am ehesten die
Vorstellungen, Erwartungen und Hoffnungen aller Sozialismen ausdrückte[80]:
gegen den Sozialismus sowjetischer und gegen den Kapitalismus westlicher
Prägung solle Deutschland, von beiden Systemen jeweils das Positive über-
nehmend - von den USA die politische Demokratie, von der Sowjetunion die
sozialistische Ökonomie - den 'dritten Weg' gehen, aber nicht allein, sondern eingebettet in ein sozialistisches Europa, das, mit dem Kern eines
sozialistischen Deutschland, eine Brückenfunktion zwischen beiden Blöcken
übernehmen sollte[81].

Diese sozialistische Bewegung - sie ist aus dem bundesbürgerlichen Denken
längst verdrängt - sammelte sich nicht nur in Parteien und Gewerkschaften[82],
sie materialisierte sich nicht nur in den Verfassungen selbst CDU-regierter
Länder[83], sondern sie wurde auch getragen von der politischen und literarischen Intelligenz, wie dies eine Analyse ihrer Publikationsorgane ergibt.
Kaum eine Nummer des 'Merkur' oder der 'Frankfurter Hefte', in der sich
nicht ein Artikel über Europa, Sozialismus, Weltregierung etc. fand. Besonders erwähnt sei die von Literaten herausgegebene politische Zeitschrift
'Der Ruf', jene schon legendäre Keimzelle der Gruppe 47[84].

Schon in der ersten Nummer vom August 1946 erkennt Alfred Andersch in Europas Jugend einen "unerschöpflichen Hunger nach Freiheit", untrennbar verbunden mit der "Forderung nach europäischer Einheit"; er sieht den
"Menschengeist" auf einer Stufe, "in der ihm der private Besitz von Pro-
duktionsmitteln ebenso absurd erscheint wie vor 2000 Jahren die Skla-
verei"[85]. Walter Mannzen kommt in einer mehr theoretischen, an die Ent-
fremdungstheorie des jungen Marx anknüpfenden Analyse zu einem ähnlichen
Ergebnis: "Die Heilung ... ist nur von der Wurzel her möglich. Die entscheidende Wurzel liegt im Ökonomischen. Die Heilung erfordert die Befreiung der
Wirtschaft von den Fesseln des Profits und des Marktmechanismus und ihre Be-
herrschung durch Planung"[86].

H.W. Richter betont, ähnlich wie die SPD Kurt Schumachers, die Brückenfunktion, die Deutschland, zusammen mit Europa, einzunehmen hätte; auch er
plädiert für den 'dritten Weg' als der Vereinigung des "Sozialismus des
Ostens" und der "Demokratie des Westens": " ... sie muß gleichsam den
Sozialismus demokratisieren und die Demokratie sozialisieren"[87]. Und wer
muß dieses schwierige politische Programm durchsetzen? - Die Jugend, die
deutsche und, oft in einem Atemzug genannt, die europäische Jugend.
Jugend - auch dieses Wort vermochte zu faszinieren, denn was soll die Rede
von Aufbau, Einheit, Neuanfang, Sozialismus, wenn sich nicht ein Träger
findet, der diese Ideen auch zu realisieren vermag?

Nicht nur im 'Ruf', der im Untertitel bezeichnenderweise 'Unabhängige
Blätter der jungen Generation' hieß, setzte man so große Hoffnungen auf
die Jugend - diese Erwartung, die die Jugend zum einzigen Garanten von
Zukunft, zum alleinigen Subjekt von Geschichte überhaupt erklärte, war
quer durch alle gesellschaftlichen Schichten und Bereiche anzutreffen.
Beschwörend rief Ernst Wiechert schon im November 1945 der deutschen Ju-
gend im Münchener Schauspielhaus zu: "Ein zerstörtes Volk erwartet euch ...
Der Wald ist abgeschlagen, aber tief aus dem Urgrund des Volkes schießen
die neuen Triebe heraus, die Zukunft, die einzige Zukunft, und in eure
Hände ist sie gelegt ... ihr sollt Gott ausgraben unter den Trümmern des
Antichrist ... die Liebe ... die Wahrheit ... das Recht und die Freiheit ...
Erinnert euch daran, was vor euch steht und daß es in der ganzen Weltgeschichte niemals eine größere Aufgabe gegeben hat als die eure: das Blut
des Volkes zu erneuern und die Schande von dem Gesicht eines Volkes abzu-
waschen"[88]. Zwar sieht man, daß auch die junge Generation "schwere Ein-
buße an Blüte ... zu beklagen" habe, doch stehe sie, "trotz Hunger und Tod,
natürlich in frischerem Saft" als die ältere und habe das "Glück, ganz neu
zu beginnen und die Trümmer als Bausteine zu betrachten und zu benutzen"[89].

Aber woher kommt es, daß H.W. Richter schon im Januar 1947 resigniert fest-
stellt, daß "auf dem Gebiet der Politik ... bei uns die Zeit stillzustehen"
scheint, daß nicht nur die "Revolution", an die noch "einige Phantasten
in Deutschland" geglaubt hatten, ausgeblieben, sondern auch die "Evolution"
als die "Anpassung an die große Evolution unserer Zeit" versäumt sei[90]?
Etliche Gründe für das spätestens 1948 sichtbar gewordene Scheitern dieser
Aufbruchsbewegung sind zu nennen, in deren Sog anfangs alle Schichten der
Bevölkerung gelangt zu sein schienen.[91]

Zunächst einmal sei die illusionistische Einschätzung dieser Bewegung
durch deren aktive Verfechter selbst hingewiesen: D i e kämpferische,
zum Motor des gesellschaftlichen Fortschritts hochstilisierte Jugend gab
es nicht. Ernst Friedländer hat deshalb die deutsche Jugend nach fünf
Typen gegliedert, denen er jeweils eine gesonderte Rede widmete, um sie
alle für die politische Arbeit zu gewinnen - die Trotzenden, die Skrupel-
losen, die Müden, die Traditionsgebundenen, die Suchenden[92]. In die letzte
Gruppe, die "eine Haltung des inneren Aufgeschlossenseins, der Bereitschaft und der Sehnsucht" auszeichne[93], setzte er besondere Hoffnungen,
ohne es jedoch zu versäumen, sie eindringlich vor dem "marxistische(n)
Sozialismus" zu warnen, "für den nur noch das Proletariat existiert"[94],
das für ihn, wie für so viele andere, die auf den 'dritten Weg' setzten,
offensichtlich überhaupt nicht mehr existierte.

Ob die Jugend differenziert gesehen wird oder nicht, scheint sekundär angesichts der Tatsache, daß sie zur alleinigen Triebkraft der historischen
Entwicklung fetischisiert wurde. Dahinter verbirgt sich die Vorstellung
vom Ende der Klassenkämpfe, der Klassengesellschaft überhaupt, was wiederum H.W. Richter treffend formuliert, wenn er über die "Mechanik der ökonomischen Gesetzmäßigkeit" schreibt: "Mit der Zerstörung der Dinge und
in der Nivellierung des Menschen hob sie die Klassengegensätze auf, zer-
malmte sie ihre eigene ökonomische Basis und ließ den Menschen mit dem
Menschen allein"[95]. Übrig bleibt so der Mensch an sich, sozial allenfalls
noch fixierbar nach Generationen, 'Equipen', 'Eliten'[96]. Im Zusammenhang
mit den hochgesteckten Erwartungen an die Jugend wurde, das zeigen zahlreiche besorgte Stellungnahmen, das Generationsproblem zum Schlüsselproblem
erklärt, da eine "richtungsweisende, klärende Einflußnahme auf die oft
gänzlich verwirrte, ratlose und ausweglose Jugend" kaum möglich war[97],
auch und gerade nicht über die Parteien, denen die Jugendlichen in ihrer
Mehrheit deswegen mißtrauisch gegenüberstanden, weil sie für parteiideo-
logische Auseinandersetzungen angesichts der Notwendigkeit praktischer Politik wenig Verständnis aufbrachten[98].

Daß das eigentliche Schlüsselproblem h i n t e r dem Generationskon-
flikt lag, deutet Walter Dirks an, der auf seine Frage hin, "Wer weiß, was
für ein Getränk in fünf Jahren aus diesem trüben Most (gemeint ist die
Jugend; G.Z.) herausgegoren sein wird!", postuliert: "Eine wirkliche soziale Ordnung, funktionierend, zumutbar, gerecht - das wäre freilich die

eigentliche Grundbedingung für eine positive Jugend"[99]. Die - vermeint-
liche - Stunde Null schien Voraussetzung für diese neue Ordnung zu sein;
der idealistische Aufschwung dieser antifaschistisch-radikaldemokratischen
Bewegung verführte viele zu dem Glauben, mit der militärischen Vernichtung
des Faschismus sei nicht nur der Kapitalismus zusammengebrochen, sondern,
als Begleiterscheinung sozusagen, die Geschichte ins Zeitalter des Sozialismus übergegangen. Mit dieser mechanistischen Formel konnte man bequem
die Massenkämpfe ignorieren, die in der Tat stattgefunden haben. Zwar
wurde die Arbeiterbewegung durch den Faschismus organisatorisch zerschlagen, ihre Kader grausam dezimiert, das Klassenbewußtsein insofern ver-
schüttet, als die Arbeiterklasse, wiewohl sich der größte Teil der aktiven
Gegner des NS-Regimes aus ihr rekrutierte, vom Einfluß faschistischer Ideologie nicht freigeblieben war[100]; zwar begünstigte die durch die zusehends
sich verschlechternde materielle Lage der arbeitenden Bevölkerung hervor-
gerufene Enttäuschung und Verbitterung eine "'Individualisierung' und die
Ablehnung kollektiven politischen Engagements"[101] - dennoch nahmen die
Überlebenden nach dem Einmarsch der alliierten Truppen ihre politische
Arbeit sofort auf, die sie im Untergrund bereits vorbereitet hatten[102].

Aber schon vor der Kapitulation am 8. Mai 1945 legten die Alliierten den
widersprüchlichen Charakter ihrer Deutschlandpolitik bloß: Verpflichteten
sie sich einerseits zur Ausrottung des deutschen Militarismus und Nazismus,
so verhinderten oder verboten die Militärbehörden andererseits unter
Strafe jegliche politische und gewerkschaftliche Betätigung der Arbeiter-
organisationen. Erst das Potsdamer Abkommen brachte die offizielle Erlaub-
nis zur Gründung von Parteien und Gewerkschaften, aber die Konstituierung
der Gewerkschaften als Massenorganisation wurde bis zum Herbst 1946 ver-
zögert, vor allem um den Einfluß der Kommunisten zurückzudrängen[103],
während den Unternehmern der überregionale Zusammenschluß und damit die
Festigung ihrer Machtpositionen schon wesentlich früher ermöglicht wurde.

Diese so frühzeitige Unterstützung der deutschen Unternehmer - trotz
ihrer politischen Mitverantwortung für den NS-Staat - vor allem durch die
amerikanische Militärregierung kam nicht von ungefähr: nachdem sich jene
Industriegruppen nicht durchsetzen konnten, die durch totale Auspowerung
die deutsche Industrie als Konkurrenten auf dem Weltmarkt ausschalten
wollten, zielten sämtliche Maßnahmen auf den Auf- bzw. Ausbau der kapitalistischen Wirtschaftsstruktur ab, die allein als "Voraussetzung der

Reparationsleistungen, der weiteren Kapitalinvestition und der Sicher-
stellung des westdeutschen Arbeitsmarktes auf lange Sicht" erschien[104]
und dadurch u.a. der drohenden Wirtschaftskrise in den USA entgegenwirken
sollte[105]. Wäre ein ökonomisch ohnmächtiges Deutschland den unmittelbaren
Kapitalinteressen der USA direkt zuwidergelaufen, so ein sozialistisch
orientiertes den langfristigen politischen Interessen noch viel mehr,
brauchte man doch einen soliden kapitalistischen Bündnispartner als Boll-
werk gegen den Einflußbereich der Sowjetunion, die ihren Machtanspruch
in der konsequenten Sozialisierung (sowjetischer Prägung) der östlichen
Zone dokumentierte. "Aus dem Feind von gestern mußte der Verbündete von
heute werden, da der Verbündete von gestern zum Feind von heute geworden
war"[106].

Die USA, die, als einzige Großmacht gestärkt aus dem Krieg hervorgegangen,
die Führung der westlichen Welt übernahm, verfolgte nach Roosevelts Tod
1945 bald jene harte 'roll-back'-Politik, die, gestützt auf das Atom-
waffenmonopol, "den Russen in eklatanter Weise" klarmachen sollte, "daß
die Zeiten der Freundschaft vorüber sind. Der sowjetische Mohr hatte seine
Schuldigkeit getan ... Warum sollte es nicht möglich sein, die alte anti-
russische Politik der zwanziger Jahre wiederaufzunehmen"[107]. Konkret bedeutete dies eine forcierte Expansionspolitik, denn, so Truman 1947,
"das amerikanische System kann nur überleben, wenn es das System der ganzen
Welt wird"[108]. Gerade dieser Anspruch aber war durch die revolutionäre
Bewegung in Asien und Afrika bedroht.

Mit der Formulierung solcher militanter politischer Konzeptionen war auch
eine gemeinsame Deutschlandpolitik zum Scheitern verurteilt. In dem Maße,
in dem sich die Spannungen verschärften (die schließlich auf der Londoner
Außenministerkonferenz im Dezember 1947 zum endgültigen Bruch, zur Auflösung des Kontrollrats und zur Berlinkrise führten), unterstützten die
amerikanischen Militärbehörden jene Kräfte, "die strikt antisozialistisch
ausgerichtet und an einer Restauration des kapitalistischen Systems interessiert waren"; das bedeutet, daß noch während der ohnehin fragwürdigen
Entnazifizierungskampagne "in starkem Umfange die Eliten des Dritten
Reiches in Wirtschaft, staatlicher Bürokratie, Justiz, Bildungswesen und
schließlich im Militär wieder in die alten Führungspositionen ein-
rückten"[109].

Schon früh wurde heftiger Widerstand gegen diesen Restaurationsprozeß arti-
kuliert, den die Alliierten in ihrem eigenen und im Interesse des deutschen
Kapitals mit allen Mitteln durchsetzten. So leiteten Ende 1945 Betriebs-
gruppen eine Kampagne zur entschädigungslosen Enteignung der Krupp-Werke
ein, worauf die britischen Militärbehörden mit Verhaftungen, Gefängnis-
strafen und dem Auffahren von Panzerwagen reagierten[110]. Indes weiteten
sich die Proteste, verstärkt durch die katastrophale Ernährungslage vor
allem im Ruhrgebiet, zu Massenkämpfen aus. Als mehrere von der KPD im
nordrhein-westfälischen Landtag eingebrachte und von über 100 000 Berg-
arbeitern und Angestellten unterstützte Anträge über die Enteignung des
Bergbaus, der Eisen-, Stahl- und Chemiekonzerne abgelehnt wurden, breitete
sich eine Streikwelle aus, die schließlich durch ein Verbot aller weiteren
Proteststreiks und Demonstrationen beendet wurde. Eine ähnliche gewaltsame Unterdrückung des politischen Willens jener Deutschen, die sich gegen
die Übernahme verantwortlicher Positionen durch die NS-Führungselite und
für Sozialisierungsmaßnahmen aussprachen, zeigt der Eingriff der US-Militärregierung in die Auseinandersetzungen um die hessische Landesverfassung:
Obwohl sich in einer Volksabstimmung 72 % der hessischen Bevölkerung für
die Verstaatlichung wichtiger Industriezweige aussprachen, wurde dieser
Paragraph von den Militärbehörden suspendiert[111]. Der US-Gouverneur Oberst
Newman schreckte auch nicht davor zurück, der Bevölkerung drastische Maßnahmen anzudrohen, so etwa die Todesstrafe, Kürzung der Lebensmittelra-
tionen für Arbeiterführer oder völlige Militäraufsicht über den gesamten
Staat, "falls die Haltung des Volkes sich nicht bessert"[112]. Diese letzte
Bemerkung ist aufschlußreich, zeigt sie doch, daß gar aus der Sicht der
Militärregierung nicht nur das Verhalten einiger weniger 'Agitatoren', sondern das Volk insgesamt der restaurativen Politik der Alliierten ablehnend
gegenüberstand.

Wenn nun doch ab 1948 die offensiven Massenkämpfe mit abnehmendem Erfolg,
die oppositionelle Bewegung insgesamt immer mehr abflauten und schließlich
versandeten, so lag das aber auch an den politischen Differenzen innerhalb
dieser linken Sammlungsbewegung insgesamt. Während die maßgeblichen Vertreter von SPD und Gewerkschaften zu viele Hoffnungen auf die Sozialisierungsvorstellungen besonders der britischen Labourregierung setzten[113],
fingen vor allem CDU-Kreise mit "Losungen und Forderungen, die ihrer Er-
scheinungsform nach sozialistische waren, ihrem Wesen nach jedoch einen
kapitalistischen Restaurationsprozeß stabilisieren halfen oder für diesen

zumindest ungefährlich waren, ... "antikapitalistische Stimmungen" auf,
um "ihre Umsetzung in eine politisch relevante Praxis" zu verhindern[114].
Oder mit den Worten des geschäftsführenden CDU-Mitglieds Franz Meyers:
"Das Ahlener Programm war ein Programm, dazu ausersehen, den Sozialismus
zu verhindern"[115]. Nachdem schließlich der rechte Flügel der CDU, der
die Parole vom christlichen Sozialismus durch das Konzept der 'freien
Marktwirtschaft' und des 'freien Unternehmertums' ersetzte, die Oberhand
gewonnen hatte, wurde der Sozialismus des weiteren durch den Marshallplan
'verhindert', dessen ökonomische Funktion die Sanierung der US-Wirtschafts-
verhältnisse (Notwendigkeit des Kapitalexports), dessen politische Funktion die Integration Westeuropas und die Abwehr des Kommunismus gewesen
sind.[116]

Noch einmal, im Sommer 1948, zeigte sich die potentielle Stärke der Pro-
testbewegung, als sich über 9 Millionen von insgesamt 11,7 Millionen Be-
schäftigten in der Bizone an einem Aufstand gegen die verschlechterte
Ernährungslage und gegen die Währungsreform beteiligten[117]. Von dieser
hat sich Erich Kästner 1947 eine Reform der Moral versprochen, die er
"wie auf einer eingeseiften Rutschbahn" abgleiten sah[118]. Tatsächlich
hat die Währungsreform die Moral reformiert und stabilisiert - die kapitalistische allerdings, deren deutlicher Ausdruck sie zugleich war,
wurde doch "selten eine kapitalistische Expropriation so offen vollzogen ...
wie nach dem Jahr 1948"[119].

Mit dem ökonomischen Grundlegungen Marshall-Plan und Währungsreform hat
sich die Restauration endgültig durchgesetzt, mit der gleichzeitig der
Vorrang des ökonomischen, d.h. des kapitalistisch-ökonomischen Denkens
in der deutschen Politik einherging[120]. Die dadurch entstandene Schere
zwischen ökonomischer und geistiger 'Prosperität' zeigte und zeigt sich
in spezifizierter Form auch in der Nicht-Identität von Verfassung und Ver-
fassungwirklichkeit, d.h.: Die Landesverfassungen mit mehr oder minder ·
energischen Sozialisierungsforderungen ragten als "Resultate jenes breiten Stromes der Entfaltung sozialistischer Ideen ... in eine Zeit hinein,
die durch andere Machtverhältnisse bestimmt wurde und bald auch anderen
sozialpsychologischen Gesetzen folgte"[121]. Diese anderen, kapitalistisch
bestimmten Machtverhältnisse fanden ihre politische Absicherung im CDU-
Wahlsieg 1949, der eine Wendung in sozialistischer Richtung, die auf Grund
des Art. 15 und 20 des Grundgesetzes theoretisch immerhin möglich gewesen
wäre, praktisch versperrt hat.

Selbstüberschätzung intellektueller Kreise hinsichtlich ihrer geschichtlichen Möglichkeiten, der verbreitete Glaube an einen mit dem Zusammenbruch des NS-Reiches automatisch auferstandenen Sozialismus, die nicht gerade attraktiv erscheinende sozialistische Lösung in der östlichen Zone,
die Fetischisierung der Jugend zum Subjekt der Geschichte, Uneinigkeit
und Abwiegelei einzelner Gruppen dieser sozialistischen Bewegung, vor
allem aber deren gewaltsame Unterdrückung durch die Besatzungsmächte
haben verhindert, daß diese "Blüteperiode sozialistischen Denkens", das
"ohne Zweifel die Majorität dieser Nation gewonnen hatte"[122], die ökonomische, politische und geistige Grundlage und Struktur des neugebilde-
ten westdeutschen Staates nachhaltig beeinflußt hat. Angesichts der Ge-
wichtigkeit des letztgenannten Grundes - die diktatorischen Gegenmaßnahmen
der Besatzungsmächte - klingt die Erklärung des ersten Preisträgers der
Konrad-Adenauer-Stiftung, Armin Mohler, wie ein Hohn auf den seinerzeit
artikulierten politischen Willen der Mehrheit der Deutschen:

"Nach dem Schock der größten Katastrophe ihrer Geschichte waren die
Deutschen froh, nicht mehr Subjekt ihrer Geschichte sein zu müssen. Sie
sehnten sich danach, in einem größeren Ganzen aufzugehen ... Die übersicht-
liche Aufteilung der Welt in eine gute und böse Hälfte ... machte es ihnen
möglich, mit einem Seufzer der Erleichterung ... die Entscheidungen, die
ihnen noch verblieben waren, an die amerikanische Gouvernante zu dele-
gieren"[123] _

ein Paradebeispiel, wie man einen mittels Zwangsmaßnahmen hergestellten
Zustand mit einem scheinbar ursprünglichen Bedürfnis 'verwechselt', um
die historische Bedeutung einer radikaldemokratischen Bewegung zu ignorieren, die in veränderter Form erst in der zweiten Hälfte der sechziger
Jahre eine Nachfolge fand.

II Lyrik im politischen Abseits. Beispiele und Hintergründe

> Reimende Lügner
> Feiglinge ihr ...
> ihr lagt geblendet
> vor der Allmacht des Grauens
> ihr hobt die Hände
> zur Wehmutter Nacht
> einsam einsam
> und reimt noch
> und harft auf zerbrochener Leier
> und säuselt
> wer seid ihr
> Hirten
> pensionierte Propheten
> spreizfüßige Pfaffen ...
> zerschlagt eure Lieder
> verbrennt eure Verse
> sagt nackt
> was ihr müßt. [124)]

'Stern über der Lichtung', 'Lobgesang', 'Der hohe Sommer', 'Zauber- und
Segenssprüche', 'Die heile Welt', 'Die Silberdistelklause', 'Das Weinberghaus', 'Weihnachtslieder', 'Alten Mannes Sommer', 'Mein Blumen-ABC', 'Der
Laubmann und die Rose' - diese Titel von Gedichtbänden lassen vermuten, daß
die drängenden und öffentlich diskutierten Probleme der Nachkriegsjahre
an der Lyrik vorbeigegangen sind. Bestätigt und verstärkt wird dieser Eindruck - "daß das Gedicht nicht aus der Zeit in die Zeit" sprach und daß
man sich folglich "von den Anforderungen der Geschichte an einen Ort zurückgezogen (hatte), wo keine Entscheidung mehr zählte, wo Verantwortung und
Bekenntnis in gleichem Maße aufgehoben schien und wo sich 'heute' auf 'Ge-
läute' reimte"[125)] - , wenn man den Positionen, Tätigkeiten und Aufgaben
des lyrischen Ich nachgeht: " ... denn süß ist's, / Hier zu ruhn im Kraut
und zu schaun," heißt es in einem Gedicht von Friedrich Georg Jünger[126)],
dessen ästhetische Sensibilität mit Vorliebe die grazile Rhythmik faszi-
nierender Mädchen registriert:

Durch das Grün, das frisch vom Tau glänzt,
Seh ich schlanke Mädchen springen,
Tänzerinnen, die im Grase
Ihre Purpurröckchen schwingen.[127)]

Während sich bei Hans Carossa eine, allerdings sehr begrenzte, praktische
Tätigkeit entfalten kann - "Die Gräslein zu tränken ist innige Pflicht"[128)]-,
bei Georg von der Vring eine, ebenso begrenzte, reflexiv-grüblerische -
"Jetzt wird die Welt besiegt / Vom gelben Löwenzahn./ ... Man grübelt, wo
er war,/ Als Schnee auf Schienen stob"[129)] - , vermag sich der kontempla-
tive Genuß Jüngers nur selten zu (genießerischer) Aktivität zu entfalten:

In die Geisblattlauben will ich,
wo die Liebenden sich herzen,
um beim Licht des Sichelmondes
mit dem jungen Reh zu scherzen.[130)]

Aber die Dominanz dieses ästhetischen Verhältnisses zur Welt, gelebt meist
in der Abgeschiedenheit der Natur, verwundert und beunruhigt das Ich selbst
gelegentlich:

Hier nun, sitzend bei grünen Weiden, frag' ich:
Warum bist du so heiter?[131)]

Bevor ich diese Frage - erweitert zu jener nach den Gründen für die Heiterkeit und Zurückgezogenheit dieser Lyrik überhaupt - von den historischen
Bedingungen dieser Lyrik her zu beantworten versuche, sollen in einem
ersten Schritt die in den Gedichten selber gegebenen Antworten und Hinweise
herangezogen werden. Auch hierzu gibt die Lyrik F.G. Jüngers bereitwillig
Auskunft, wenn es über die Stellung des Dichters heißt:

Soll er mit so groben Schlichen
Die Partei der Menge nehmen
Und sich ihrem lauten Beifall
Listig schmeichelnd anbequemen,

Müßte er sich erst erniedern
Wie der Mann, den man belachte,
Weil er, da er selbst sich preisgab,
Zeigte, daß er keinen achte.

Weil er nur um eine einz'ge
Stufe abwärts sich bewegte,
Kam's, daß ungemessnen Beifall
Er im ganzen Rund erregte.[132)]

Hier wird deutlich: Die programmatische Weigerung, die "stilisierte Erhöhung
der Dichterexistenz"[133)] auch nur "um eine einz'ge Stufe" zu verlassen, ist
Voraussetzung für ein Sprechen aus einem "ständig 'beruhigten' Sprach-

raum"[134], der gefeit ist gegen Verunreinigungen aus den niederen Regionen
der "Menge". Dieser kommt aus der Sicht dessen, der sich in die 'Silberdistelklause' - ein altes Bauernhaus in Vorarlberg auf der Höhe mit Blick
in ein weites Tal[135] - zurückgezogen hat, hauptsächlich die Funktion zu,
als Kontrastbild die berufene Position des Dichters zu profilieren. Diese
Haltung nimmt auch Rudolf Hagelstange in seinem kurz vor Kriegsende in
Italien entstandenen Sonettenzyklus 'Venezianisches Credo' ein[136]:

Ihr aber dient der Gunst des Augenblickes,
ereifert Euch in täglichen Geschäften,
um Nutzen und Gewinn ans Werk zu heften,
und geht verlustig jenes tiefen Glückes,

ein Mensch zu sein.

Hier, unten, die Vielen, die sich in der Nutzlosigkeit alltäglicher Ge-
schäfte versuchen und verbrauchen, dort die Wenigen, die nach der "Flucht
in eine geistige Bodensee-Idylle", erhoben und erhaben über die "vorder-
gründigen Aufregungen der geschichtlichen Welt"[137], in heiterer Besinnlichkeit das 'tiefe Glück' zu erfahren vermögen.

Ist es hier das Selbstverständnis von der eigenen Auserwähltheit, das dem
Dichter einen vor der störenden Banalität des Alltags gesicherten Schutz-
und Freiraum gewährt, so zeichnet an anderer Stelle mehr die von eben
jener Position aus 'erlebte' Wirklichkeit selber dafür verantwortlich,
aus dem Themenbereich der Lyrik ausgeschlossen zu werden:

Die Bahnen meid ich,
Wo Wagen jagen,
Die reichen Märkte,
Die falschen Fragen,

...

Rings brennen Städte,
Rings modern Leichen.
Das sind nur Zeichen

Mich zu verstören
In meiner Seele,
Daß ich vor Kummer
Den Weg verfehle ...[138]

Gesellschaftliche Realität wird zwar aufgenommen, jedoch mit dem Ziel, sie
als mögliche Thematik für Lyrik überhaupt zu denunzieren; erscheint sie doch
als ein Faktor, der zu meiden ist, weil er des Dichters Seelenfrieden stört
und ihn seinen "Weg" verfehlen läßt. Aber diese Begründung für die Abblen-
dung von Realität scheint angesichts deren provozierender Aufdringlichkeit

nicht auszureichen. Der Wunsch nach ungestörtem Beisichsein wird als ein
der herausfordernden Wirklichkeit adäquates Verhalten zu legitimieren versucht:

Es rauen Quellen
Unirdisch leise.
Tief will ich schlafen,
Auch Rast ist Reise,

Und nie verspätet
Sich unsere Kunde.
Wir kommen immer
Zur guten Stunde.[139)]

Der Vers "Auch Rast ist Reise" kann als Bezugnahme auf die zuvor angesprochene 'Reise' durch das mit Leichen und Trümmern übersäte 'Weltgetrie-
be' interpretiert werden; ein Hinweis auf die durchaus vorhandene Einsicht
einer von außen geforderten Tätigkeit wäre somit dann gegeben, wenn man
'Reise' als Metapher für eine mögliche Form aktiven Kontaktes mit der beschriebenen Wirklichkeit gelten lassen will. Mit der Gleichsetzung von
'Rast' und 'Reise' kann das Ich jedoch den gegenteiligen Schluß aus dieser
Einsicht ziehen: auch Schlafen und Rasten bedeuten handelnde Auseinandersetzung mit der gesellschaftlichen Wirklichkeit, zumal wenn jene in der
letzten Strophe genannte Aktivität hinzukommt, die aus der Isolation heraus
im Modus von 'Kunde' auf die Realität einwirken soll. Was da verkündet
wird, bleibt inhaltlich unausgewiesen, muß es bleiben, da der programmatische Rückzug aus Gesellschaft und Geschichte eine realitätsgerechte
Praxis, sei sie auch noch so behauptet, nicht erlaubt. Daß der Inhalt der
Botschaft religiöser Natur ist, kann man aus deren Zeitlosigkeit ("immer /
Zur guten Stunde") und den in vielen anderen Gedichten verwendeten Bildern
schließen ("Hirten", "Sterne", "Orgelklänge", "Heiligtum", "Engel",
"Altar").

Noch unwichtiger für den Dichter und noch ungeeigneter für die lyrische Gestaltung stellt sich die von F.G. Jünger interpretierte "Welt" dar, der
eine radikale Absage erteilt wird:

Du erkennst mit frohem Schaudern:
Nichts ist wichtig.
Und die Welt, die dich bewegte,
Sie ist nichtig.[140)]

Das lapidare Urteil, daß nichts wichtig sei, wird später allerdings revidiert:

Wäre diese Welt so nüchtern,
Wie sie dein Verstand erdichtet,
Würde es mich wenig kümmern,
Wenn man heut sie noch vernichtet.[141]

Der Abscheu des Dichters gilt also nur der Welt der Nüchternheit und des
Verstandes, während er sich selber in einer von ihm behaupteten und verteidigten Welt des Gefühls, der Trunkenheit und silberen Heiterkeit aufhält[142].
Hier braucht er keine Position mehr zu beziehen - "Auch erkenne, daß der
Dichter / Weder anklagt noch verteidigt"[143] - , er wertet weltliches Versagen als höheres Schicksal - "Nicht auf der Recht-Unrecht-Bahn / Ist zu
wandeln bestimmt mir"[144] - , entweicht endgültig in die schützende Natur
zu den Amseln - "Soll der Dichter mit den andern / Hinter der Posaune
schleichen? / Oder soll er in den Hain der / Amsellieder still entweichen? /
... Dieses schien mir stets das Bessre"[145] - und läßt sich von den fas-
zinierenden Angeboten der Natur unter keinen Umständen mehr weglocken:
"Mag der Nordwind an den Toren / Noch so rauh und bissig rütteln, / Aus
dem Ärmel wird der Dichter / Silberblumensträuße schütteln"[146]. Wer dennoch sein moralisch-politisches Gewissen noch einmal wecken wollte, träfe
einen Unangreifbaren an: die vorsorgende Natur hat ihn bereits in ihre eigene Gesetzmäßigkeit eingewiegt, er hat diese verinnerlicht, Zeit kann er
nur noch als Jahreszeit begreifen ("Die Zeit läuft im Kreise, / und sie
kehrt wieder / wie Rosen und Flieder / im lieblichen Mai"[147]), die ihrerseits in die Mythen versunken ist:

Eingetaucht in den Duft der Horen das Jahr,
Gebadet von ihrem Dufte,
Gebadet von des Zeitlaufs Mädchen.
Sie sinds, sie geben den Gang dir an.[148]

Derartig geborgen und abgeschirmt, kann die Beschäftigung mit der geschichtlichen Welt nur eine momentane sein. Findet sich einmal eines dieser politischen Gedichte, so hat man Mühe, es als solches zu erkennen, ist es
doch, wie das Ich in der Jahreszeit und diese im "Duft der Horen", in dem
durchrhytmisierten Zyklus des Gedichtbandes aufgehoben[149].

Die in der Lyrik selbst gegebenen Begründungen für ihre Zurückgezogenheit,
ihre erklärte Weigerung, sich mit Fragen aus der historischen Zeit zu befassen, lassen sich so zusammenfassen:

1. Das Selbstverständnis des Dichters, dazu berufen zu sein, über dem Par-
   teigezänk, den alltäglichen Geschäften und Problemen der Menge zu
   stehen;

2. der Dichter weiß um den richtigen Weg, um eine Botschaft, die er nur
   außerhalb der wirklichen Welt, die ihm dabei im Wege ist, erfahren kann;
3. Erfahrungen mit bzw. Vermutungen über die gesellschaftliche Wirklichkeit
   führen zu dem Schluß, daß i n ihr Erfahrungen von Glück, Freiheit,
   Ungezwungenheit nicht möglich sind.

Sollen diese immanent aus der Lyrik gewonnenen Hinweise zur Erklärung für
ihre Weltabgewandtheit in einen historischen Zusammenhang gestellt werden
und damit das Vorkommen und Vorherrschen dieser Lyrik trotz Umbruchsgeist
und einer rege am Zeitgeschehen teilnehmenden Öffentlichkeit hinterfragt
werden, ist zunächst einmal ein Blick auf die unmittelbare Vergangenheit,
die Situation der Schriftsteller in der NS-Zeit, zu werfen; denn den bislang zitierten Autoren - des weiteren wären zu nennen Werner Bergengruen,
Rudolf Alexander Schröder, Reinhold Schneider, Georg Britting, Albrecht
Goes, Wilhelm Lehmann - ist, bei allen Unterschieden, auf die hier einzugehen nicht von Interesse ist, eines gemeinsam: Sie gehören der älteren
Generation an, haben den Ersten oder auch beide Weltkriege mitgemacht
(Georg von der Vring), jedenfalls das Aufkommen des Nationalsozialismus
miterlebt und die Auswirkungen der nationalsozialistischen Kulturpolitik
erfahren.

Obwohl der staatliche Gewaltapparat so perfekt funktionierte, daß auch fast
alle geistigen Bezirke unter seiner Kontrolle waren, trifft das Urteil von
Thomas Mann, daß sämtliche Bücher, die zwischen 1933 und 1945 geschrieben
worden sind, "eingestampft" werden müßten, weil ihnen der "Geruch von Blut
und Schande" anhafte[150], in dieser Allgemeinheit ebensowenig zu wie die in
manchem vereinfachende Darstellung Franz Schonauers[151], der die Literatur
der sogenannten 'Inneren Emigration'[152] lediglich beschrieb als "Flucht ins
Erbauliche ... Flucht in die Idylle oder in die sogenannten einfachen und
zeitlos menschlichen Verhältnisse, Flucht in den Traditionalismus, in die
forcierte Betonung des alten Wahren und Unvergänglichen, Flucht in das Bewährte und damit Problemlose."[153] Versteht man unter 'Innere Emigration'
nicht unterschiedslos die ganze nicht-nationalsozialistische, die 'bürgerliche', sondern nur die anti-nationalsozialistische, also jene Literatur,
die "eine untrennbare Verbindung von Oppositionsgeist und einer der per-
sonalen Emigration vergleichbaren, absichtlichen oder erzwungenen Distanzierung von der nationalsozialistischen Herrschaft"[154] eingegangen ist,
greift die Charakterisierung 'Erbaulichkeit' und 'Idylle' in der Tat zu

kurz: Viele Sonette des 1942 mit Publikationsverbot belegten und 1945 des Hochverrats angeklagten Reinhold Schneider[155]; der 1937 anonym erschienene Gedichtband 'Der ewige Kaiser' von Werner Bergengruen - er zählt nach Harald von Koenigswald "zu dem Eindringlichsten der deutschen politischen Dichtung überhaupt ... - zu einem der stärksten Zeugnisse gegen den Nationalsozialismus gewiß"[156]; einige Gedichte von Friedrich Georg Jünger, dessen bedeutendstes, 'Der Mohn'[157], in allen Widerstandskreisen bekannt war[158] - das sind Beispiele dafür, wie die noch verbliebenen Möglichkeiten eines nicht korrumpierten literarischen Verhaltens[159] subversiv genutzt wurden. Wenn Schonauer dieser Literatur mit Blick auf ihre bürgerliche Herkunft vorhält, es gebe zwischen ihr und der politisch-sozialen Wirklichkeit "keine direkten Beziehungen", so daß es nur "mit Hilfe umständlichen Kombinierens" möglich sei, "von dieser Literatur auf die tatsächlichen Zeitverhältnisse zu schließen"[160], dann hat er zwar richtig die traditionelle Wirklichkeitsferne der deutschen Literatur und ihren Einfluß auf die literarische Produktion unter der NS-Herrschaft erkannt, das generelle Problem des indirekten Sprechens in der poetischen Aussage aber ebenso übersehen wie die tatsächlich vorhandenen Möglichkeiten direkten Sprechens unterm Faschismus überschätzt. Die Strategie des "verborgenen Wortes"[161] war offenbar der einzige Weg, oppositionelle Nachrichten zu verbreiten, die, wie Zeitgenossen bezeugen, auf Grund der seinerzeit entwickelten Sensibilität für den Doppelsinn der Sprache sehr wohl verstanden wurden.[162]

Allerdings, diese Möglichkeiten der Camouflage wurden vergleichsweise wenig genutzt, der Rückgriff auf bewährte klassische Versmuster, humanistische und christliche Inhalte wurde weniger zur Kritik als dazu gewendet, entweder nur sich oder auch anderen Trost und Ermutigung zu gewähren. Dichtung als "Lebensbrot"[163], als private oder kollektive (säkularisierte) Seelsorge: Schuf man damit nicht in einer "Welt des Schreckens ein sehr künstliches Arkadien, eine sublime und sozial wirksame Möglichkeit des Selbstbetrugs[164], oder war es im Gegenteil nicht schon "hohe Aufgabe" genug, in einer Zeit, ."da die Worte der Mächtigen auf den Straßen zerschlissen zu Lumpen, denen niemand mehr einen Wert beimessen wollte"[165], das Wort selbst zu retten, es im "Schatten der Geheimpolizei nach ursprünglich eigenen Gesetzen" wachsen zu lassen und aus ihm, dem christlichen und/oder humanistischen Geist eine Gegenwelt zu errichten, unangreifbar für jeglichen staatlichen Zugriff?[166]

In welchem Maße diese Literatur sich auch immer sei es zur affirmativ beschönigenden, sei es zur verborgenen kritischen Seite neigte: die christliche Botschaft, die Literatur des reinen Wortes und des von allen Zeiteinflüssen unverfälschten klassischen Geistes wurden als die Kräfte, Energien, Medien erfahren, die das Leben und Überleben im nationalsozialistischen Zwangsstaat - mit ihm oder gegen ihn - erträglich machten. Diese tiefen und bleibenden Erfahrungen vergangener Jahre waren entscheidend dafür, daß sich den genannten Autoren das Problem des Neubeginns nicht so dringlich stellte: sie standen gerade nicht als 'unbemittelte' in einem "doppelten Vakuum"[167], sondern "setzten fort, was sie getan hatten, auch wenn inzwischen radikal veränderte Äußerungsverhältnisse eingetreten waren"[168]. Eben diese neuen Verhältnisse erlaubten es, sich nun öffentlich zu ihrer damals 'verschwiegenen' Literatur zu bekennen, sie in Dankbarkeit für die erwiesenen Tröstungen zu verehren und sie in einer Art "'Gralshüterbewußtsein'" als etwas "Kostbares vor dem Verfall (zu) bewahren"[169], neue zu schaffen und zusammen mit der alten in missionarischem Eifer zu verbreiten. So setzte Reinhold Schneider, der zunächst sein Volk "auf der Heimkehr zu Gott" zu sehen glaubte, dem Schwinden dieser Zuversicht in den Jahren 1945-47 allein 55 Buchausgaben und Einzelbroschüren entgegen, was auch von einem großen Interesse der Verleger an diesen bekannten und bewährten Autoren zeugt[170].

Das fortgeschrittene Alter dieser Autoren tat ein übriges, die Kontinuität der 'Rückzugslyrik' auch nach 1945 zu sichern. Die literarischen und weltanschaulichen Positionen waren längst entschieden und sperrten sich gegen Neuerungen, denn das Alter trägt, wie Ernst Robert Curtius einleitend zu einer Rede und zum 70. Geburtstag Rudolf Alexander Schröders schrieb, "einen wunderbaren Trost in sich: Erhöhung über das Getriebe der Gegenwart, Freiwerden vom "allzu Flüchtigen"[171], was von Schröder in dieser Rede unterstrichen und ergänzt wird: Er geht der Frage nach dem "Beruf des Dichters in der Zeit" nach, sieht aber dabei die Gefahr, daß die 'Zeit' zu sehr im Vordergrund stehe, "daß wir von diesem 'Heut' nicht loskommen und z.B. jetzt hier gleich fragen, was müssen wir heut als die Heutigen unter Heutigen tun, anstatt uns erst vergewissert zu haben, was wir ü b e r - h a u p t zu tun haben und was es mit diesem Tun unter a l l e n Umständen auf sich habe."[172] Diese so auf "Amt und Beruf des Dichters schlechthin" reduzierte Frage sei aber noch "weiter (zu) vereinfachen und (es) ist mit dürren Worten (zu) fragen, was ist Dichtung, was ist Dichten?"

Aber in so "gefährlicher Sache" wolle er sich nach "Helfern" umsehen und "am besten bei den Meistern unserer Gilde" anklopfen. "Da steht uns natürlich Goethe am nächsten", außerdem Homer und der Prophet Jesaia, nach dessen Wort "Tröstet, tröstet mein Volk, redet mit Jerusalem freundlich und predigt ihr, daß ihre Dienstbarkeit ein Ende hat" Schröder vor allem das Wesen der Dichtung bestimmt: " D a s   i n n e r s t e   W e s e n   a l l e r   K u n s t   i s t   T r o s t   ü b e r   d i e   V e r - g ä n g l i c h k e i t   d e s   D a s e i n s   . . .   R e t t u n g   d e s   V e r g ä n g l i c h e n   i n s   U n v e r g ä n g l i c h e ,   i n s   B l e i b e n d e " , das seinerseits ein "Abbild" des "Ewigen" und eine echte Begegnung mit diesem nur im "Mysterium" möglich sei. Der Dichter habe somit ein "Trostamt" inne, "dem kein anderes irdisches gleichkommen würde" und das "unter jedem denkbaren Ausgangspunkt" seine Gültigkeit habe[173].

In dieser aufschlußreichen Rede sind nahezu alle Charakteristika der traditionellen, weltabgewandten Lyrik und der Geisteshaltung ihrer Schöpfer repräsentiert:

- radikale Enthistorisierung (die Frage nach der Funktion der Dichtung in der Zeit wird reduziert auf jene, was Dichtung überhaupt sei; die Antwort gilt für immer und alle Zeiten);
- Rekurs auf die Klassik bzw. auf deren gelöste Heiterkeit (Homer, Goethe, von dem er folgende Verse zitiert: "Dichten ist ein Übermut" und "Ich singe, wie der Vogel singt, / Der auf den Zweigen wohnet, / Das Lied, das aus der Kehle dringt, / Ist Lohn, der reichlich lohnet."[174]);
- Rekurs auf Christentum und Bibel (Übernahme des Trostamtes Jesaias);
- 'Geschwisterverhältnis' von Dichtung und Religion (in der Verewigung des Vergänglichen, auf dieser "höchsten, verwegensten und heiligsten Stufe tritt die Kunst geschwisterlich neben die Religion, neben den Glauben."[175];
- die Erfahrung der eigentlichen Wahrheit von Kunst ist letzlich nur im Mysterium, in der Versenkung möglich;
- die ausgezeichnete Stellung des Dichters (Trostamt, dem kein anderes irdisches gleichkommt).[176]

Der letzte Aspekt ist im Zusammenhang mit einer Geisteshaltung zu sehen, die, wie einem 1947 verfaßten Aufsatz zu entnehmen ist, im Anschluß an Schiller, Klopstock und Nietzsche die Fortentwicklung der Menschheit von einigen Wenigen getragen sieht, von denen, die den "Stempel der Erwählten" tragen[177], vom "Schwellenmensch", der im Unterschied zu dem die Gegenwart bejahenden und vergötternden Durchschnittsmenschen "in der Zukunft" lebt und dessen Aufgabe es ist, "neue Räume des Lebens und des Geistes zu entdecken, zu eröffnen und die übrige Menschheit, die vom Gegenwartsschlag, über die Schwelle zu führen."[178] Oder nach Schiller, den Schneider zustimmend zitiert: "Durch Wenige nur pflanzet die Menschheit sich fort."[179]

Daß diese Theorie vom "erhabene(n) Einzelgängertum des Denkers und Dichters"[180] auf fruchtbaren Boden fiel, hängt sicherlich damit zusammen, daß der Geist selbst, dem die 'besonderen' Menschen sich verpflichtet fühlten, eine ungeheure Aufwertung[181] erfuhr - und das nicht nur in Erinnerung an die trostreichen Erfahrungen mit dem geheimen Deutschland des Geistes während der NS-Zeit, sondern auch ungekehrt: als Reaktion auf die "geistige Dürre des Dritten Reiches", die einen "Heißhunger" nach "Besinnung und Nachdenken" hervorrief, "nachdem das schiere Nachdenken bereits als Volksfremdheit und Eigenbrötelei schon unter Strafe stand[182]. Nach den Erfahrungen mit der faschistischen Machtpolitik wurde der Geist vor allem als aktiver Widersacher gegen jede Form von (politischer) Macht gesehen. Unter seiner und nicht unter der Führung der "nackte(n) Gewalt" sollte der "Start ins Neue" erfolgen[183] - in der hier zu verhandelnden Lyrik ein Start nach rückwärts und nach innen allerdings, in die Privatheit und Isolation, die, nachdem der "Druck der anbefohlenen Kollektivierung" gewichen war, "nicht länger bloß als Bedrohung, sondern auch als Möglichkeit des Glücks erfahren" werden konnte; ein Glück, jenem im "Gewinkel altertümlicher Städtchen vergleichbar", wo der Geist im schattenhaften Spiel mit sich selbst sich der Gefahr der Sterilität aussetzte und von seinen Bekennern nur allzu bereitwillig als "handlicher Herzenswärmer" benutzt wurde, sich im Chaos der Ruinen wohnlich einzurichten und sich bewußt oder unbewußt gegen die dringenden gesellschaftlichen und politischen Probleme der unmittelbaren Nachkriegszeit abzuschirmen[184].

Mit dieser Renaissance des Geistes ging, das liegt im Begriff selbst, ein gewisses antimaterialistisches Denken einher - hat doch Konrad Adenauer schon 1946 den Materialismus und den Marxismus gleich mit in hohem Maße für den Faschismus verantwortlich gemacht[185]. Die dem Materialismus angeblich entsprungenen und im Faschismus weidlich praktizierten Verhaltensweisen und Wertmuster sollten in der Nachkriegszeit keine Chancen mehr

erhalten; an die Stelle der zum politischen Subjekt aufgewerteten niederen
Masse - tatsächlich aber bestand ihre politische Kraft in der manipulier-
ten, aber gerade deswegen machtvollen Akklamation zur faschistischen Politik - sollte die geistige Elite der Denker und Dichter treten, zu deren
gründlichen Ausbildung sich die dem humanistischen Geist verpflichteten
Universitäten bereit erklärten[186]; das bei sich seiende Individuum löste
die erzwungene Solidarität und Kollektivität aller ab; Besinnlichkeit,
Einkehr und - durchaus auch heitere - Stille machten der verordneten
akklamatorischen Öffentlichkeit Platz; der politischen Indienstnahme sämt-
licher Lebensbereiche folgte die große Verweigerung - die von der nationalsozialistischen 'Politisierung' ausgehende entpolitisierende Wirkung
("mit Politik will ich nichts mehr zu tun haben") auf das sich herausbil-
dende bundesrepublikanische Bewußtsein war enorm. Sie erfaßte die Literatur - als ein Sediment öffentlichen Bewußtseins - deshalb in besonderem
Maße, weil diese in Deutschland traditionsgemäß als Gegenbereich zur Politik begriffen wurde. Kein Wunder also, daß diejenigen, die schon immer,
und jetzt, nach der für alle sichtbaren Vergewaltigung der Kunst durch
die nationalsozialistische Kulturpolitik im besonderen, einer von den
Niederungen der Politik freien Kunst das Wort redeten, sich durchsetzten -
und dabei auf ein gesellschaftliches Bedürfnis stießen, wie es beispielsweise von dem politisch so engagierten Walter Dirks[187] formuliert wurde:

"Die meisten von uns leben heute ein angespanntes Leben. Sie sind schlecht
ernährt, haben eigene und allgemeine Sorgen, arbeiten hart und unter
schwierigen und hemmenden Umständen, haben viel Ärger und wenig Freude ...
Viele sind so in sich selbst eingesponnen und mit ihrem erkalteten oder
verstörten Herzen allein, daß sie echter Begegnungen nicht mehr fähig
sind ... Wir können nicht warten, bis die Welt wieder 'schön' wird und
es angenehm und erbaulich ist, sich in ihr umzusehen und umzutun. Wir
brauchen das Nährende jetzt, gerade jetzt. Wir brauchen zum Beispiel die
'Muse' jetzt, die Zeit des unbefangenen ruhigen Umgangs mit dem Nährenden,
die Muse, aus der die tiefe Leistung kommen soll ... Wir d ü r f e n
also ein ruhiges Gespräch suchen, das Zeit kostet, unverantwortlich viel
Zeit, wir d ü r f e n uns die Ruhe zum Beten nehmen, wir d ü r f e n
Ferien machen, einen 'nutzlosen' Gang ins Grüne tun, wir d ü r f e n
mit den schönen Dingen umgehen, die uns geblieben sind ... Ein wenig Mut
gehört vor allem zum Umgang mit den Kunstwerken, die in einem engeren
Sinne 'schön' sind, die heiter und ausgewogen sind und die Macht haben,
zu entspannen und zu beruhigen."[188]

Während Dirks sich mit einem eindringlichen Appell an sich selbst und seine
Zeitgenossen wendet, trotz oder gerade wegen der gesellschaftlich geforderten Anstrengung und Mitarbeit sich seiner ästhetischen Bedürfnisse nicht
zu schämen, sondern sie im Gegenteil bewußt zu entwickeln und ihnen nachzu-

gehen, zumal mit ihrer Befriedigung die notwendige "tiefe Leistung" überhaupt erst erbracht werden kann, geht Ernst Kreuder, von einer ähnlichen
Bedürfnisstruktur der zeitgenössischen Leser her argumentierend, mit den
Literaten ins Gericht, und zwar mit denen, die auf der modischen Welle
eines "Pseudorealismus" reiten, dabei die konkreten Erwartungen der
Menschen an die Kunst enttäuschen und daher die Aufgabe eines Schrift-
stellers verfehlen würden, der sich vor Beginn eines jeden Manuskripts
die Frage beantworten sollte,

" w o z u   er es eigentlich tut. Will er den Frauen und Männern, die sein
Buch lesen werden, etwas geben, oder will er ihnen etwas fortnehmen? Was
kann er seinen Lesern geben? Vieles, manches, was sie nicht haben. Vielleicht eine Stunde Frieden. Vielleicht können sie an einem Ereignis teil-
nehmen, das sie zutiefst bewegt ... Denn im Grunde ist es doch so, daß der
Erzähler zu ihnen kommt, in ihre Stube, und nun hören sie ihm, lesend,
zu ... Vielleicht haben sie den ganzen Tag auf diese Stunde, auf diesen Be-
sucher gewartet ... Sie sind entschlossen, die Stunde zu vergessen und zuzuhören. Ungefähr dies ist die Situation. Und nun kann der Autor, falls
er dazu die Absicht hat, ihnen vieles geben. Er kann sie in den Zustand
der Freude und der Selbstvergessenheit entrücken. Er kann sie in Verzückt-
heit, in Begeisterung und in die seligste Hingerissenheit versetzen.
Er kann aber auch anders. Und dies scheint mir heute die Mode zu sein. Er
kann ihnen etwas fortnehmen, nicht nur ihre Seelenruhe, ihren inneren
Frieden, ihren Glauben an die Möglichkeit einer kommenden, glücklichen
Zeit, er kann ihnen den Boden unter den Füßem fortziehen, sie ins Boden-
lose stürzen, in den Abgrund der Depression. Und nun frage ich mich, wozu
in aller Welt?"[189]

In diesen beiden Stellungnahmen sind, in didaktischer Absicht an Leser und
Autor gleichermaßen gerichtet, die gesellschaftliche Funktion der Kunst
bzw. das spezifische Bedürfnis nach ihr formuliert: Kunst soll entlasten,
den schwierigen Alltag wenigstens zeitweise vergessen machen. Das Wissen,
einem 'blutbefleckten', sündigen und schuldigen Volke anzugehören; die
totale Niederlage; die trostlose Trümmerlandschaft ringsum; materielle
Sorgen; die Schwierigkeiten, Widersprüchlichkeiten und resignativen Rückschläge bei dem Versuch, sich einzurichten und Geschichte wieder sinnvoll
zu erleben; die traumatisch erinnerten wie auch in ihren äußerlichen Folgen
sichtbaren Greuel und Entsetzen des Krieges; die tägliche Erfahrung des
bleiernen Vakuums zwischen Hoffnung und Verzweiflung, Aufbruchswille und
Untergangsstimmung[190] - diese "verwirrende Vielfalt der Umwelt"[191], die
das einzelne, auf sich selbst gestellte Individuum nahezu erdrückte, verlangte nach einem beruhigenden Ausgleich, den die Kunst im allgemeinen, die
L y r i k   a b e r   i m   b e s o n d e r e n   b o t :   s i e
a l l e i n   nämlich verfügt - so jedenfalls sehen es Zeitgenossen in der

Übernahme traditioneller Gattungsnormen - gegenüber allen anderen
Gattungen über den Vorteil, "das Ganze" zu ergreifen, "indem sie die
Mitte ergreift, und sie ergreift die Mitte der Welt im einzelnen Ding,
in der einzelnen Empfindung und Erfahrung, im einzelnen Klang."[192] Daß
eine gesellschaftliche Nachfrage nach dieser gattungsspezifischen Leistung
der Lyrik (und nicht nur, wie den Äußerungen Dirks' und Kreuders zu entnehmen ist, nach Ästhetik und Kunst schlechthin) vorhanden war, geht aus
Stellungnahmen dreier Dichter zu Bedeutung und Funktion der Lyrik hervor,
um die sie von der Zeitschrift 'Welt und Wort' gebeten wurden[193].

Rudolf Bach erklärt das vorhandene "echte(s) Bedürfnis nach dem Gedicht",
dessen Wesen er als "Verinnerlichung" bestimmt, zunächst als instinktiven
"Gegenschlag gegen die Überfüllung, Überfütterung mit 'öffentlichem'" und
aus einem "tiefen Bedürfnis nach menschlicher Wärme, nach dem kostbaren,
immer seltener werdenden Gut des Fürsichseins, summarisch gesagt: nach
dem Reich der Seele"[194]. - Oda Schäfer stellt eine ähnliche Beziehung her:
"Nach all dem Schreien, Singen, Marschieren, den furchtbaren Geräuschen
der Schlachten und des Luftkrieges, dem panikerregenden Heulen der Sirenen
ist nun Stille eingetreten. Es überraschte mich, zu lesen, daß die Jugend
diese Stille zu hören versteht und daß sie danach verlangt, - daß sie
nach der größten Konzentration der Stille verlangt: nach dem Gedicht"[195].
Außerdem sieht sie in der Erziehung und Konzentration zum "lyrischen
Wort" eine Möglichkeit, den "Sprachmißbrauch ... wie eine Wunde" zu
heilen, "die dem deutschen Sprachkörper zugefügt wurde[196]. - Georg
Schwarz leitet die gesellschaftliche Aufwertung der Lyrik aus der
"äußere(n) Armut" ab, die der Lyrik so "gedeihlich" sei und es mit sich
bringe, daß wir "zwangsweise (und liegt ein höherer, heilsgeschichtlicher
Zug vor?) mehr vom Wort leben (werden), als es früher möglich und nötig
war. Gedichte werden bei uns Zeichen und Geschenke werden wie bei dem
weisen Volk der Chinesen. Was bedeutet in diesen kargen Zeiten schon
allein eine Blume! Man kann sie kaum kaufen. Und das Gedicht ist die
Blume des Herzens"[197], die man entweder für sich ganz allein oder in einer,
nun aber " s e l b s t g e w ä h l t e (n)   i n t i m e (n)   Gemeinschaft"[198] - und nicht in einer befohlenen massenhaften -'pflücken'
wollte: "Im selben Maße wie die häusliche Kultur jetzt nach dem furchtbaren Zerstörungsgewitter bei uns einen natürlichen Ansatz findet in zahlreichen Hauskonzerten, intimen Lesungen und in besinnlicher Unterhaltung,
wird gerade das gesprochene Dichterwort in der faßlichen Form des lyrischen Gedichts von höchster, symbolischer Bedeutung sein."[199]
Aus dem Bedürfnis nach Kommunikation im Rahmen einer 'erweiterten Innerlichkeit' als neuer, unverdächtiger Öffentlichkeit entstand auch Friedrich
Meineckes Vorschlag, "Goethegemeinden" einzurichten zur Pflege der "leben-
digsten Zeugnisse des großen deutschen Geistes." "Etwa wöchentlich zu einer
späten Sonntagnachmittagstunde - und wo es irgend möglich wird, sogar in
einer Kirche" - sollen, eingebettet in die Klänge 'edelster deutscher
Musik', "Feierstunden" stattfinden, deren inneren Kern "Lyrik und Gedan-
kendichtung" bilden sollen. Die Not, d.h. der "Mangel an Büchern", unter-
stütze diesen Vorschlag.[200]

Höchste "Bedeutung" und größtmögliche Wirkung wird aber nicht das Gedicht
schlechthin, sondern nur das "reine(n) Gedicht des reine(n) Dichters" erlangen. Aber selbst dieses garantiert noch nicht den vollen Kunstgenuß:
nicht nur, so formuliert der Schriftsteller Hans-Peter Berglar-Schröer die
Sehnsüchte vieler Zeitgenossen, nach diesem "sehen wir uns, sondern auch
danach, daß es uns rein, das heißt ohne politisch-zweckbedingte Anordnung,
Zusammenstellung, Vorwort, Lebensläufe, Umschlagtext dargereicht werde.
Wir möchten uns, ohne 'erzogen' zu werden, wieder am reinen Kunstwerk
freuen. Sein Wert wird ganz und gar nicht davon bestimmt, ob der Dichter
im Gefängnis war oder nicht, ob ihn das vergangene Regime - das die Kunst
nur politisch zu sehen vermochte, und dies zu allem Überfluß schlecht und
meist bloß oberflächlich - zum Schweigen gebracht hat oder nicht. Wer ein
echter Dichter war, das vor allem interessiert uns ... Wir müssen die
Ebene, auf der sich jenes Regime bewegte, verlassen ... Laßt die Werke
selber sprechen!"[201]

Deutlicher lassen sich die verhängnisvollen Folgen der NS-Kulturpolitik
wohl kaum demonstrieren: die Ebene jenes Regimes verlassen heißt Verbot
für politisches Denken vor allem im empfindlichen Bereich der Lyrik,
kommt einem geforderten Verzicht auf jegliche politische Anspielung nicht
nur im Werk selber, sondern auch in der Art und Weise, wie es angeboten
wird, gleich. Wenn ein Verlag bzw. Herausgeber[202] dann schon ermahnt wird,
die "Fehler des Nationalsozialismus nicht einfach mit anderem Vorzeichen"
zu wiederholen und zu verewigen[203], wenn dem Werk ein paar knappe bio-
graphische Angaben über die Autoren beigefügt sind, erhält man einen Eindruck von dem seinerzeit vorhandenen intensiven Bedürfnis nach unver-
fälschter Kunst, von der Allergie gegen jeden auch noch so kleinlichen Ver-
stoß gegen dieses Reinheitsprinzip, besonders aber von den Schwierigkeiten,
denen sich die das ästhetische Prinzip par excellence verkörpernde Gattung
der Lyrik gegenüber sehen mußte, wollte sie sich auf die "Tageskonjunktur",
auf das Feld des Politischen beziehen, dessen Kunstfeindlichkeit die ver-
gangen Jahre endgültig und nun ein für alle mal bewiesen hätten.

Die hier zitierten Textbeispiele repräsentieren eine Lyrik, die mit der
im ersten Kapitel vorgestellten politischen Öffentlichkeit nur in Beziehung
strikter Negation und Abwehr steht. Innerlichkeit, Religion, Natur, Mythos
sind die Bezirke, in die sich das lyrische Ich zu ernster, heiterer, selbstgenügsamer Spielerei und Besinnlichkeit zurückzieht. Verantwortlich für

diese Absage an die geschichtliche Welt zeichnet, nach Jünger, deren
selbstzerstörerischer und unheilbarer Charakter selber[204], ebenso die
Auffassung des Dichters von sich selbst als einem 'besonderen Menschen",
dem es vergönnt ist, über der alltäglichen Geschäftigkeit der Masse zu
stehen, um sich ganz den eigentlichen Dingen, den geheimen Kräften des
Geistes und der übernatürlichen Welt widmen zu können.

Die Aktualität dieses traditionsreichen Gedankens von der Auserwähltheit
des Dichters und besonders des Lyrikers[205] fällt nicht von ungefähr in
die Zeit einer Aufwertung des Geistes überhaupt, die ihrerseits mit den in
der NS-Zeit gemachten tröstenden Erfahrungen mit dem wahren, dem Deutschland des Geistes, zusammenhängt, dem klassischen humanistischen Erbe zu
neuem Ansehen verhilft und, wie Ulrich Klein gezeigt hat[206], an den Kreis
um Stefan George, an Rilke, Gundolf u.a. anschließt: "Der 'geistbetonte'
Zug in Frontstellung gegen Materialismus und Positivismus, der Schönheits-
kult des verinnerlicht Erlesenen, Besonderen mußte zwangsläufig dazu führen, 'geistiges Schöpfertum' gegen die 'Flachheit' der eigenen Zeit aus-
zuspielen."[207] Allerdings, der geistbetonte Zug der Nachkriegszeit, der
sich hauptsächlich in Frontstellung bzw. als Abwehrreaktion gegen Erscheinungsformen und die verheerenden Konsequenzen der nationalsozialistischen Machtpolitik mobilisierte (Geist als Widersacher der Macht),
fiel eher wegen "allzu stark aufgetragenen Epigonentums"[208] als wegen
geistigen Schöpfertums auf. "Indem sie aus dem Vorrat zehren", so Adorno,
"vernichten sie, wozu sie sich bekennen"[209]. Der Vorrat, befürchtet Hans
Mayer, könne sogar aus "Hohenstaufendramen" greiser Studienräte bestehen[210], ganz sicher aber bietet Rilke vielfältige Gelegenheiten zur
Nachahmung:

Er ist der Sanfte
den sie imitieren.
Es rilkt bei uns
von allen Zweigen.
Man sollte sie entrilkisieren.
Wer ihn verhunzt -
der sollte schweigen.[211]

Wie wenig Originelles die Renaissance des Geistes auch mit sich gebracht
haben mochte - die mit ihr verbundene "Verinnerlichung des deutschen
Menschen"[212] mied, als Reaktion gegen die erzwungene Öffentlichkeit im
Dritten Reich, das Öffentliche überhaupt. Das dadurch stark ausgeprägte
Bedürfnis nach Schönem, Ruhigem, Besinnlichem konnten Kunst und Literatur

im allgemeinen, die für die seelischen und ästhetischen Belange besonders
geeignete und 'zuständige' Gattung der Lyrik im besonderen erfüllen. Und
dennoch - eben die der Lyrik zugeschriebenen Momente des Besinnlichen,
Seelen- und Erlebnishaften, mit denen man sich voller Überdruß gegen alles
Politische abschirmen wollte, waren es, die dem Geschmähten den Weg in
die Lyrik freimachten und die Produktion einer politischen Lyrik ermöglichten, der das spezifische (Lyrik-)Klima der Nachkriegsjahre freilich
einen unverwechselbaren Charakter verlieh.

III Der Beitrag der Lyrik zu den drei wichtigsten gesellschaftlichen Fragen der Zeit

"Es ist aus mit den Aufgängen 'Nur für Herr-
schaften' zu den Wohnungen der Dichter. Be-
helfsleitern führen zu den zugigen Klausen
unter den Blechdächern der zerstörten Städte ...
Die Not humpelt hinauf; der Hunger klopft an.
Und manchmal kommt eine einfache Frau mit
einem geflickten Rock oder ein hustender Mann
und warten vor seiner Tür. Und wenn er heraus-
tritt, der Dichter, dann fragt die Frau: 'Das
Mädchen neulich in deiner Geschichte - warum
ist es nicht leben geblieben? Warum hat es
sich unter den Zug geworfen?' Und der Mann
hustet und fragt dazwischen: 'Warum würfelst
du das alles so durcheinander: die Wirklichkeit und die Unwirklichkeit, die Sauberkeit
und die Sünde, das Chaos und das Gesetz?' ...
Und der Dichter wird sagen müssen: 'Das Mädchen ging aus Verzweiflung in den Tod, es lief
mir unter den Händen weg, ich konnt es nicht
halten.' Und dem Mann wird er antworten müssen:
'Ich würfle das durcheinander, weil es in mir
durcheinander ist. Ich kann nicht anders ...'"213)

Im historischen Teil wurde besonders Gewicht auf Entstehung, Verlauf und
Niedergang der politischen Aufbruchsbewegung gelegt, deren vielfältige
Hoffnungen "heute kaum noch vorstellbar" seien, wie Hans Werner Richter,
einer ihrer eifristen Verfechter, in einem Rückblick 1962 schrieb.214) In
der Tat, da war die Rede von einer "Weltwende"215), davon, daß "unsere gegenwärtige Welt ... eine gewisse Ähnlichkeit aufweist mit der Verfassung,
in der sich die Menschheit in ihren ersten Anfängen befunden hat. Nach
dem großen Bogen der Entwicklung, den der Mensch in seinen Jahrtausenden
zurückgelegt hat, scheint er - auf einer neuen Ebene - wieder da angelangt,
von wo er ausgegangen war; in einem Zustand chaotischer Partizipation
aller an allem."216) Nicht mehr zu überbieten in dem Bemühen, das Jahr 1945
als Ausgangspunkt einer zweiten Schöpfung erscheinen zu lassen, ist Erik
Reger, wenn er von jedem "einzelnen Deutschen" schreibt: "er steht wie Gott-
vater am Anbeginn der Schöpfung, die Erde ist für ihn wüst und leer, aber

sein Geist darf sich unbeschwert entfalten ..."[217]. Unbeschwert? -
Zwanzig Seiten weiter, in dem kurz darauf verfaßten Aufsatz 'Der Macht-
komplex', heißt es: "Die gegenwärtige Periode krankt daran, daß sie noch
halb zum Gestern und nur erst halb zum Morgen zählt. Sie ist gleicherweise
Überbleibsel wie Vorbereitung."[218] Jedenfalls ist sie weder naturhafte
Ursprünglichkeit jenseits von gut und böse[219], noch verkörpert sie ein ge-
schichtsloses Vakuum zwischen Vergangenheit und Zukunft: das deutsche Volk
könnte sonst kaum an einer schwer zu überwindenden "Depression" leiden.[220]
Ähnliche scheinbar widersprüchliche Aussagen finden sich in dem schon zitierten Aufsatz Kogons 'Über die Situation': Da findet sich das Gegensatz-
paar "Zukunft" und "Untergang" in einem Satz; da heißt es, "Das Alte besteht, es ist nicht beseitigt, es vergiftet ... das Dasein, lähmt unser
Denken, das Tun"; zwar liege Deutschland "nicht allein im Dunkel", aber
dennoch sei es "bei uns am düstersten." Und trotzdem muß es noch 'hell'
genug am Horizont sein, denn zwei Seiten weiter wird nicht nur die vage
Hoffnung, sondern die feste Überzeugung ausgesprochen: " W i r befinden
uns, wie beinahe jedes Anzeichen klarlegt ... am Beginn eines neuen großen
Abschnittes der Geschichte."[221]

Dies sind Beispiele für eine typisch zeitgenössische Denkstruktur: mal finden sich euphorische Voraussagen über eine friedliche und glückliche Zukunft, mal ist das Bewußtsein, resignativ in die Präsenz der schrecklich
erlebten Vergangenheit verstrickt, nur noch zu Aussagen von Untergang und
Ohnmacht fähig. Hoffnung und Verzweiflung, Aufbruchs- und Untergangsstimmung, traumatische Vergangenheitserfahrungen und freudige Zukunftsver-
sprechen, der gleichzeitige Glaube an eine Weltwende und an das Weltende,
der Glaube an einen unbelasteten Neubeginn und das Wissen von der die Gegenwart beherrschenden bösen Macht der Vergangenheit - diese Haltungen
brachen und überlagerten sich nicht nur insgesamt im zeitgenössischen Bewußtsein, dem sie so ihr eigentümliches Gepräge gaben, sondern auch im
einzelnen Individuum selber, in sehr unterschiedlicher Intensität: so
gibt es wohl kaum ein eindringlicheres Zeugnis von der Zuspitzung der Einheit dieser Widersprüche als in Wolfgang Borcherts 'Das ist unser Manifest'[222]. Dieser Dualismus im Nachkriegsbewußtsein speiste sich einmal
aus verschiedenen Interpretationen der Niederlage (endgültiger Sieg des
'Bösen' - Möglichkeit zum 'Guten' von Grund auf), aus der tatsächlichen
Existenz konkurrierender restaurativer und progressiver Kräfte, aber auch
aus der (teilweise an sich selbst) erlebten Doppelgesichtigkeit bzw.

Doppelnatur des Menschen - "Wir haben alle ein Stück Jesus und Nero in uns, verstehen Sie. Wir alle."[223] - , die unterm Faschismus in grausamer Deutlichkeit zutage trat und von der man nicht wußte, nach welcher Seite sie sich verschieben würde.

Vielen Zeitgenossen, so z.B. Kurt Hiller[224], ist es gelungen, das chaotische Durcheinander und die scheinbare Beziehungslosigkeit dieser Bewußtseinshaltungen aufzuheben und eine sinnvolle Verbindung zwischen ihnen herzustellen: Hiller, der in einer 1947 in Hamburg gehaltenen Rede dazu aufruft, "feurig mitzuarbeiten am Bau eines ewigen Bundes aller Völker, an der Errichtung eines Erdstaates der Gerechtigkeit, der Nichtnot jedes einzelnen, der Geistesfreiheit und des Friedens"[225], weiß, daß der Aufbau dieser neuen Welt nur bei einem vorherigen oder zumindest gleichzeitigen Abbau der verderblichen alten gelingen kann: " F o r t   m i t   d e m S c h u t t !   S o n s t   g e l i n g t   k e i n   A u f b a u ."[226] Um den "Schutt" erkennen und benennen zu können, ist Reflexion nötig, eine Vergegenwärtigung dessen und Besinnung darüber, was geschehen ist, eine Sortierung des Erlebten, Gesehenen, Gehörten; nötig nicht nur für die, die diese Auseinandersetzung unter dem Aspekt einer bereits sichtbaren oder erhofften neuen Zeit führen, sondern auch für die vielen anderen, die der Zukunft nur dunkle Seiten abgewinnen können, weil sie noch derart von der intensiven Gegenwärtigkeit des Vergangenen besetzt sind, daß ihnen kein Raum für begründetes Hoffen bleibt.

Wenn gesagt wurde, daß die "der Lyrik zugeschriebenen Momente des Besinnlichen, Seelen- und Erlebnishaften"[227] dem verachteten Öffentlichen den Weg in die Lyrik gerade freimachten, dann ist dies auf eben diese aufdringliche Präsenz der unmittelbaren Vergangenheit zurückzuführen: zu sehr steckte sie als unbewältigte im Gemüt, hatten sich die Erlebnisse und Schrecken des Krieges, die Schuld- und Angstgefühle in die Menschen eingegraben, als daß sie von jedem zu jeder Zeit vergessen, verdrängt oder durch genießerischen Umgang mit dem 'Schönen' hätten ausgeglichen werden können. Die inkarnierten Folgen und Begleitumstände der pervertierten Öffentlichkeit unterm Faschismus mußten im Gegenteil aus den seelischen Tiefen hochgeholt, verarbeitet, bewältigt werden - ein geeignetes Feld für die Lyrik, die wie kaum eine andere Institution in der Lage war, in die "Mitte" und "Tiefen" vorzudringen, um sie vom "Gift" des Vergangenen zu befreien. So wurden die Qualitäten der Lyrik in sehr verschiedener Weise genutzt: ein-

mal dienten die Momente der Verinnerlichung und Besinnlichkeit zur hermetischen Abriegelung und Flucht vor der gesellschaftlichen Wirklichkeit, zum
andern bedurfte man eben der Besinnlichkeit, um sich Klarheit darüber zu
verschaffen, was überhaupt und mit einem selber geschehen war; zum dritten
konnte 'Verinnerlichung' auch bedeuten, das chaotische Geschehen von draußen
ins Bewußtsein hereinzunehmen, um es verstehen und erklären zu können.

Klaus Günter Just ist zuzustimmen, wenn er über die Nachkriegslyrik
schreibt, sie "gehörte zu den wichtigsten konstituierenden Kräften im
inneren Aufbau der Nation."[228] Sie gehörte deshalb dazu, weil ihre drei
Funktionen - Flucht vor, Aus-sich-Hervorholen von erlebter und Hereinnahme
von umgebender Wirklichkeit - intensiv genutzt wurden. Sie wurden nicht nur
deshalb so intensiv genutzt, weil die äußere Situation ein großes Bedürfnis
nach diesen Aktivitäten geweckt hatte, sondern auch, weil diese Lyrik als
Medium bzw. als Institution für diese Aktivitäten leicht zugänglich war.
Die akuten materiellen Sorgen erlaubten es nicht, allzuviel von der kostbaren Zeit für seelische Belange, so dringend sie auch anstanden, zu ver-
wenden. Ein kleines Gedicht vermochte daher schon genügend "Trost in
Trümmern" zu spenden[229]. Aber nicht nur das Gedichtelesen, sondern auch
das Gedichteschreiben war sehr beliebt - um nicht zu sagen 'in Mode' - ,
so sehr, daß sich die Redaktion des 'Ulenspiegel' bereits zehn Wochen nach
dem Erscheinen des ersten Heftes zu einem Hilferuf entschließen mußte:
"Wir bitten unsere Mitarbeiter vom Text, uns möglichst keine Gedichte zu
schicken. Oder zu uns zu kommen und uns zu suchen. Wir sind fast nicht
mehr da, die Gedichte haben uns überschwemmt. Schreibt Prosa statt Gedichte!
Aber: nichts ist schwieriger, als Prosa zu schreiben. Wie leicht stellt
sich der Reim ein, aber einen gefügten, unumstoßbaren Satz in Prosa zu
schreiben, das ist so schwer wie: einen Baum pflanzen, ein Haus bauen."[230]
Vom Standpunkt der literarischen Kritik eine sicherlich beklagenswerte,
für die qualitative Weiterentwicklung der Lyrik ungünstige Erscheinung[231];
dem isoliert lebenden Individuum jedoch konnte die Möglichkeit des
'd e m o k r a t i s c h e n ' Umgangs mit der Lyrik[232] echte Lebenshilfe
gewähren, die dringend gebraucht wurde - konnte man sich mit ihr doch die
schrecklichen Erinnerungen und Erfahrungen, die Ängste und Nöte buchstäblich von der Seele schreiben.

L y r i k   a l s   p r i n z i p i e l l   j e d e m   z u g ä n g l i c h e
' E i g e n t h e r a p i e ' , in welcher Ausrichtung auch immer, dies

scheint einer der wichtigsten Gründe für die 'Lyrikschwemme' nach 1945 gewesen zu sein.

Der erste und meistgewählte 'therapeutische' Weg - Flucht vor allem Öffentlichen, Geschehenen, Politischen, vor dem fordernden Alltag - wurde vorgestellt. Die andere Möglichkeit soll im folgenden behandelt werden: sich
mit den gar nicht so geringen 'Überbleibseln' auseinanderzusetzen, die
sich im Innern festgesetzt und als umgebende Realität erhalten haben; den
"ganzen Ballast der Vergangenheit" abzuschütteln, dessen Existenz H.W.
Richter noch im Oktober 1946 entschieden geleugnet und bereits im Januar
1947 resigniert bestätigt hat[233]; somit das schwierige Geschäft der Ver-
gangenheits b e w ä l t i g u n g   als Voraussetzung zur Bewältigung
der Gegenwart und zum   A u f b a u   e i n e r   n e u e n   Z u k u n f t
zu betreiben. Jeder Deutsche solle "in jeder versickernden Minute nur
einen Gedanken (zu) haben - wie dies kam, durch wen und durch was. Dann
erst können wir Folgerungen ziehen, dann erst wird dieses verfluchte
preußische Jahrhundert wie eine vom Teufel gemalte Szenerie in den Orkus
verschwunden sein."[234] Was der Publizist Erik Reger in beschwörendem Appell
von jedem einzelnen als Gelöbnis verlangt, das Geschehene nicht einfach
hinzunehmen, sondern nach seinen Anlässen, Gründen, Ursachen und den dafür
Verantwortlichen zu fragen und zu forschen, fordert der Literaturkritiker
Hans Mayer von der Literatur im allgemeinen - "Der Schriftsteller kennt den
Begriff der Zeit und der Kausalität; er vermag zu fragen, wie der Schmutz
sich aufzuhäufen vermochte, welche Tatsachen der Natur und der Gesellschaft
ihn zusammentrugen, und wie man ihn beseitigen könne"[235] - und der Dichter
Wolfgang Weyrauch eigens auch von der Lyrik: "Dichten heißt: ahnen und erkennen, besonders erkennen, zumal bei uns in Deutschland, wo wir meistens
mehr geahnt als erkannt haben, und dadurch fielen wir einem Gemenge aus
Nebel, Schlamm und Sternentaumel anheim, so, wie die kleinen Kinder es tun,
zu denen die Eltern sagen müssen: guck vor Dich, guck nicht in die Sterne,
guck auf die Steine. Dichten heißt also, und Gedichte schreiben mithin
auch: ahnen und erkennen, w a s   i s t ;   w i e   d a s   k a m ,   w a s
i s t ;   u n d   w i e   d i e   Z u k u n f t   e n t w i c k e l t
w e r d e n   k a n n ."[236]

An diesen wichtigen, angesichts des chaotischen Endes einer Jahre dauernden
Katastrophe so dringlichen Postulaten, wird nicht nur Weyrauchs eigene,
sondern die mit diesem Sujet befaßte Lyrik insgesamt zu messen sein, um

ihren Anteil an den Auseinandersetzungen, wie sie in anderen Institutionen geführt wurden, abschätzen zu können. Über die Fragen, die zu stellen und die Aufgaben, die zu lösen waren - das belegen die zitierten Textstellen - bestand fast wörtliche Übereinstimmung.

A. "Was ist geschehen und geblieben?"

1. Der Krieg: Träume - Erinnerungen - Verlauf

Die politische Lyrik der ersten Nachkriegsjahre war vor allem die Lyrik der Jüngeren, derer, die als "Gezeichnete und Desillusionierte ... aus der Schlacht, aus der Ruine, aus dem Gefangenenlager oder aus dem KZ" gekrochen kamen und zunächst einmal davon berichteten[237]; berichten mußten, denn, so Wolfdietrich Schnurre (Jahrgang 1920, sechs Jahre im Krieg), einer der Wortführer der jungen Nachkriegsautoren, "man schrieb damals nicht, weil man sich vorgenommen hatte, Schriftsteller zu werden"[238]. Vielmehr galt es, das zeigen besonders zwei für die Heimkehrer-Poesie charakteristische Gedichtbände - 'Deine Söhne, Europa. Gedichte deutscher Kriegsgefangener'[239] und 'Bänkelsang der Zeit'[240] - , sich von den traumatischen Kriegserfahrungen zu befreien, die wie ein Bann über Leben und Erleben lagen und die, zum Beispiel, eine im Schein einer "trauten Lampe" ersehnte Begegnung mit "hohen Worten" der Dichtung nicht mehr zuließen:

Dort stehen Goethe, Stifter - wie sie alle heißen,
die Gott und Welt mit hohen Worten preisen -
und ich, ich berge Krieg in meinem Herzen,
Granaten, Tod und tausend Schmerzen,
das Grauen jagt auf falbem Pferd
vor meinem Blick vorbei und lacht:
"Du Narr, he - he - was bist du wert -
hast jemals du daran gedacht,
daß ich dir ins Gesicht gelacht?
Mein Lachen wirst du nimmer los!"[241]

Das so personifizierte Grauen kann als das dominierende Subjekt beliebig und zu jeder Zeit mit seinen wehrlosen Opfern spielen, die es auch nachts im Traum mit seinen Schreckensbildern verfolgt, ohne daß der Morgen Erlösung brächte:

Manchmal packt mich morgens das Grauen -
ich mag in keinen Spiegel schauen -
denn ich habe nachts Morde geträumt. -
Und ich scheue darum mein Gesicht -
Das Gesicht eines Mörders - -
Verdammt noch mal -
begreifst du das nicht?![242]

Wer wird hier angesprochen? - Jeder. Niemand. Jedenfalls ist der Angesprochene als Gesprächspartner unwichtig für das sprechende Ich, dem es nur
darauf ankommt, sich frei zu schreien oder, wie Wolfgang Weyrauch die
Literarisierung der Kriegserlebnisse im nachhinein sehr plastisch umschrieb,
sich "auszukotzen"[243] - wer das überhaupt noch konnte, denn "in manchen
(das sind die Ärmsten!) s c h r e i t es nicht einmal mehr ..."[244].
Der Schrei nach Befriedigung menschlicher Grundbedürfnisse ließ sich indes,
wie zahlreiche Gedichte belegen, kaum unterdrücken. Wem der Krieg "alles
Heilige ... fortgenommen", dafür einen unerträglichen Hunger zurückgelassen hat, der will, so der 1919 geborene Wolfgang Lohmeyer in den letzten
Versen seiner 'Hungerhymne', von Höherem zunächst nichts wissen: "Was
braucht es da noch Geist?! / Wir wollen keine Weisen mehr und Dichter, /
wenn nur der Löffel säumig überläuft!"[245] - was freilich wiederum nur im
Traum erlebbar war:

Im Traume träuft ihr Mund von Fett. Sie kaun
mit Tigerzähnen weißes Wunderbrot,
sie schlingen Fleisch, vom Blute rot,
zerreißen gierig Ente und Kapaun -
und wachen auf, den leeren Tisch zu schaun.[246]

Ein Traumbild, dem man seine Herkunft ansieht: selbst das Sichsattessen
ist nur auf tierische Weise vorstellbar und steht dem Realismus in der Darstellung des Hungers - beinerne Gestalten mit einer im "Gedärm" querge-
stellten "Hungerspindel" - in nichts nach; ein Beispiel von vielen für den
"Einbruch des Amusischen", den "blutigen Realismus" auch in der Lyrik[247].

'Realismus' bedeutet für diese Autoren die Darstellung individueller,
gleichwohl für Millionen zutreffender Erfahrungen in Krieg und Nachkrieg,
wie sie tatsächlich gemacht wurden: unverblümt, direkt, ohne den versöhnen-
den Klang 'wohltemperierter Klaviere', so die Formulierung von Wolfgang
Borchert (Jahrgang 1921, Soldat) in seinem erschütternden 'Manifest' der
Heimkehrer, das wichtige Thesen für eine neue Nachkriegsliteratur enthält:
"Wer schreibt für uns eine neue Harmonielehre? Wir brauchen keine wohl-
temperierten Klaviere mehr. Wir selbst sind zuviel Dissonanz ... Wir

brauchen keine Dichter mit guter Grammatik. Zu guter Grammatik fehlt uns
die Geduld. Wir brauchen die mit dem heiser geschluchzten Gefühl. Die zu
Baum Baum und Weib Weib sagen und ja sagen und nein sagen: laut und deut-
lich und dreifach und ohne Konjunktiv. - Für Semikolons haben wir keine
Zeit und Harmonien machen uns weich ...". Entsprechend sieht auch das
"Wörterbuch" aus, nach dem die Texte - auch Gedichte, wie die zitierten
Beispiele zeigen - zusammenstellt, -'geschluchzt' wurden. Es ist "nicht
schön. Aber dick. Und es stinkt. Bitter wie Pulver. Scharf wie Scheiße.
Und laut wie Gefechtslärm"[248].

Freilich, das ungeschminkte Darstellen des unmittelbar Gesehenen, Gehörten,
Erlebten, das gehetzte Drauflosschreiben, da zu "guter Grammatik" die Geduld fehlte, führte, zumal bei der lyrischen Praxis der "Vielzuvielen",[249]
zu einer Vernachlässigung des formalen und sprachkritischen Aspekte.
Mancher wußte darum und nahm es in Kauf; nicht etwa beschämt, sondern in
dem Bewußtsein, daß weder die Lage der Schreibenden Formexperimente erlaubte
noch die Wirkungsabsichten diese erforderten. Dies geht aus Richters Vorwort zu seiner Anthologie 'Deine Söhne, Europa' hervor, wo es über die dort
gesammelten Gedichte heißt:
"Sie entstanden in den Gefangenenlagern in Amerika, in Rußland, in Frankreich, in Italien und in den Nachkriegslagern in Deutschland. Sie mögen un-
vollkommen sein. Sie mögen den literarischen Ansprüchen eines verwöhnten
Gaumens nicht entsprechen. Doch Millionen teilten dieses Schicksal ...
Für sie sind diese Gedichte gesammelt worden, für sie werden sie herausgegeben"[250]
in einer für damalige (und auch heutige) Verhältnisse beachtlichen Auflage
von zehntausend Exemplaren[251]. Nicht, als ob es sich hier um zweitklassige
Lyrik, um einen schludrig und flink verfertigten Massenartikel handelte,
mit dem beflissene Kriegsgefangene den seelischen Bedürfnissen ihrer Lei-
densgefährten beizukommen suchten - auch die ganz anders strukturierte
Zielgruppe der "Oberstufenschüler" sollte erkennen, "daß die kunstvolle
Form allein heute nichts mehr bedeutet, daß die Lyrik, nach einer Periode
der ästhetischen Überbewertung und der formalen Experimente, seit 1933 in
Deutschland wieder eine moralische Macht geworden ist."[252]

Auch das Theater wird mehr als moralische Macht denn als ästhetisches
Vergnügen gesehen. Die Belege finden sich in Albrecht Schröders Arbeit[253]:
Über Zuckmayers 'Des Teufels General' schreibt die 'Süddeutsche Zeitung':
"Es geht in solch einem Zeitstück um wichtigere Dinge als um eine notge-
drungen enge Charakteristik der darstellerischen Leistungen." (65) Literatur als Lebenshilfe: Gerade die Verehrer Zuckmayers kritisieren immer wieder, das Stück biete keine Lösungen, jedenfalls keine echten: "Sie (Zuck-

mayer) haben die Liebe und die Kraft dazu, um nun ein zweites Stück zu
schreiben, in dem sie solcher erloschenen Jugend wieder Stimme und Leben
geben." ('Volkszeitung Kiel', S. 78. Gemeint ist die Desillusionierung
des jungen Offiziers Hartmann). - "So glauben wir, daß uns Zuckmayer trotz
der hohen, nicht anfechtbaren künstlerischen Qualität seines Harras-Dramas
etwas schuldig geblieben ist. Wir wüßten allerdings kaum einen Dichter,
dem wir so gern Kredit geben." ('Frankfurter Rundschau', S. 78). Auffallend
ist außerdem, daß in sämtlichen Briefen an den Autor Zuckmayer ästhetische
Fragen gänzlich entfallen, mit einer Ausnahme: die Zuschrift eines Pro-
fessors (S. 92). - Daß sich literarische Kritik vor allem als "Gesinnungs-
kritik" verstand[254], macht Weyrauchs Kritik der 'Moabiter Sonette' von
Albrecht Haushofer deutlich, der am 23. April von den "Helfershelfern des
Gottseibeiuns" erschossen wurde: "... vor dem Tod, zumal vor einem solchen
Tod, angesichts eines Verbrechens, angesichts des Bündels Papiers, das der
Tote, als man ihn fand, in der Hand hielt, und worauf die Sonette aus
Moabit geschrieben waren, muß jede Beckmesserei, muß jeder Beckmesser zum
Teufel fahren."[255]

Dominanz des Inhaltlichen ist nicht identisch mit Formverzicht, aber häufig
werden vorgefundene Formen unterschiedslos mit beliebigen Inhalten gefüllt,
wie dies besonders am inflatorischen Umgang mit dem Sonett erkennbar
wird. Zarteste Liebes- und Naturthematik ebenso wie die grellen Schreie
auf den Schlachtfeldern werden dieser strengen Form unterworfen. Ist das
Sonett, "gegen den Ungeist kreiert", während des Krieges "geradezu zu einer
Modeform des Widerstandes" geworden[256], so entspricht nach Auffassung von
Georg Schwarz das "Sonettendichten, das bei uns seit dem Kriege so stark
zugenommen hat, ... ohne Zweifel dem Bedürfnis nach Form in einer mehr und
mehr sich entformenden Zeit."[257] Aber diesem "Bedürfnis nach Form" korres-
pondierte kaum das Bedürfnis nach Schaffung neuer Formen - der bereitwillige
und allzu sorglose Rückgriff auf Vorhandenes, Verbrauchtes (wobei die
deutsche Literatur insgesamt mit Vorliebe die "Maske der Vergangenheit"
trage[258]) überführt den gerade anhand der "'Sonettenraserei'"[259] interpre-
tierten Formwillen der Unwahrheit und bestätigt im Grunde nur die Priori-
tät des Inhaltlich-Moralischen. Daß andererseits die mechanische Inbetrieb-
nahme vorgegebener Formen und Formeln "leere Gedärme der Gedankenarmut
verbergen"[260] möchte bzw. erst hervorbringen kann, leuchtet ebenfalls ein.

Zur Formproblematik heißt es bei Knörrich: "Das Absehen von den Formpro-
blemen der Gattung war im Grunde selbstmörderisch, so sehr es auch aus der
geistigen Situation der Zeit heraus verständlich war."[261]

Verständnis für die lyrischen Produkte seiner Altersgenossen bringt Hans
Egon Holthusen in seinem bösen 'Exkurs über schlechte Gedichte'[262] schon
im Jahre 1946 nicht mehr auf. Holthusen, der die massenhafte Anfertigung

und Verbreitung von Gedichten rundheraus einer "Art Volksseuche" gleichzusetzen sich nicht scheut, geißelt die "reine Maßstablosigkeit" der "jungen ungebildeten Windbeutel(n)", die über "sentimentale Lyrismen" einerseits und "vulgäre(r) Frechheiten aus dem Landes- und Schwarzhändlerjargon von gestern und heute" andererseits nicht hinaus kämen. Mit ihrem "Kriegserlebnis" und "Heimkehrererlebnis", das er ihnen durchaus zugesteht, würden sie nur "protzen", anstatt es zu gestalten.

Trotz vieler Einseitigkeiten in Holthusens arroganter Kritik, die sich, indem sie mit keinem Wort auf die schwierigen Bedingungen des Schreibens eingeht, auf eine Analyse der Oberfläche beschränkt, und abgesehen davon, daß es auch andere zeitgenössische Stimmen zu dieser Lyrik gibt[263], hat Holthusen doch einige Bruchstellen der jungen Nachkriegslyrik aufgedeckt. Mag die "Sonettenwut" von Einfallslosigkeit, der Rilketon von naivem Epigonentum und das Dichten nach "Litfaßsäule" und "Werbezettel"[264] davon zeugen, daß viele es einfach nicht besser konnten, schon deswegen nicht, weil ihnen der Krieg nicht die Kenntnis künstlerischer Techniken, sonst aber genug hinterließ, das sie, dem Kritiker Holthusen zum Trotz, durch Schreiben loszuwerden versuchten - bedenklich wird es dann, wenn der 'vulgäre Landserton' unbesehen die Sprache des Gedichts bestimmt:

Wir stürmten wie Wölfe zum Peipussee,
kein Teufel hielt uns auf!
Wir setzten ein Kreuz in den Hügel von Schnee
(waren viele Hügel am Peipussee)
und den stählernen Helm darauf.[265]

Kerle, die weder Tod noch Teufel fürchten! Hier schleicht sich das soldatische Heldentum, das gebrandmarkt werden soll, durch die Hintertür wieder ein, genauer, es 'sitzt noch drin', eine Schlacke, die sich nicht so schnell entfernen läßt; dafür haben Hitlerjugend, Studienräte, "die schon die Väter so brav für den Krieg präparierten"[266], und schließlich sechs Jahre Krieg gesorgt. Wem schon im Knabenalter eingebläut wurde, er gehöre zu den "Kreuzritter(n) einer neuen Zeit", die ein "Reich der Kraft und Herrlichkeit auf dieser Welt" errichten würden[267], der vermag schwer einzusehen, daß alles, aber auch alles sinnlos gewesen sein soll. Die trotzige und verzweifelte Suche nach einem verborgenen Rest an Sinn in dem, wofür man seine ganze Jugend hergegeben hat[268], das scheint neben der Tatsache, daß diese Jugend in dieser Sprache aufgewachsen ist, ein weiterer Grund für das Weiterleben des Landserjargons zu sein, der, was die Gestik auf der Ebene des Sprachvergleichs angeht, so manches 'Nachkriegslied' in verdächtige Nähe nationalsozialistischer Kriegslyrik bringt[269].

Dabei stammen diese Verse von einem Autor, der weder das Bisherige bloß kopieren noch einfach nur unüberlegt oder mißmutig und trotzig drauflos- schreiben wollte und der auch auf die Gefahr hinwies, sich selbstgenügsam in der Kriegserlebnislyrik aufzuhalten ("Lauscht nicht immer auf den Ge- sang der Granaten, / zehrt nicht ewig von euren Heldentaten"[270]). Die alten Begriffe seien "zu süß und zu schwammig und abgeschliffen", daher fordert er: "was wir brauchen, / Dichter, / ist das Wort."[271] Aber welches?

Das Wort
Brand
brennt nicht mehr,
das Wort
Zorn
zürnt nicht mehr ...[272]

Und Worte, die wirklich 'brennen' und 'zürnen' - und "lieben" - , sind noch nicht gefunden. Den häufig zu beobachtenden Riß zwischen sprachlichem Wollen und Können hat Urs Widmer auch in der Prosa nachgewiesen und festge- stellt, daß der "Nazijargon" nach 1945 eifrige Anhänger gerade auch bei denen fand, die gegen ihn angetreten sind: bei den Mitarbeitern des 'Ruf' ebenso wie bei Borchert und Böll.[273] Der Grund: "Das 'Dritte Reich' hat die Sprache in einem weit größeren Maß zerstört, als man annahm ... Der braune Hang zu bombastischem Ausdruck hatte sich in den Jungen so festge- setzt, daß sie ihn nicht gleich loswerden konnten."[274] Dieser Befund über die junge deutsche Nachkriegsprosa, die Adorno schon 1950 mit einem "sorg- sam zugeschütteten Kommißstiefel" verglich[275], kann auch, gerade was den 'bombastischen Ausdruck' angeht, auf Teile der Lyrik übertragen werden, die für potentielle Literaten wesentlich zugänglicher und der Sorglosigkeit in der Verwendung der anerzogenen Sprache daher noch mehr ausgesetzt war.

Holthusen, dessen Kritik am "Landser-Jargon" durch Widmers Kritik am "Nazi-Jargon" bestätigt und ergänzt wird, bleibt aber bei seiner Negativ- bilanz der jungen Nachkriegslyrik nicht stehen, sondern stellt folgende Forderungen an 'gute' Dichter und Gedichte: Der Dichter muß ein intimes "Liebesverhältnis zur Sprache" und "Phantasie für das Wirkliche" haben; dem Gedicht sollte eine "großartige Idee" zugrunde liegen und es sollte " u n s e r e   Welt in ihrer brennenden Aktualität,   u n s e r e

Situation in   u n s e r e r   Sprache" aussprechen[276]. - Holthusen
wurde nicht nur deshalb so ausführlich zitiert, weil er zentrale Probleme
der jungen Lyrik anspricht, sondern weil er selbst versuchte, seine Kritik
praktisch umzusetzen.

Auffälligster Versuch ist die 'Trilogie des Krieges'[277], ein Gedicht,
das die bisherige Darstellung auch thematisch weiterführt. Ging es in
den bislang zitierten Textbeispielen vor allem um Charakter und Begleitumstände des Krieges - Angst-, Schreckensträume, Hunger, Grauen, Morden
etc. - , so demonstrieren die folgenden Texte, daß die Nachkriegslyrik
auch an der   K r i e g s g e s c h i c h t s s c h r e i b u n g   teilnahm[278]. Mit dem Vers "Plötzlich war es den Völkern unmöglich, einander
zu dulden" wird das dreiteilige zehnseitige Gedicht eingeleitet, in dessen
erstem Teil die Verdüsterung des Himmels durch den Kriegsbeginn und die
künftigen Greuel und Schrecken, die sich im "blutigen Spiegel des Krieges"
(11) schon in den ersten Tagen abzeichneten, beschrieben werden:

Schon war der künftige Anblick von Männern im Staube der Straße,
Die wie ausgeweidete Kälber verendeten, möglich.
Schon war das Schweigen Erstickter, das Brüllen in brennenden Panzern,
Und selbst das Los der Verhungernden, die nach dem Fleisch ihrer Brüder
Trachten, war denkbar. (10)

Der zweite Teil handelt, nun in gereimten Hexametern, von Erfolgen und
der Opferbereitschaft der deutschen Soldaten:

Viele schöne Männer in einer Säule von Staub ...
Zückten das Feuer und schlugen lange, schwarze Narben
In fremde Ernten. Lachten, schrieen, soffen, bluteten, starben ... Wie Säufer
Gaben wir alles her, taumelnd, benommen,
Und immer noch mehr von diesem verdammten Sieg zu bekommen. (11f.)

Aber der Siegestaumel wurde getrübt, denn "Jammer und Angst der Besiegten
suchte uns heim / Und erweckte die Angst in den eigenen Eingeweiden" (12),
die schließlich dazu führte, daß "Schwermut sprach aus jeder Flasche er-
beuteten Weines, / Herbst und Elend des Daseins ..." (13). Diese Schwermut
kam nicht von ungefähr, sondern kündigte die im Jahre 1942 sich abzeich-
nende Wende des Krieges an - "Im dritten Jahr begann sich das Dickicht des
Krieges zu lichten" - , dessen unerbittliches Ende im letzten Teil anhand
des Niedergangs des Ostarmeen nachgezeichnet wird. Der "dreimal verhängte
russische Winter", der die "Notwendigkeit selbst, die nackte Wahrheit:
'so ist es'" verkörperte (15), rächte sich an den 'Frevlern', denen auf
ihrer Flucht keine Minute Ruhe gegönnt war:

Feuer im Rücken und Feuer von vorn, an den Brücken der Flüsse
Feuer und blutige Knäuel und Sterben nach einer kurzen,
Grausigen Prüfung. Märsche, endlose Märsche im beißenden Märzwind, ...
Aufbruch wieder und Flucht. O Heimweh nach Westen und Abend! (17)

Und dennoch ein Heimweh, das "in Deutschland nicht / Halt macht", sondern
erst dann zur Ruhe kommt, wenn "neue Quartiere im Unsichtbaren ... auf
der anderen Seite des Seins" bezogen sind. Dann erst "gilt" das Wort
"Heimkehr", und auch das Gedicht kann jetzt enden mit dem Lobruf: "O zarte,
o himmlische / Armut der letzten Soldaten!" (18)

Der Pfarrerssohn Holthusen promovierte im Jahre 1937 über Rilkes 'Sonette
an Orpheus' und hat als Soldat von 1939-1944 am Polen-, Frankreich- und
Rußlandfeldzug teilgenommen . - Theologie, Rilke und eigene Kriegserfahrungen sind auch die bestimmenden Momente dieses 'elegischen Gedichts'[279].
Moniert der   K r i t i k e r   Landserjargon und Gestaltungsunlust der
Nachkriegslyriker, versucht sich der   D i c h t e r   als 'Meister', der
beides in den poetischen Griff bekommen will: Versatzstücke aus der vul-
gären Soldatensprache wechseln mit poetisch getragener Bildhaftigkeit,
beides in modernisierten Hexametern versifiziert. Als einer, der sich zur
"Rasse der Transzendentalisten" rechnet und daher die "Ewigkeit durch-
schmeckt im Zeitlichen", versucht er, "das Bewußtsein der Spannung zwischen
Zeit und Ewigkeit in die Höhe zu treiben", den "schwindelerregenden Hiatus
zwischen Hier und Dort bewußt", d.h. die Dialektik von "Fleischwerdung"
und "Himmelfahrt" in 'pathetischer Temperatur' transparent zu machen[280].

Das Programm ist zu vage und zu gewagt, als daß es ganz gelingen wollte.
Landser-Jargon und Rilketon vertragen sich schlecht; die Monotonie der
Hexameter ermüdet trotz Variation und relativ freier Füllung der Takte;
das metaphysische Transzendieren, die Verspannung von Immanenz und Trans-
zendenz, vermag, etwa wenn "Feuerüberfälle der Artillerie" als "Bruchstücke aus den Selbstgesprächen des Weltgeistes" gedeutet werden (15),
ebensowenig zu überzeugen wie das ästhetische: zwar will er seine poeto-
logische Prämisse, das "schlechthin Grauenhafte und 'Unmenschliche' ... nie
im höllischen Zentrum seiner selbst, sondern nur vom   R a n d e   her
künstlerisch" zu fixieren[281], dadurch einlösen, daß er entsprechende
Sachverhalte durch pathetische Kommentierung und ausgewogene Rhythmik
entschärft - aber wenn dann im Ergebnis von "Verhungernden" die Rede ist,
"die nach dem Fleisch ihrer Brüder / Trachten", dann bewegt sich Holthusen
mit seinem Überschuß an poetischer Angestrengtheit im Umkreis seiner Kon-

trahenten, der poesielosen "neudeutschen Apokalyptiker", die er "beim Ekelhaften oder Lächerlichen", das heißt beim 'sauren Kitsch' enden sieht[282].

Ernster jedoch ist Holthusens Neigung zu nehmen, sich durch Schrecken und Grauen des Krieges faszinieren zu lassen, seine Brutalität schaurig-schön zu finden - "Zornige Panzer, / Schön und brutal, wie Ausgeburten der unteren Seele, / Waren uns dicht auf den Fersen"[283] - oder blutige Auseinandersetzungen in luftig-heitere Spielereien umzudeuten, wenn er die Rückzugsgefechte der fliehenden deutschen Truppen beschreibt als "Heiteres Schießen wie Zechgelage von Höhe zu Höhe, / Und der Feind, wie ein Bruder, nicht minder betrunken, / Grüßte vertraulich zurück mit lustigen, kleinen Granaten ..." (17). "Tänzer auf der Ballettspur des Todes" (16) nannte Holthusen die fliehenden deutschen Soldaten. Damit hat er sich selbst sehr treffend charakterisiert: Ein Ästhet im Grauen der Schlachten, deren erste bereits, der Überfall auf Polen 1939, ihn maßlos faszinierte.[284]

Holthusen hat den Kriegsverlauf aus der Sicht des Soldaten geschrieben, der an den Feldzügen im Osten teilgenommen hat. Das läßt sich den sehr spärlich gestreuten geographischen Daten und anderweitigen Hinweisen entnehmen (der "dreimal verhängte russische Winter", "Auf! Die Russen sind da!", "Brücke von Uman", "in Balanka", "Gefechte im bessarabischen Weinberg", "Heimweh nach Westen und Abend"). Durch diese historisch verifizierbaren Daten, eingerechnet die beiden Zeitangaben ("eine Stunde September", "Im dritten Jahr begann sich das Dickicht des Krieges zu lichten"), unterscheidet sich dieses Gedicht außer in der Länge von fast allen Gedichten, die vom Krieg handeln und bei denen es den Autoren, wie erwähnt, mehr um Charakter und Begleitumstände und um die Wiedergabe ihrer subjektiven Reaktionen als um die historisch überprüfbare Fixierung von Verlaufsphasen des Krieges geht.

Schon drei Jahre vor Holthusens "'lyrischer Reportage'"[285] hat sich der damals 46-jährige Martin Beheim-Schwarzbach an einer aus ca. 700 Zeilen bestehenden Hexameter-Dichtung versucht, deren Titel 'Der Deutsche Krieg'[286] eine umfassende Darstellung des Kriegsverlaufs anzeigt, die im folgenden in der möglichen Kürze wiedergegeben wird. Auch dieser Autor gibt zunächst einen Überblick über Umfang und Ausmaß des vom Volke Wotans und Thonars, von den Enkeln 'langbärtiger Langobarden und ruhmreicher Vandalen' (5) verursachten Krieges:

- 55 -

Also brechen die Enkel aus ihren Fabriken und Höfen
Unwiderstehlich hervor, unermeßlich an Zahl,
Trunken von Worten des Führers und seines hinkenden Trommlers,
Wälzen sich, Heer auf Heer, über der Nachbarn Gebiet ...
Nie sah Europa dergleichen zuvor. Selbst Attilas Horden
Schwärmten nimmer so dicht, wüteten nimmer so wild. (5)

Nach einer ähnlich bildreichen Vorstellung der modernen Kriegswaffen -
das Geschütz ist "der Herr, gebietet mit gräßlichen Muskeln, / Hämmert
und stampfet einher berserkergleich", und die Bomber "Stampfen mit donnern-
dem Baß stetig durch Nebel und Nacht, / Schwarze Fahnen des Grimms" (9f.) -
wird nun der eigentliche Kriegsverlauf in getreuer Chronologie der Feld-
züge, Eroberungen, Niederlagen etc. aufgezeichnet: "Polen sinket dahin
in den Staub, zu Tode getroffen", bald darauf "gewittert" es "stählern"
im Norden, "Tückische hansische Frachter dampfen an Norwegens Küsten",
"Sie bergen steirische Schützen, / Stämmige Jäger Tirols, oberbayrisches
Volk, / Großgezogen mit Bier, dem Führer wie Hunde ergeben, / Saalschlacht-
gewohnt und im Kampf wütend, den Berserkern gleich" (11f.). Die Nachzeich-
nung des Westfeldzuges nutzt der Autor zu einer Abrechnung mit den westlichen Ländern: Holland sei zu "behäbig und fett" geworden, um dem Ansturm
teutonischer Horden widerstehen zu können, Frankreich, "von allen am
tiefsten gesunken", habe feig "hinter dem Wall" gewartet, während das
britische Volk, bei dem der Autor von 1939 bis 1946 im Exil lebte und an
dessen Feldzügen er teilweise teilnahm, beinahe Opfer seiner Verschlafen-
heit geworden sei:

"Wurde wohl je ein Volk in solchem Gleichmut gesehen?
Rasselnd ertönt sein Geschnarch, holde Musik deutschem Ohr.
Nennt die berühmtesten Schläfer mir, Rotbart, Brunhilde, Dornröschen,
Orpheus selber, den Gott - Stümper scheinen sie mir. (13f.)

Breiten Raum nimmt, der historischen Wirklichkeit entsprechend, die
Schilderung des Rußlandfeldzuges ein, die mit dem Vers "Hört nun und fühlt,
wie das feisteste Fest des Gemetzels sich spreizet" eingeleitet wird (19).
Kiew, Odessa, Smolensk "sinken in Asche und Schutt", doch an den Ufern der
Wolga wird der "Drang nach Ost gräßlich zuende geträumt"; "Stalingrads
höllische Tage", die "ein Gefreiter schäumenden Mundes" verordnet hat,
bringen die Wende des "Ruhmes und Glückes"; dem "Raubzug um Öl" sollte
des "Kaukasus klüftige Kette" ein "trotziger Wall" werden[287]. In rascher
Abfolge werden nun die Stationen des deutschen Zusammenbruchs verfolgt.
Endlich ist auch der britische Schläfer zum "Löwen" erwacht, in der

Normandie "fluten die Männer vom Meere", auch der "Riese des Ostens naht
schon mit rascheren Schritten" (24), "Es ist kein Halten mehr" (25); was
auch "der heulende Derwisch, der Rattenfänger der Deutschen", einsieht und
seine Konsequenz zieht: "... Ruhmlos erlischt er am Gift feig im Kellerge-
laß." (26) Die letzten Verse stellen die Frage nach dem Warum und Wohin,
auf die in den nächsten beiden Kapiteln einzugehen ist.

Dieses Gedicht zeichnet sich, weit mehr als die 'Trilogie des Krieges',
durch einen hohen historischen Informationswert aus, der nicht bloß der
Länge des Gedichtes zuzuschreiben ist. Der Leser benötigt nur geringe Vor-
kenntnisse, um dem Gang der Ereignisse bis ins einzelne folgen zu können.
Die eingehaltene Chronologie vom Polenfeldzug bis zu Hitlers Selbstmord
machen, zusammen mit den zahlreichen geographischen Daten, besondere Zeitangaben, selbst wenn es sich um einzelne Tage handelt, überflüssig; sie
sind leicht zu ergänzen. Auch die Personen – Hitler, Goebbels, Göring –
sind in ihren Umschreibungen ohne Schwierigkeit zu identifizieren, für
den Leser von 1946 auf jeden Fall.

Eine ideale poetische Lektion in Geschichte also? – Diese Gelegenheit, die
vom Autor offensichtlich auch nicht gesucht wurde[288], wurde gründlich
verpaßt. Es widerspricht dem 'modernen' Sprachempfinden, Verlauf und Charakter des bislang grausamsten Krieges in schwerfällig ungelenker und zugleich blumig bildhafter Sprache aufnehmen zu wollen, die zudem in ver-
bissener Konsequenz dem kaum variierten 'Taktstock' des Hexameters ausgeliefert wird, dessen pathetische Geste so zu monotonem Geklapper verkommt.
Die Antwort auf die sich aufdrängende Frage, warum sich gegenüber den Epen
Homers etwa, an denen sich Beheim-Schwarzbach orientiert[289], ein ähnlicher
Widerstand nicht einstellt, hat der Autor, sieht man einmal von der unterschiedlichen Meisterschaft beider ab, in seinem Gedicht gleich mitgelie-
fert. Drei Textstellen können in diesem Sinne herangezogen werden. Über
den "Meister des Hasses" (Hitler) heißt es auf der ersten Seite:

Unaussprechlich sein Name, er schändet die lautere Sprache,
Nimmermehr schaff ich ihm Raum, nimmer im Lied, im Gedicht. (5)

Dann fragt (sich) der Autor im Hinblick auf den Charakter des neuzeitlichen
Krieges:

Wo ist das klare, klingende Klirren der Schwerter geblieben,
Wo die Schilde aus Erz und ihr verläßlicher Schutz?
Nicht mehr fordert ein Fürst mutig den andern zum Zweikampf,
Und kein Ritter vertraut mehr einem ritterlichen Wort.

Wo sind die flatternden Fähnlein, die fröhlichen Reitergesänge,
Helles Trompetengetön, wiehernder Rosse Gestampf?
Nichts ist davon mehr geblieben. Die Schlacht, wer erkennte sie wieder? (8)

Und in die Beschreibung der Schlachten bei Sewastopol und Stalingrad ist
die denkwürdige Textstelle eingeschoben:

Muse, die du berichtest die leuchtenden Taten der Kriege,
Die Thermopylen, Cannä, Austerlitz, Leuthen, Verdun,
All deine Farben verblassen, all deine Worte sind eitel,
Trägst du der Roten Armee Kampf zu Sewastopol ein,
Oder suchst du zu rühmen Stalingrads höllische Tage,
Wo sich in schmelzendem Erz wahrte ein ew'ges Gesetz (21).

Mit anderen Worten: früher war der Krieg noch schön, machte das Töten noch
richtig Spaß, da gab es noch von allen respektierte Rituale, einen Ehren-
kodex für die Schlacht und das Schlachten, da zählte noch der einzelne,
der sich, inmitten von "flatternden Fähnlein" und "wiehernder Rosse Gestampf", mit seinem ausgesuchten Gegner messen und sich profilieren konnte.
Dieser Krieg aber, der die Schlachtfelder mit 'rasselnden Dämonen' bevölkert,
die den einzelnen in die trübe, erniedrigende Anonymität eines unentwirr-
baren Grauens verbannen, läßt keine Helden mehr zu, die die Muse rühmen
und besingen könnte. Hinzu kommt, daß der Name des obersten Führers "unaussprechlich" ist und dieser nie mehr im Gedicht besungen werden kann;
nicht etwa nur, weil er Hitler heißt, sondern, so wäre mit Enzensberger zu
ergänzen, weil seit dem Niedergang des 'ancien régime' um 1800 Herrscher-
lob mit Poesie unvereinbar geworden ist, Poesie statt der Affirmation die
Funktion der Destruktion von Herrschaft übernommen hat[290]. Diese kritische Potenz entfällt aber in Beheim-Schwarzbachs lyrischem Unternehmen
fast völlig. - Zwar rühmt noch besingt er weder Herrscher, Helden noch
Schlachten aus dem Deutschen Krieg - aber er hätte es gerne getan: das
trauernde Sich-versenken in Zeiten, in denen dies noch möglich war, ist
ein Indiz dafür. Daß er zu diesen ruhmreichen Zeiten, in denen die Muse
von "leuchtenden Taten der Kriege" singen konnte, auch den 1. Weltkrieg
und ausgerechnet dessen mörderischste und sinnloseste Schlacht bei Verdun
zählt - sie ist wohl nicht nur wegen der noch fehlenden Füllung des Vers-
fußes hinzugenommen worden - , macht deutlich, daß es auch diesem Autor neben der Darstellung des Kriegsverlaufs um die Darstellung seiner geheimen
und manchmal auch offen gezeigten Faszination durch den Krieg zu tun ist,
Holthusen also durchaus vergleichbar.

Die ausführliche Behandlung dieser beiden Poeme rechtfertigt sich durch
den mit ihnen unternommenen Versuch, die die Lyrik beherrschende Kriegs-
thematik nicht, in einzelnen Erinnerungs- und Erlebnisfetzen oder in historisch nicht mehr fixierbaren Verallgemeinerungen, sondern als ganzes,
als längeren Handlungsablauf wiederzugeben. Beide Versuche sind fehlge-
schlagen. Die Chronologie des Grauens läßt sich lyrisch nicht mehr fixieren, jedenfalls nicht in der geweiteten Starrheit des Hexameters,
dessen Füllung nach ausschmückenden, verklärenden, geschraubten oder ge-
schmacklosen Prädikaten geradezu herausfordert. Sicher ist die moderni-
sierte Sprache Holthusens der Naivität des sturen Gerumpels und Gepolters
("stampfen", "dampfen", "rasseln" mit Wortfamilie) bei Beheim-Schwarzbach
weit voraus - ein Plus, das weitgehend wieder zurückgenommen wird durch
den Eindruck, als hätte Holthusen seine ganze lyrische Kriegsgeschichte
nur deshalb veranstaltet, um Geschichte überhaupt aufzuheben, bzw. um
die "Wahrheit ans Licht zu stellen"[291]. Die Wahrheit: der grausame Tod
Millionen Unschuldiger. Die Wahrheit nach Holthusen: "Dies ist die Freiheit der Kinder / Gottes. Dies ist die Heimkehr. Dies gilt. O zarte,
o himmlische / Armut der letzten Soldaten!"[292] - Geschichte, hier Kriegsgeschichte, in all ihrer Grausamkeit wird als bloßes Demonstrationsmaterial
für eine ästhetisch-theologische Interpretation benutzt, ein Verfahren, das
Holthusen bereits in dem zwei Jahre zuvor erschienenen Sonettenzyklus
'Klage um den Bruder'[293] angewandt hat: wie die zahllosen Soldaten auf
den Schlachtfeldern dazu 'herhalten' müssen, dem Autor, der überlebt hat,
einen hymnischen Schlußvers auf die zarte und himmlische Armut der nun
freien Kinder Gottes zu entlocken, so ficht es ihn auch nicht an, sein eigenes Leben mit dem so sehr beklagten Tod seines im Osten gefallenen Bruders zu 'würzen': "... Und alles geht mit deinem Tod gewürzt / Und wie ge-
tauft hervor aus meiner Trauer."[294]

Artilleriefeuer in Selbstgespräche des Weltgeistes umzudeuten, in den verzerrten Gesichtern toter Soldaten zarte, himmlische Armut entdecken zu
wollen und Brudertod als Lebenswürze für sich selbst auszugeben - das sind
poetische Integrationsmuster, die trotz bzw. gerade wegen der Ernsthaftig-
keit der Thematik einer gequälten Komik nicht entbehren: der Bogen, mit
dem Gegensätzlichstes verspannt werden sollte, wurde überspannt[295].

Im Anschluß an die Besprechung dieser beiden lyrischen 'Großunternehmen'
scheinen ein paar gattungstheoretische Anmerkungen angebracht:

- In beiden Gedichten sind Zeit- und Handlungsabläufe, somit epische Er-
  zählmuster vorhanden oder gar bestimmend. Aber nicht sie sind, weil sie
  etwa 'lyrikfeindlich" seien, für das Scheitern der Gedichte verantwortlich zu machen, sondern ihre je spezifische Umsetzung auf das heute von
  der Lyrik offensichtlich schwer zu bewältigende Sujet 'Kriegsgeschichte'.
- Die beiden besprochenen Gedichte sind lang. Gehören sie deshalb auch zu
  der Kategorie 'lange Gedichte'? Dieser Terminus kam Mitte der sechziger
  Jahre durch Walter Höllerers 'Thesen zum langen Gedicht[296) ins Gespräch,
  in denen dem 'langen Gedicht' u.a. eine immanente politische Dimension
  zugeschrieben wird: "Wer ein langes Gedicht schreibt, schafft sich die
  Perspektive, die Welt freizügiger zu sehen, opponiert gegen vorhandene
  Festgelegtheit und Kurzatmigkeit. Die Republik wird erkennbar, die sich
  befreit."[297) Oder lapidar nach Bienek: "das kurze Gedicht ist aristo-
  kratisch, das lange Gedicht demokratisch."[298) Diese Aussagen sind zwar
  im Kontext einer Entwicklung zu verstehen, in deren Verlauf Metapherneu-
  phorie und Lakonismus die Lyrik kommunikationsunfähig zu machen drohten –
  dennoch ist gerade die obige These von Interesse, ergänzt man sie um die
  Aussage eines Wissenschaftlers aus der DDR über die Lyrik des sich
  herausbildenden zweiten deutschen Staates: "Das herkömmliche, meist
  genrehafte Sujetgedicht erwies sich in zunehmendem Maße als unzulänglich,
  weiträumige, in Widersprüchen verlaufende historische Prozesse zu um-
  reißen, die damals auf die jungen Dichter, die sich eben ein Weltbild
  erwarben, am stärksten wirkten. Das Gedicht weitete sich zum Zyklus,
  wenn sich Vergangenheit nur aus der Sicht auf die sozialistische Gesellschaft wahrhaftig zeichnen ließ, wenn die unmittelbare Gegenwart der
  ersten Aufbaujahre schon unter Einbeziehung künftiger Vollendung gedeutet werden sollte."[299)

Es ist hier nicht der Ort, dieser These nachzugehen und die Genese der
sozialistischen Lyrik der DDR unter dem Aspekt einer historisch begründeten Ausweitung zum "großen Gedicht" hin zu untersuchen[300), nur: die Tendenz zum langen Gedicht, zur "Lust am Zyklischen"[301), zur weit ausholen-
den Geste ist ein ebenso beobachtbares Phänomen in der Lyrik aus der Vorgeschichte der BRD. Auch die Entfaltung der 'bürgerlichen Perspektive'
forderte Geräumigkeit (wenn auch nicht jene 180 Seiten, die Kuba für das
'Gedicht vom Menschen' brauchte, in dem er die revolutionäre Entwicklung
der Menschheit mit Schwerpunkt ab der Oktoberrevolution aufzeichnete): die
nicht enden wollende pathetische Klage; das Ritual des Schuldbekenntnisses;
die 'metaphysische Ruhelosigkeit' in ihrem irrenden Suchen nach einem Ausweg, der in einer "Ewigkeitsvorstellung", sei sie mythischer, christlicher
oder ästhetischer Art"[302), oft auch gar nicht oder aber in politisch-
geschichtlichen Lösungen gefunden wurde; der Versuch immerhin auch einer
ausführlichen historischen Erklärung für das Geschehene (Lernet-Holenia) –
all dies bedurfte ebenso der weiten Bewegung im langen Gedicht, ohne immer
den Sozialismus oder "die Republik" erkennbar werden zu lassen.

2. Kriegsende - Heimkehr - Nachkrieg

Viele Gedichte sind in der Kriegsgefangenschaft entstanden, in einer Situation, in der Gelegenheit genug gegeben war, das eben Erlebte nochmals zu vergegenwärtigen, sofern es einen nicht von selbst bis in die Träume verfolgte; Gelegenheit aber auch dafür, von der Ungewißheit geplagt zu werden, ob man die nächsten Jahre in Arbeitslagern der Sieger oder in der Heimat verbringen würde. Die erste Möglichkeit würde für den einzelnen in gewisser Weise die Fortsetzung des Krieges mit anderen Mitteln bedeuten - kein Wunder, daß diese Ungewißheit als "Abgrund" empfunden wurde, in den hineinzuschauen man durch träumerische Erinnerungen an frühere Zeiten aus dem Wege zu gehen versuchte:

Wir können nichts tun, als vor den Baracken
lungern und im dünnen Grase hocken,
Erinnrung zupfend aus dem blonden Rocken
vergangner Zeit. So weben wir ein Laken

des Traumes über den Abgrund. Wir schauen
einfach nicht hin, in den gewissen
Abgrund des Ungewissen ...303)

War man schon, wie sich herausstellte, einem sinnlosen Krieg verpflichtet worden, so winkte den Überlebenden auch noch die Aussicht, die deutsche Kriegsschuld durch jahrelange Gefangenschaft abarbeiten zu müssen. Es sind also die doppelt Geprellten, deren Situation der letzte Vers treffend auf die lapidare Formel bringt: "Wir sind nicht mehr wert als ein alter Socken." - Und diejenigen, die, endlich "gnädiglich entrissen / der mörderischen Faust, die Jahr um Jahr / uns zerrte ... vor den Blutaltar -"304), was galten sie, die mit zwanzig an die Front geschickt wurden, wie empfing man sie zu Hause? - Ganz anders jedenfalls, als die meisten es sich erhofft und erträumt hatten:

Ach, wir hatten sie anders geträumt, diese Heimkehr aus dem Krieg!
Nicht mit Fahnen zwar und Girlanden (wir glaubten nie an den Sieg!),
aber wir hatten doch gemeint, es würde trotz Bomben und Pein
vieles oder doch manches genau wie früher sein.305)

Aber weder bot die Heimkehr "ein Neuerfassen / der bunten Welt, die wir zurückgelassen", noch brach man daheim in "großes Staunen, Jubeln, Freudentränen" aus306). Ja, der Vater, selbst vom Kriege gezeichnet - "der ging, so geht man ins Grab" - , erkennt seinen eigenen Sohn nicht wieder307). So kamen sie zwar nach Hause, aber ein Zuhause fanden sie nicht vor:

Wir sind zu Haus nicht zu Hause - und auch nicht in der Natur,
und im Lager waren wir's auch nicht - wo aber sind wir's denn nur?[308)]

Aber selbst wenn die äußere Heimat erhalten gewesen wäre - viele hätten sie
als die ihre gar nicht wahrnehmen können, weil sie, im wörtlichen Sinn, zu
kaputt waren. Nicht nur waren ihre Erinnerungen und Träume von Kriegser-
lebnissen besetzt, auch ihre Sinnesorgane sind im Krieg "ein wenig verrückt" geworden:

... und ein Auge, das die Landschaft nur als Gelände begriff,
und eine Nase, die witterte, wenn's irgendwo stank und pfiff,
und ein Trommelfell, drauf sich ein jeder Abschuß eingedrückt:
Solche Organe werden mit der Zeit ein wenig verrückt ...[309)]

Daß weniger der dürftige oder fehlende Willkommensgruß als der physische
und psychische Zustand der Heimkehrenden für das Ausbleiben des erhofften
Freiheitserlebnisses verantwortlich war, ist auch dem Gedicht 'Der Heimkehrer' von Heinrich A. Kurschat zu entnehmen:[310)]

Du wolltest gerade das Leben beginnen -
da zog man dich ein.
Du glaubtest: Ganz kurz nur - zum Krieggewinnen:
es müsse sein.

Du fragtest erschauernd in Nächten und Toden,
wohin du gelangst
und kralltest dich in den bebenden Boden
und hattest Angst.

Du fragtest, warum alle Blumen verblühen
und wurdest verlacht.
Im Traum hast du nach der Mutter geschrien
in mancher Nacht.

Zerbrochen und müde - so kehrst du nun wieder,
am Boden den Blick.
Versäumt hast du Leben und Liebe und Lieder,
versäumt das Glück.

Dieses Gedicht enthält in seiner Kürze alle Informationen, um über den Zustand eines Heimkehrers Bescheid wissen zu können - eine Art 'lyrische
Kurzgeschichte' eines jungen Deutschen. Kaum erwachsen, wird er eingezogen,
gut vorbereitet durch den nationalsozialistischen Propagandaapparat: der
Krieg sei den Deutschen aufgezwungen, vom Schicksal verhängt worden ("es
müsse sein"); er sei, bei entsprechendem Einsatz, bald zu Ende ("Ganz kurz
nur"), und außerdem komme eine Niederlage ohnehin nicht in Frage (Krieg
gleich "Krieggewinnen"). Die beiden mittleren Strophen kontrastieren zur
ersten, sie entlarven die hehren Versprechungen als Lüge, von der schick-
salsgeweihten Größe des Krieges ist in den "Nächten" nichts mehr zu spüren,

dagegen von Todesängsten, Verlassenheit, Heimweh des Jugendlichen nach der Mutter um so mehr. Nachfragen werden entweder nicht beantwortet oder mit spöttischem Gelächter quittiert.

Diese in den ersten drei Strophen enthaltene Vorgeschichte ist wichtig, um den 'Heimkehrer', wie er erst in der Schlußstrophe erscheint, verstehen zu können. "Zerbrochen und müde" kehrt er zurück, nicht fähig oder willens, seine Umwelt wahrzunehmen. Im Bewußtsein, bereits jetzt schon alles Lebenswerte versäumt zu haben, kapselt er sich ab. - Kein Wort ist überflüssig in diesem Gedicht, ein Eindruck, der vor allem durch die polare Versstruktur entsteht, die den Informationswert der Aussage beträchtlich erhöht: Die Langverse holen Geschichte und Aktivität des Subjekts ein, die Verben (wollen, glauben, fragen, krallen, fragen) signalisieren Lebenswillen, Initiative, Aufbegehren. Die Kurzverse repräsentieren die übermächtige Gegengewalt, der das Subjekt hilflos ausgeliefert ist, ablesbar an unpersönlichen Subjekten, passiven Formen, aktivitätsschwachen Vorgangs- und Zustandsverben und elliptischen Prädikaten. Kürze der Verse, das meint auch: Brutalität der Gegenseite, die kurzen Prozeß mit den Individuen macht und daher vieler Worte nicht bedarf. "Du wolltest gerade das Leben beginnen- / da zog man dich ein." Widerstand ist hier ausgeschlossen. Wo er sich zaghaft zeigt, wird er sofort gebrochen. - Die beiden letzten Verse behalten diese polare Struktur nur noch formal, zum Scheine bei, denn der eine Pol in diesem von Anfang an ungleichen Spannungs- und Kräfteverhältnis, die Widerstandskraft des geschichtlich handelnden Subjekts, ist nun völlig gebrochen. Zeichen dieser 'erfolgreichen' Anpassung ist die Gleichheit der Verben.

"... am Boden den Blick" - in diesen vier Worten ist, gefährlich verschwiegen, das ganze Spektrum der Wege gebündelt, die der Nachkriegsjugend 'offenstehen'[311]: werden sie zu Außenseitern der Gesellschaft, fühlen sie sich "verfemt", "aus der Welt gestoßen"[312]? Oder gleitet das beharrliche Schweigen ab in chronische Apathie gegen alles und jedes, weil man sich nichts mehr traut und zutraut? ("Wir sind nicht mehr wert als ein alter Socken.") Oder reift im Innern der Haß gegen die 'anderen' zu wahnhaft selbstzerstörerischem Ausbruch heran?[313] Oder formen sich Wut, Haß, Enttäuschung, Verbitterung um in abgrundtiefes Mißtrauen gegen alle Besserwisser - "Niemand, niemand soll uns kommen, der / nicht die Nächte kennt vorn in den Gräben ..."[314] - ; in aggressive Anklagen gegen die Unbelehr-

baren, die Ewiggestrigen - "Wie könnt ihr eure kleinen Sorgen mästen? /
Wie jetzt noch meinen, was ihr stets gemeint? / Entfiel's den Spatzen-
hirnen, daß die Besten // ihr Leben weggeworfen für ein Nichts?"[315] - ;
in erzürnten Widerstand gegen all jene, die die kaum gewonnene "Freiheit"
bereits wieder, mit Schablonen und Programmen versehen, in den "Kot" zu
werfen sich anschicken[316]?

Das Ausmaß der Nöte der jungen Heimkehrer scheint nur noch in globalen
Dimensionen beschreibbar:

Und wenn ich weine oder lache
erdweit Geschluchz, Gelächter gellt! -
Mir ist zuzeiten, wenn ich wache,
als sei mein Herz das Herz der Welt.[317]

Nach den Erfahrungen im erzwungenen politischen und militärischen Kollektiv
versucht das Individuum sich nicht nur in klagender und trotziger Selbstbehauptung gegen eine ihm unbegriffene Welt zu stellen, sondern sieht gar
deren gesamtes Leiden in sich selber als sein persönliches Leid gebündelt
und konzentriert. Daher auch der ausgesprochen subjektive Zug in der politischen Lyrik nicht nur der Heimkehrer, sondern - Individualisierung und
Profilierung des Subjekt waren ja zeittypische Phänomene - der Nachkriegsjahre überhaupt. Vor die politischen Informationen schieben sich Gefühls-
intentionen, die ins Gedicht hineingenommene Welt erscheint gebrochen in
den emotionalen Qualitäten des Subjekts, in Klage, Trauer, Anklage, Trotz,
Aggressivität.

Während "erdweit Geschluchz" einigen Heimkehrern das "Herz" bis zum Zerspringen zerreißt, so daß sie gar nicht mehr aussprechen können, woran
sie leiden,[318] wird in anderen Gedichten das maßlose Leid am Beispiel der
charakteristischsten 'Wahrzeichen' im Nachkriegsdeutschland wiedergegeben:
der zerstörten Städte.

Da standen Städte. Doch jetzt liegen Steine.
Auf den Ruinen sitzt die Nacht.
Daneben hockt der Tod und lacht:
So habe ich es gut gemacht!
Da waren Menschen, doch jetzt leben keine.

Durch hohle Fenster greift mit langen Händen
Der Mond wie ein Gespenst aus Chrom,
zuckt durch die Rippen dort am Dom,
springt wie ein Tänzer in den Strom
und zittert schattenhaft an allen Wänden.

Verkohlte Bäume starren steif, entblättert
im Schutt. Das Leben lischt.
Nur eine schwarze Krähe zischt
durchs Grau. Vergangenes verwischt.
Da standen Städte. Doch sie sind zerschmettert.[319)]

Diese Verse, sieht man einmal von dem "Gespenst aus Chrom" ab, bestechen
durch die Einfachheit der Aussage, die vom parataktischen Grundmuster, der
unpathetischen Bildlichkeit und daherrührt, daß das klagende Ich als Subjekt sich zurückgezogen hat. "Da standen Städte. Doch jetzt liegen Steine /
... Da waren Menschen. Doch jetzt leben keine / ... Da standen Städte.
Doch sie sind zerschmettert" - über solche Verse, so flüssig sie sich auch
zu geben scheinen, kann man nicht hinweglesen: der Wechsel vom Imperfekt
zum Präsens, die durch Punkt markierte Pause und die einschränkende Kon-
junktion zwingen zum Nachdenken über all jene Gründe, die für die Zerstörung der Städte und den Tod der Menschen verantwortlich sind. Daß die
Reflektion dieser Gründe die dominierende Intention dieses Gedichts ausmacht, läßt sich an Stellung und Stellenwert der - dafür entscheidenden -
zitierten Verse ablesen, die sowohl die erste Strophe als auch das ganze
Gedicht umschließen. Dieser 'Umschließe-Technik' entspricht auch die Reim-
struktur (umgreifender Reim), was einer weiteren Akzentuierung dieser drei
Verse gleichkommt. Außerdem prägt sich das "zerschmettert" als Schlußwort
besonders ein und verhindert ein allzu schnelles Vergessen der durch ge-
zielte Aussparung provozierten Fragen an den Leser.

Das Bild vom frohlockenden Tod, der bereitwillig die Verantwortung für
das Geschehene übernimmt, trägt weniger zur Aufklärung als zur Unheimlich-
keit der Situation bei: die Nacht, die auf den Ruinen sitzt; der daneben
hockende Tod; der gespenstische Mond, vor dessen "langen Händen" nichts
und niemand sicher ist - das sind für die Nachkriegslyrik typische Personi-
fizierungen, Ausdruck von dem Vorherrschen unbegriffener und unangreif-
barer Mächte[320)]. Jäh tauchen sie auf, mal hier, mal da, als ob in diesen
momenthaften Aufblitzen - "zuckt", "springt", "zittert", "zischt" - ihre
Unangreifbarkeit und Nichtverfügbarkeit demonstriert werden sollte.

Diese Merkmale rücken das Gedicht in die Nähe eines eigenwilligen und unverwechselbaren Typs politischer Lyrik, der, vor allem an die Namen Karl
Krolow und Günter Eich gebunden - und an Wilhelm Lehmann als Vorbereiter - ,
sich im Gefolge des neueren Naturgedichts herausgebildet hat. Entsprechend
ihrer damaligen und auch späteren Bedeutung wird im folgenden, unter der

Fragestellung dieses Kapitels, auf diese Lyrik ausführlich und gesondert
nach ihren Vertretern eingegangen.

a) Zeittypische Sonderformen politischer Lyrik

  aa) 'Politische Naturlyrik': Lehmann, Krolow, Eich

Nach Krolow wurde das Jahr 1935 zum Ausgangspunkt der neueren deutschen Naturlyrik[321]. Ein Jahr nach Oskar Loerkes 'Silberdistelwald' gab Elisabeth
Langgässer ihre 'Tierkreisgedichte' und Wilhelm Lehmann seinen ersten Band
'Antwort des Schweigens' (1935) heraus. Eine Antwort des erzwungenen Schweigens, denn das Naturgedicht, wenngleich in seiner Forderung nach unver-
fälschter Naturhaftigkeit Ausdruck einer generellen antizivilisatorischen
Kritik, bot unterm Faschismus besondere Gelegenheit zur 'inneren Emigration' ("Gruß aus der Verzweiflung" lautete denn auch die Widmung, mit der
Lehmann seinen Gedichtband dem Freund Loerke schickte[322]). An der Kontinuität der Literatur der 'Inneren Emigration' in den Nachkriegsjahren hatte
die Naturlyrik deshalb besonderen Anteil, weil – im Unterschied zur
klassizistischen Lyrik Carossas, Bergengruens, Jüngers, Schneiders, Schröders – ihre Möglichkeiten noch nicht erschöpft waren, blieb sie doch "seit
dem zu Ende gegangenen Expressionismus die einzige Leistung des modernen
deutschen Gedichts."[323] Deshalb war sie auch für jüngere Dichter 'attraktiv', ihre entwicklungsfähige Kontinuität somit doppelt gesichert – auf
Jahre hinaus, bis ihr Krolow selbst auf dem Berliner Kritiker-Colloquium
1963 mit dem Argument, sie sei, wie vor ihr der Expressionismus, an der
eigenen "Begrenztheit" erstickt, die Abschiedsrede hielt[324]. Zunächst
aber einmal hatte sie als ausbaufähiger Typus in den auch literarisch verunsicherten Nachkriegsjahren ihre große Zeit, vor allem in Werk und Wirkung Wilhelm L e h m a n n s .

Der Duft des zweiten Heus schwebt auf dem Wege,
Es ist August. Kein Wolkenzug.
Kein grober Wind ist auf den Gängen rege,
Nur Diestelsame wiegt ihm leicht genug.

Der Krieg der Welt ist hier verklungene Geschichte,
Ein Spiel der Schmetterlinge, weilt die Zeit.
Mozart hat komponiert, und Shakespeare schrieb Gedichte,
So sei zu hören sie bereit.

......

Die Zeit steht still. Die Zirkelschnecke bändert
Ihr Haus. Kordelias leises Lachen hallt
Durch die Jahrhunderte. Es hat sich nichts geändert.
Jung bin mit ihr ich, mit dem König alt.[325]

Der Titel 'Atemholen' gibt die Intention dieses Gedichtes treffend wieder:
Natur als Ort positiver Sinnsetzung in einer unmenschlichen, verwirrenden
Zeit, die, als historische, an diesem Sommertag außer Kraft gesetzt wird,
sie "steht still", Krieg ist hier "verklungene Geschichte". Die Entbunden-
heit von den beengenden Gesetzen der geschichtlichen Welt erlaubt dem Ich
totale Erfahrungen: Mozart ist ebenso zu hören wie die Identifikation mit
alten Königen möglich ist. Sogar "Empörte" aus früheren Zeiten finden sich
ein[326], aber nicht um klagend und anklagend die Idylle zu stören, sondern
um sie zu genießen - "Sie setzen sich zu Dir". Eine Idylle, aber unter
latenter Bedrohung von "draußen"; eine Gesichtslosigkeit, die gegen die
'gewußte' Geschichte gesetzt wird; eine selbst geschaffene Welt, die sich
als Gegenwelt gegen die wirkliche Welt behauptet und die mit allen Mitteln,
und sei es mit dem naiven Ritual von Kinderversen, gegen Störungsversuche
verteidigt wird:

Ob draußen noch Signale tuten?
Schießt man noch die Torpedos ein?
Schreckt noch den Tor auf fernen Meeren
Zerfetzter Leiber Todesschrein?

Tief innen übte sich inzwischen
Gesang, der Thebens Mauer baute.
Und "heile, heile, heile" tönt es,
Kuckuck! Kein Fluch der Erde lähmt es.[327]

Die Magie der Formel sichert dem Ich mit Erfolg den heilen Binnenraum, der
es Krieg und Faschismus vergessen läßt. Die anfangs gestellten Fragen nach
dem "Draußen" zeugen nur insofern von Interesse für Geschichte, als diese
dem nur um sich selbst besorgten Ich gefährlich werden könnte; die Sterben-
den lenken nicht deshalb seine Aufmerksamkeit auf sich, weil das Ich ihr
grausames Leiden bedauert, sondern weil ihre Todesschreie möglicherweise
die Harmonie des inneren Gesangs verletzen könnten; die magischen Kräfte
werden nicht offensiv zur Verminderung des gesellschaftlichen Leids eingesetzt, sondern beim Aufrechterhalten der Bannmeile, die dem Ich eine
illusionäre Befreiung sichern soll, verbraucht.

Was Krieg und Faschismus nicht zuwege gebracht haben - die Strategie einer
selbst verordneten Geschichtsblindheit zu durchbrechen - wird, an einigen

Stellen zwar nur, n a c h 1945 historisch möglich. Die häßliche Wirklichkeit fungiert nun nicht mehr bloß als gefährlicher "Untertext"[328],
sondern als inhaltliches Motiv im Text selber:

Blechdose rostet, Baumstumpf schreit.
Der Wind greint. Jammert ihn die Zeit?
Spitz das Gesicht, der Magen leer,
Den Krähen selbst kein Abfall mehr.
Verlangt nach Lust der dürre Leib,
Für Brot verkauft sich Mann und Weib.
Ich lache nicht, ich weine nicht,
Zu Ende geht das Weltgedicht. [329]

Kennzeichen der Lehmann'schen Lyrik ist die präzise, knappe Beschreibung
des Details. Die momenthafte Beleuchtung des Einzeldings gibt diesem solch
scharfe Konturen, daß in der Konzentration des beobachtenden Blicks die hinter dem Phänomen verborgene Wirklichkeit evoziert, das Ganze im Einzelnen
sichtbar wird. Mit seinen eigenen Worten: "Der wahre Mystiker schließt die
Augen nicht, er öffnet sie weit. Er sieht sehr genau hin, so angestrengt,
daß sein Blick die Phänomene zum zweiten Male erschafft."[330] Mit dem In-
sistieren auf einer durch die Poesie neu geschaffenen zweiten Wirklichkeit
knüpft Lehmann an die Literaturtheorie der Romantik an, auf die er sich in
seinen theoretischen Schriften auch des öfteren bezieht. So verteidigt er
Achim von Arnim gegen den Vorwurf, dieser habe es nur mit Gespenstern,
Traumspindeln, Wahnsinn und Affen zu tun, mit dem Satz: "Gerade weil ihn
die Wirklichkeit so bedrängt, entdeckt er in ihrem Herzen das Wunder"[331];
ein Satz, der, denkt man an die bedrängende Wirklichkeit unterm Krieg und
Faschismus und an Lehmanns Reaktion darauf, für diesen selbst gelten kann.

Die Qualität dieser neuen Wirklichkeit bestimmt sich nicht nur nach dem
Grad der Intensität und Präzision, mit der das magische Auge die Phänomene
auslotet, sondern auch nach dem Kontext, in dem das durch die poetische
Kontur scheinbar isolierte Ding sich befindet. Eine Blechdose irgendwo in
der Landschaft evoziert noch keine zweite Wirklichkeit. Im Kontext der
Lehmann'schen Lyrik jedoch, die ansonsten die Reinheit der Natur behauptet,
regt dieses Abfallprodukt der zivilisatorischen Welt zu einem ersten kritischen Nachdenken an, das durch die darauffolgenden Beobachtungen den
nötigen Nachdruck erhält. Das Schreien des Baumstumpfs, das Greinen des
Windes stehen in direktem Zusammenhang mit dem Rosten der Blechdose: Ausdruck von Verletztheit, Unruhe, Verfall der Natur. Aber eben nicht nur der
Natur allein. "Jammert ihn die Zeit?" - Daß mit 'Zeit' hier nicht mehr das

"Spiel der Schmetterlinge", sondern die geschichtliche gemeint ist, geht
aus den Versen drei bis sechs hervor, die nicht vom Elend der Natur, sondern von akuten Nöten der Nachkriegszeit sprechen: von Hunger, physischem
Elend und den Reaktionen der Menschen darauf, die lakonisch in dem Vers
"Für Brot verkauft sich Mann und Weib" gebündelt sind. Assoziationen an
den blühenden Schwarzmarkt werden geweckt, an die sinkende Moral und, den
Satz wörtlich genommen, an die verbreitete Prostitution - Themen, die in
der zeitgenössischen Lyrik, vor allem aber in der Prosa eine wichtige
Rolle spielen[332].

Bei aller Offenheit gegenüber den sozialen Problemen der Welt distanziert
sich das Ich nachdrücklich von einer kritischen Wertung. Mit Blick auf
die Gefahr, daß das "Kunstgebilde ... zugunsten oder -ungunsten einer
Weltanschauung als Material verschrottet" werden könnte[333], erhebt es die
strikte Neutralität - "Ich lache nicht, ich weine nicht" - zum Programm.
Daher, weil es sich nicht in die Probleme der wirklichen Welt verstricken
läßt, fällt es auch nicht schwer, das "Weltgedicht" bereits nach zwei
Strophen enden zu lassen, um in den restlichen drei den Aufbau der Gegenwelt zu besorgen:

Da seine Strophe sich verlor,
Die letzte, dem ertaubten Ohr,
Hat sich die Erde aufgemacht,
Aus Winterohnmacht spät erwacht.

Zwar schlug das Beil die Hügel kahl,
Versuch, versuch es noch einmal.
Sie mischt und siebt mit weiser Hand:
In Wangenglut entbrennt der Hang,
Zu Anemone wird der Sand.

Sie eilen, grämlichen Gesichts.
Es blüht vorbei. Es ist ein Nichts.
Mißglückter Zauber? Er gelang.
Ich bin genährt. Ich hör Gesang.

Die geschichtliche Zeit wird abgelöst von der Zeitlichkeit der Natur; an
die Stelle der entwürdigenden Praxis der Menschen tritt das Gesetz der
Erde, die zwar spät, aber gerade noch rechtzeitig aus der "Winterohnmacht"
erwacht, während der das "Beil die Hügel kahl" geschlagen hat. Zwar ist
der politische Kern solcher natursymbolischer Aussagen noch erkennbar -
Machtlosigkeit unterm Faschismus und seine blinde Zerstörungswut ('Beil") -,
aber er entleert sich immer mehr, bis schließlich nur noch "Gesang" zu
hören ist. Das Beschwörungsritual mit der magischen Formel "Versuch, versuch es noch einmal" hatte Erfolg. Durch das Zauberwort wird das Gesetz des

Lebens wieder in seine Rechte gesetzt - als Gesetz der Natur allerdings, als Kreislauf des Jahres: der Winter wird vom Frühling abgelöst. Zeichen auch für einen gesellschaftlichen Frühling? - Der Grad der geschichtlichen Ausdeutbarkeit von Natursymbolen kann bei einzelnen Dichtern, Gedichten und auch innerhalb eines Gedichtes sehr verschieden sein. So ist die politische Essenz im Bilde des schreienden Baumstumpfs und des greinenden Windes im Kontext der ersten Strophe deshalb augenfällig, weil die folgenden Verse die geschichtliche Interpretation selber leisten. Eine ähnliche Absicherung fehlt bei der Beschreibung des aufkommenden Frühlings, ja, es scheint, als wolle der Autor einer solchen noch vorbeugen: Denn wenn das Ich von sich sagen kann "Ich bin genährt. Ich hör Gesang", zeigt es damit an, daß es, weil es bereits saturiert ist, sich für weiteren Kontakt mit der geschichtlichen Welt, sei es für die häßliche gegenwärtige oder für eine bessere zukünftige, nicht mehr interessiert[334]. Das Interesse, das zeigt die doppelte Setzung des Ich im letzten Vers, gilt nur noch sich selber. Lehmanns Begründung dafür: "Je geordneter eine Gesellschaft ist, desto besser mag es sich in ihr dichten. U n g e o r d n e t e   Z u -s t ä n d e   hingegen nötigen den Dichter, ihnen seine   I n d i v i -d u a l i t ä t   darzubieten als das einzige, von der dem Ungeordneten und Müden Erquickung zulebt."[335] Eine Individualität allerdings, die - im Unterschied zur 'subjektiven' Lyrik der Heimkehrer etwa - ihre historische Existenz abgestreift hat.

Der gewichtige Titel 'Deutsche Zeit 1947' läßt eine umfassende Bestandsaufnahme der Situation des Nachkriegsdeutschland im Jahre 1947 vermuten. Tatsächlich aber verwandelt sich die 'deutsche Zeit', die in den ersten Versen ausschnitthaft gezeigt wird, in den rhythmischen Zeitablauf der Natur, schließlich in die von allen Weltbezügen entleerte Zeitlosigkeit subjektiven Empfindens. Die Welt ist "Gesang" geworden[336].

Eine dem obigen Gedicht vergleichbare Aufbau- und Aussagestruktur läßt sich in dem Gedicht 'Das Wagnis' nachweisen[337], in dem gar die Position der Neutralität zugunsten eines Schuldbekenntnisses aufgegeben wird: "Die Toten schweigen in der Erde, / Geschwiegen habe ich wie sie." Aber schon die nächsten Verse kündigen an, wie diesem belastenden Eingeständnis begegnet werden kann: "Klingt Schellenbaum am Schlittenpferde? / Die erste Meisenmelodie." Auch hier ist es der Frühling, der ein Weiterleben, Hoffnung verspricht, die sich aber nur unter der Bedingung realisieren kann, die der letzte Vers formuliert: "Ihr wagt euch wieder, ihr vergeßt." Die Befreiung aus dem Schweigen geht einher mit der Verdrängung dessen, was zum Schweigen überhaupt geführt hat. Zwar 'stolpert' das Ich bei seinem Gang durch die Natur über "Flakstandrest", aber das 'Wieder' des Lebens fordert das 'Wagnis' des Vergessens von allen störenden Resten aus der Vergangenheit. Bruchlos geht das erzwungene Schweigen während der 'Inneren Emigration' in ein freiwilliges "besänftigendes Weiterschweigen" über[338]).

Die zunehmende Entmaterialisierung des historischen Gehalts ist nicht nur Ausdruck einer zeitspezifischen Tendenz[339]), sondern ebenso Konsequenz einer ausformulierten Poetik: Die Poetisierung des gesamten Lebens erfordert das "Gedicht", das allein den "Daseinsgrund" zu erneuern imstande ist, und nicht den "Vers", der "Gesellschaftliches, Reform, Politisches, Moralisches" ausdrückt.[340]) Lehmann hat sich deshalb für das "Gedicht" entschieden, dem er aber gleichwohl zutrauen möchte, daß es die "soziale Frage ... in einem tieferen Sinne" zu lösen vermag[341]).

Gemessen an den von ihm verfaßten 'politischen Naturgedichten' - nach meiner Kenntnis und Einschätzung sind 'Deutsche Zeit 1947' und 'Das Wagnis' sogar die einzigen aus dem Zeitraum 1945-1950 - ist die Vorstellung Lehmanns recht ausführlich ausgefallen; gemessen an seiner zeitgenössischen Wirkung war sie nötig. Denn die Bedeutung seiner Lyrik ist vor allem in der Öffnung des Naturgedichts für die geschichtliche Welt, in der Typik der Aufbau- und Aussagestruktur und in beidem - ebenso in poetologischen Prämissen - in der Wirkung auf die Lyrik Eichs, vor allem aber auf die Lyrik des frühen Karl K r o l o w zu sehen[342]), der die Politisierung des Naturgedichts am entschiedensten vorangetrieben hat.

Der 1915 geborene Beamtensohn Krolow, der aus gesundheitlichen Gründen vor dem Militärdienst verschont blieb, brachte 1948 seine ersten eigenen Gedichtbände heraus - 'Gedichte' (Konstanz 1948) und 'Heimsuchung' (Berlin 1948) - , sieht man von dem zusammen mit Hermann Gaup veröffentlichten Band 'Hochgelobtes gutes Leben' (Hamburg 1943) einmal ab, zu dem Krolow nur wenige Gedichte beigetragen hat. Bereits das erste Gedicht des in diesem Zusammenhang wichtigeren Bandes 'Heimsuchung' - er enthält die meisten zeitbezogenen Gedichte aller bisher erschienenen Gedichtbände Krolows - formuliert sein poetisches Programm:

Der Mauerputz blättert
In rötlichen Schuppen,
Weht unter die Füße
Mir Schmetterlingspuppen.
Im Aussatz des Steines, im kalkigen Grind,
Blühn fleischlich die Tage, die jenseitig sind.

Durch erdige Flechten
Und Pilze ziehn leise
Zur Linken, zur Rechten,
Gespenster im Kreise.
Sie reiten die Ziegel, vom Moder gefiedert,
Beim Schreien der Grillen, das niemand erwidert.

Es atmet der Schimmel
Mit offenen Poren.
Ich bin ans Gewimmel
Der Geister verloren.
Es leben, wo Typhus sät lautlosen Samen,
Im Brausen der Stille die tröstlichen Namen.

Der Bremsenton hebt sich
Aus faulender Grube.
Sieh, Ceres erhebt sich
Und schwebt durch die Stube!
Die eben Proserpina gramvoll betrauert,
Steht auf hinterm Reisigbrand, duftet und trauert.[343]

In einem von einer zeitgenössischen Rezension[344] als "Prosahymnus" auf die
Lyrik gefeierten einleitenden Beitrag zu einer Anthologie spricht Krolow
davon, daß dem Gedicht die "Kraft einer mystischen Zysterne" eigen sei,
auf deren Grund ein unermüdliches "Geistergespräch" stattfinde; daß dem
"unwiederholbar und inständig Lyrische(n) ... jenes magische Netz überge-
worfen (sei), das ihm einen Rest an Unerklärbarkeit, an Unauflösbarkeit
läßt, der über allen bloßen 'Stoff' hinaus ist."[345] Mit diesen Sätzen hat
Krolow auf die wichtigsten Charakteristika seiner eigenen Lyrik hingewiesen. Verfall und Gespenstigkeit kennzeichnen die Landschaft, die für das
Ich nicht mehr, wie noch bei Lehmann, Ort der Geborgenheit ist - "Kein
Acker birgt mich, keine Grabenrille"[346] - , sondern Ort der Bedrohung:
"Ich bin ans Gewimmel / der Geister verloren"; Geister, die die einzelnen
Dinge beleben und mit ihnen und den Menschen ihren Spuk treiben. Lehmann
hat, um im Bilde zu bleiben, mit dem magischen Wort die guten Geister beschworen, die das Böse aus der Natur und dem Erlebnisraum des Ich ver-
trieben haben. "Die Geister einzubannen, darin besteht die lyrische Tat",
war denn auch sein poetologischer Grundsatz[347]. Krolows "lyrische Tat"
besteht eher darin, mit Hilfe der magischen Potenz des Wortes das "Geistergespräch" aus der Tiefe der "mystischen Zysterne" hervorzuholen und in die
Phänomene der sichtbaren Natur zu verlegen, die so eine vom Menschen nicht
mehr steuerbare Eigenaktivität entwickeln können. Die Dinge sind magisch
aufgeladen: Pilze ziehen "Gespenster im Kreise"; ein "schattenhafter Halm,
ein Gras" schreibt die "Totenschrift"[348]; "Es winkt mir hinter der

Tapete / Verweste Hüfte, Hand aus Lehm"[349]; "Aus dem Dickicht dringt Ge-
stöhne"[350]. Der Mond vor allem, in unzähligen Gedichten als Garant von
Frieden und trautem Glück gepriesen[351], entpuppt sich als williger Agent
des Bösen. Nicht nur jagt er, als "Krähentier, / Das die Beute hackt",
nach "wilden Katzen"[352], sondern stürzt sich auch gierig auf den Menschen,
um mit seinen "blinkenden Spaten" dessen Herz zu zerhacken[353].

Der Mensch ist, wehrlos, einer unheimlichen Natur ausgesetzt, die sich
ihrerseits nur noch im Prozeß des allmählichen Verwesens am Leben erhält;
"Aussatz", "Grind", "Moder", "Schimmel" sind, wie das Gedicht 'Gegenwart'
zeigt, ihre bestimmenden Prädikate. Die magische Formel, bei Lehmann noch
wirksame Waffe zur Verteidigung eines beglückenden Freiraums, hat bei
Krolow ihre sichernde Funktion eingebüßt: nun ist auch der Innenraum des
Ich, ohnehin schon resignativ als "Einsamkammer" beschrieben, aus der
"altes Leben mir entflieht[354], zum Tummelplatz gespenstischen Treibens
geworden:

Aus dem Schweigen bin ich kaum entlassen,
das mir bitter aus der Kehle steigt.
Und ich spüre manchmal mit Erblassen,
Wie mein Atem sich im Nichts verzweigt,
Wie's augenlos endet,
In Trübnis gewendet,
in lautlosem Drehen
Die Sinne vergehen,
Am Hexenzwirn hängend, vom Tollkraut berückt,
Zu Larven und kalten Gallerten gebückt.

Geister, die mir aus der Schläfe drangen,
Fahren am geschloss'nen Mund vorbei,
Niemals inniger vom Traum behangen
Als im Barschensprung, beim Blessenschrei.
Entsetzen umgarne
Die Stirn mir im Farne.
Im rauschenden Schauer
Verlier ich die Dauer
Und gebe mich auf, schau im schwärzlichen Blut
Des Beerenleibs Hinsturz der magischen Flut.[355]

Das Ich, seiner Substanz entleert, "mit Erblassen" feststellend, wie sein
"Atem sich im Nichts verzweigt", gibt sich auf. Zwar ist der Pessimismus
nicht total, wenn das Gedicht mit den Versen schließt "Und strecke mich
hin, hab im Mörtelgesicht / Den himmlischen Anhauch, das ewige Licht",
dennoch ist nicht jene Hoffnung vorhanden, bei der sich das Ich, wie bei
Lehmann, "genährt" und in Erfüllung seiner Wünsche sieht, sondern eine ge-
brochene, der die Verzweiflung, aus der sie kommt, im Bild des Mörtelge-

sichts ihre charakteristischen Spuren eingeprägt hat. Dasselbe gilt,
wenn auch nicht in dieser kontrastierenden Schärfe ("Mörtelgesicht" -
"ewige(s) Licht"), von der letzten Strophe von 'Gegenwart': die sich be-
lebende Fruchtbarkeitsgöttin, Zeichen einer mythisch gefaßten Hoffnung,
hat weder bereits die Kraft, die faulende Grube, aus der sie durchaus sich
befreit, mit einer Lehmann'schen Formel in ein Nichts zu verwandeln, noch
kann sich diese Hoffnung im Ich selber, das sie durchaus wahrnimmt,
materialisieren. Aber immerhin, Ceres "dauert"[356].

Der Titel 'Gegenwart' zeigt eine zeitgeschichtliche Dimension an, die im
Gedicht selber nicht ausgeführt wird. Schrecken und Hoffnung bleiben in
der Natursituation und im mythischen Bild verhaftet, ohne an irgendeiner
Stelle konkretere historische und soziale Bezüge anzunehmen. Trotzdem
wäre es verkehrt, von einem 'bloßen' Naturgedicht sprechen zu wollen,
denn eben der Titel, integraler und zugleich herausgehobener Bestandteil
des Gedichts, weist der interpretatorischen Ausweitung, die das poetische
Bild fordert und zuläßt, die Richtung: daß nämlich "der Schrecken der
Natur die Natur der Zeit bezeichnet", das "Zeitverhältnis" also in den
"Naturbildern und damit verallgemeinert gefaßt und so auch nur in dieser
Verallgemeinerung - gewissermaßen in seiner Struktur - feststellbar
(ist)."[357]

Der Mittelteil des Bandes 'Heimsuchung' mit dem Namen 'Widerfahrung'
sammelt, das zeigt diese Bezeichnung bereits an, überwiegend Gedichte,
deren politischer Charakter sich nicht erst hauptsächlich im Kopf des
Interpreten in parallelisierender und kompensierender Ausdeutung von
Naturbildern und vereinzelten zeitbezogenen Andeutungen ergibt, sondern
im Gedicht selbst erkennbar als zeitgeschichtliche Aussage vorliegt.
'An Deutschland' heißt das Gedicht, das diesen Abschnitt einleitet (S.43f.),
und es signalisiert, verglichen mit allen vorangegangenen Gedichten ein-
schließlich des Einleitungsgedichtes 'Gegenwart' schon im Titel den
größeren Willen zur historischen Konkretion:

Wo bist du nun? Gestürzt in kalten Mond,
Mit den Ruinen in das Nichts gefahren,
Gespenst du, das im Leichenacker wohnt,
Du fremde Scheuche, Asche in den Haaren.

Mit luftgefüllten Knochen, schwarzem Wind,
In deinen Augen, die noch auf mir ruhn,
Und die wie je und tief die deinen sind.
Voll Sternenzeichen, die nachts Wunder tun.

Du unter Toten, die in Schutt gestreckt
Zu Staub vergehen, der nach oben steigt,
Von Unkrauthügeln langsam zugedeckt,
Geborstner Stadt, die dem Verfalle weicht.

Geruch verbrannten Fleisches löst dich auf.
Du fliegst, von den Erinnyen gepackt.
Blind an den Boden, feuchter Scherbenhauf!
Und Wasser, das wie Flut kommt, spült dich nackt.

Du bist's nicht mehr: in Gruben hingeweht
Vom langen Regen, den das Schweigen trinkt,
Wie's geisthaft über dunkle Orte geht.
Der arge Schatten nicht, der mir jetzt winkt!

Du klaffst im Häuserrest, im Bombenloch,
Und hockst als Ohnekopf am Kraterrand.
In deinen Lumpen, deiner Blöße noch,
Die du mir hinhältst, hab ich dich erkannt.

Verrenkt von Krankheit, ausgekehrt zu Dreck
Und Ungestalt, aus der das Leben wich,
Du wüster Traum und bleicher Kinderschreck,
Du letzte Zuflucht mir: verzehre mich!

Entfesselte Furie, gespenstisches Ungeheuer, ein Ruinengespenst auf dem
Leichenacker, ein kopfloses, von Krankheit entstelltes Unwesen - in einer
Schmährede schreit das verzweifelte Ich dieses Bild vom Nachkriegsdeutschland aus sich heraus. Die zu einem lauten Monolog verengte Dialogstruktur
zeigt, daß es dem Ich weniger um einen objektiven Lagebericht über die
Wirklichkeit als vielmehr um die ungeschminkte Darstellung seiner eigenen
Aufgewühltheit, der "Wildnis des Schreckens in mir" zu tun ist[358], die
freilich in ihrem ganzen Ausmaß als Reaktion auf die deutsche Wirklichkeit
zustande kam, die ihrerseits so in dieser Emotionalität gebrochen erscheinen kann.

Die Kommunikationsstruktur läßt auch noch etwas anderes 'erscheinen', was
sich hinter Anklage und Schmähung verbirgt und was eine Schülerin, die
sich gegen die einseitige Interpretation einer feindseligen Haltung des
Ich gegenüber Deutschland wehrte, so formulierte: "Der Autor ist vom
ersten Satz an von Deutschland enttäuscht. Er klagt nicht an. Vielleicht
bedauert er nur, daß es so weit mit ihm gekommen ist und lobt es im Unter-
bewußtsein, wie es früher war." Tatsächlich gilt die Anrede nicht eigentlich einer fremden Scheuche, sondern dem vertrauten Land, das aber
jetzt die   G e s t a l t   einer Scheuche angenommen hat und daher fremd
erscheint, aber doch nicht so fremd, als daß seine Identifizierung nicht
mehr möglich bzw. ein offenbar einmal vorhandenes Einverständnis nicht

mehr erinnerbar wäre. "Wo bist du nun?" - "Du bist's nicht mehr": dazwischen, zwischen den nicht einmal schattenhaft umrissenen Konturen eines
besseren früheren und dem grell gezeichneten Bild eines gräßlich ent-
stellten jetzigen Deutschland hat die Geschichte des Verfalls stattgefunden. Allerdings nicht im Gedicht, denn Geschichte, verstanden als
Darstellung von in der Zeit ablaufenden Ereignisketten, hat nach Krolows
Auffassung keinen Platz im Gedicht: "Letzten Endes muß sich im Gedichte
alles zur Gegenwart entschließen. Es ist darum in gewissem Sinne ge-
schichtslos, obwohl sich in ihm hinterrücks alle Geister der Geschichte
getroffen haben können."[359] Eine treffende Interpretationsgrundlage für
das Gedicht, in dem sich die Geister der Geschichte so sehr zur Gegenwart entschlossen haben, daß sie als - gute oder böse - Geister der
früheren Geschichte kaum noch erkennbar sind; jedenfalls gilt dies für den
Leser, für den die Qualitäten des früheren Deutschland nur in einem
s e l b s t   e n t w o r f e n e n   Gegenbild zu dem jetzigen sichtbar
werden können.

Die Abstraktheit dieser mitgeteilten Vorstellung vom 'anderen Deutschland'
ändert sich auch dann kaum merklich, wenn ihm, wie in dem Gedicht 'Vaterland'[360], mehr als nur der dürftige Befund vom bloßen Nicht-mehr-Sein
gewidmet ist. Auch hier wendet sich das Ich in direkter Ansprache an
das janusköpfige Deutschland, dessen eine, die Jetzt-Seite, mit Benennungen
versehen ist, die ihresgleichen in der Nachkriegslyrik suchen: "Eisige
Insel" - "Du blähst als schwarzes Wrack im Nachtchoral / Der Wasser" -
"Du bist der Pesthauch hinter gelben Zähnen" - "Du Vaterland der herren-
losen Hunde" - "Unnütze Leiche, Aalen preisgegeben" - "Rasendes Raubtier,
du mörderischer Jaguar" - "Wüste mongolischer Räuber, mit Leichen aus
stinkenden Zotten, / Roten Gesäßen und Brüsten". Und, verloren, inmitten
dieses infernalischen Getümmels, "Wehe in die Marschmusik / des wilden
Leids" rufend: das Ich:

Im Draht der Schmerzen halt' ich mühsam aus,
der sich mir langsam durch die Brust gespannt.
Wie du mich anglühst aus verkohltem Blick
- Du Reich, verlorener als Feuerland,

Bestickt mit Sternen und mit fremdem Mond -
Steigt mir das Schluchzen lautlos kehlenhin.
Ich sitz und traure, hör der Vene zu,
Vom Blut durchrauscht und deinem alten Sinn.

Kontrastiert man diese beiden Strophen mit den zuvor zitierten aggressiven Ausbrüchen, wird erneut sichtbar, daß die polare Gedichtsstruktur von der extremen Gefühlsdisposition des lyrischen Ich herrührt. Daß diese hier, mehr noch als im vorigen Gedicht, bis zum Zerreißen gespannt ist, hat seinen Grund in der bereits im Titel behaupteten größeren Nähe zum zwar schweigsamen, dafür aber um so 'näheren' Dialogpartner: 'Vaterland' ist gefühlsintensiver als das vergleichsweise versachlichte 'An Deutschland'. Vaterland, das ist "mein Land"[361], das zu mir gehört und zu dem ich gehöre. Sein Verlust, war das Bewußtsein dieser engen Beziehung einmal vorhanden, scheint unersetzlich; daher die Trauer, das Klagen, das Schluchzen; daher aber auch die entfesselten Haßausbrüche auf das mörderische zweite Deutschland, das sich aufgebläht und blindwütig über das "Vaterland", über das "Reich" mit dem "alten Sinn" gelegt und es dabei so sehr zerstört hat, daß es den, der es immer noch durch die feindlichen Fratze hindurch mit dem vertraulichen 'Du' anspricht, nur aus "verkohltem Blick" anglühen kann. - Schmährede und stille Trauer sind deshalb keine unversöhnlichen Verhaltensgegensätze, sondern sich ergänzende Reaktionsformen auf den einen Schmerz. Dabei geht die Identifikation mit dem einstmals gesunden Deutschland so weit, daß das Ich mit dem verzweifelten "Du letzte Zuflucht mir: verzehre mich!" dessen Schicksal zu seinem eigenen macht; machen muß, denn es kann nicht den geringsten Schimmer einer Hoffnung im Hexenkessel des Nachkriegsdeutschland erkennen, wo sich, kaum ist das millionenfache Morden beendet, schon wieder "Kinderchen mit zerbrochenen Gewehren (totschießen). / Beim leisen Knacken des Abzugshahns staunen sie nachdenklich, blicken sie hart ..." - so der Schlußvers des Gedichtes 'Vaterland'. Bevor dieses düstere Fazit gezogen wird, in dem nicht das Ende der Katastrophe erleichtert registriert, sondern deren gleichsam naturgesetzliche Fortdauer befürchtet, eher noch, betrachtet man die brutale Selbstverständlichkeit der Kinder im Umgang mit den Mordwaffen, sicher gewußt wird, beschwört das Ich noch einmal das versunkene "Einst", um es mit dem "Jetzt" zu konfrontieren:

Einst warst du Kanaan, Seligkeit, bist mir im Traum erschienen.
Dattelgesichtig und süß lagst du, priesest dein glückliches Licht,
Bogst dich erhitzt in die Nacht, in den Horizont, auf Serpentinen,
Und durch die Luft glitt das Spiel des Delphins, war wie ohne Gewicht.

Aber jetzt lauerst du, furchtbares Land, zeigst die ekle Schabracke.
Gobi der Angst und der Einsamkeit, reichst quer durch München und Mainz,
Wirfst Karawanen ins Taubertal, murmelnde Tote. Im Sacke
Schleifen sie Köpfe, getrockneten Dung und den Staub des Gebeins.

Auffallend an dieser Gegenüberstellung, in der Krolow die Langzeile benutzt - zur Verstärkung des elegischen Moments, das im trauernden Rückblick gesetzt ist - ist die unterschiedliche Nähe zur wirklichen Geschichte. Während das "Gobi" der Gegenwart geographisch ("München und
Mainz") und zeitlich (bei den Toten handelt es sich in diesem Kontext
zweifellos um Opfer des Krieges) eindeutig als das Deutschland unmittelbar nach dem 2. Weltkrieg identifizierbar ist, läßt sich das 'dattelge-
sichtige Kanaan' historisch nicht einordnen. Ohnehin scheint es - in
deutscher Gestalt - nie wirklich existiert zu haben, wenn das Ich ausdrücklich darauf hinweist, es sei ihm "im Traum erschienen". Und doch,
zieht man noch eine Stelle aus dem letzten Gedicht des Abschnitts 'Widerfahrung' heran, könnte sich hinter den Reminiszenzen an ein altes,
glückliches Deutschland mehr verbergen als bloße Traumgespinste, leere
Produkte des Kopfes, die sich das Ich in der Verzweiflung ausgedacht hat,
um sich an ihnen aufrichten zu können.

In Spuk und Schwärze - Schattenland
Der Banden, schwer von Mord -
Vernehm ich DEUTSCHLAND. Unverwandt
Raunt's alte, herbe Wort,
Das tote Wort, das sich entringt
Der Kehle, fieberkrank.
Mit süßen Jenseitsstimmen dringt
Es ein in den Gesang.

"Lied, um sein Vaterland zu vergessen" heißt dieses Gedicht[362], mit dem
Krolow für diesen und den folgenden Gedichtband gleich mit[363] Abschied von
zeitbezogenen Themen nimmt; Abschied auch von einem 'toten Wort', das aber
immerhin noch so viel Bedeutung hat, daß er es, was bei Krolow selten ist,
im Schriftbild hervorhebt, und noch so viel Kraft, daß es "unverwandt" und
unüberhörbar sein Noch-Existieren bekundet.

Spuk, Schwärze, Schattenland, Raunen des alten Wortes 'Deutschland', das
in beschwörendem Erinnern wiederaufersteht - das ist ein Begriffsarsenal,
das auf ein romantisches Erbe auch bei Krolow hindeutet, was bei ihm als
einem Schüler Lehmanns kaum verwundert. Was seit der Romantik die Dichter
immer wieder fasziniert hat, ist auch das Apriori Krolow'scher Poetik: der
Glaube an die dem poetischen Wort innewohnenden magischen Kräfte, die dem
lyrischen Ich universale Erfahrungen erlauben. Das Gedicht habe "etwas von
einer unmittelbaren Hieroglyphe der Weltgeschichte" an sich, meint
Krolow[364] und erweist damit seine Nähe zu Gottfried Benn, der in seinem

Marburger Vortrag seinen frühen Satz aufgreift "Worte, Worte - Substantive! Sie brauchen nur die Schwingen zu öffnen und Jahrtausende entfallen ihrem Flug" und kommentiert: "Wir werden uns damit abfinden müssen, daß Worte eine latente Existenz besitzen, die auf entsprechend Eingestellte als Zauber wirkt und sie befähigt, diesen Zauber weiterzugeben. Dies scheint mir das letzte Mysterium zu sein, vor dem unser immer waches, durchanalysiertes, nur von gelegentlichen Trancen durchbrochenes Bewußtsein seine Grenze fühlt."[365] Jahrtausende in Substantiven gebündelt, Mysterien, Zauber, Trancen - die Einheit von Poesie und Magie ist unverkennbar, das Gedicht 'Ein Wort' ihr vollkommen gestalteter Ausdruck[366]. Vergleicht man Novalis' 'Hymnen an die Nacht' mit diesem Gedicht, so lassen sich deutlich die Veränderungen innerhalb des 'Traditionskontinuums' erkennen[367]: dort die sich ins Unermeßliche steigernde bleibende Fülle an Welt- und Selbsterfahrung, zu der das poetische Wort den Anstoß gab, hier nur ein "jäher Sinn", den das Wort - "ein Glanz, ein Flug, ein Feuer, / ein Flammenwurf, ein Sternenstrich" - momenthaft aufscheinen läßt, um das Ich gleich wieder dem "Dunkel" und dem "leeren Raum" zu überlassen. Die in der Zwischenzeit (historisch und poetisch) vollzogene Destruktion des Gemüts, die radikale Entsubjektivierung lassen nur noch eine blitzartige "Selbstentzündung" zu[368].

Bisher war im Zusammenhang mit der Magie nur von der Magie des Wortes die Rede. Bei Benn ist diese mystische Potenz, das letzte "Mysterium" im modernen analytischen Bewußtsein, in der Tat ganz der poetischen Chiffre zugeordnet. In den Gedichten Krolows besitzt indes nicht nur das Wort, sondern die Wirklichkeit selber magische Qualität. Die Geister und Gespenster, das Hintergründige und Bedrohliche sind somit nicht nur Ergebnis eines poetischen Aktes, durch den sich die geheimen Fähigkeiten des Wortes zum Geheimnis erst materialisieren, sondern auch fester Bestandteil der Wirklichkeit selbst; zumindest wird diese als solche erfahren, wenn das lyrische Ich ausdrücklich vom "magischen Regen" spricht[369] und vom "Hinsturz der magischen Flut"[370].

Diese Wirklichkeitserfahrung macht Krolow zu einem typischen Repräsentanten des 'magischen Realismus'. Was sich hinter dieser Bezeichnung verbirgt, hat Rudolf Hartung 1946 in einem Situationsbericht über die deutsche Literatur umschrieben[371], in dem er die Zeit des "eigentlichen Realismus und Naturalismus", auch und gerade in bewußter Absetzung gegen den Naturalismus

der 'Blut- und Boden' -Literatur, für beendet ansieht bzw. erklärt. Das
ist aber nicht der einzige Grund, denn:

"Schon seit langem ist ja nicht mehr zu verkennen, daß das Übersinnliche,
das Magische, wie es heute häufig bezeichnet wird, zu   u n s e r e r
Wirklichkeit dazugehört, und daß der Gestaltungsanspruch der Kunst nicht
voll verwirklicht wird, wenn diese 'andere' Wirklichkeit vom Kunstwerk ausgeschlossen bleibt. Und es ist bedeutsam festzustellen, daß dieses Magische
nicht irgendwie künstlich von außen an unsere Wirklichkeit herangetragen
wurde."

Magischer Realismus meint demnach zunächst eine bestimmte Wirklichkeits-
auffassung, ist weltanschauliche Haltung. Gemeint ist aber ebenso eine bestimmte Art künstlerischen Schaffens, ein poetologisches Prinzip:

"Unter der Perspektive unserer gegenwärtigen Situation hat jedenfalls das
Paradoxon Gültigkeit, daß ein Weniger an naturalistischer Wiedergabe ein
mehr an 'naturgetreuer' Wiedergabe verbürgt." - "Die pure Faktizität wird
sich in jenen magischen Raum verwandeln, wo die Dinge realistisch und zugleich in traumhafter Fremdheit stehen, um jene Spannung zwischen Mensch
und Dingen zu erzeugen, die das Schöpferische in den Bereichen der Kunst
und des Lebens immer aufs Neue verbürgt."372)

Die Wirklichkeit als magische zu erkennen und sie zugleich mit den geheimen
Kräften des Wortes zur magischen zu verwandeln, 'Wortmagie' und 'Seins-
magie' als dialektische Einheit zu denken, das sind die beiden Qualitäten,
die den 'magischen Realismus' ausmachen.

Diese Bezeichnung wird oft durch 'Naturmagie' oder 'naturmagische Schule'
ersetzt. - Abgesehen davon, daß es eine solche Schule, die mit definierten
Übereinkünften als feste literarische Gruppe wirksam geworden wäre,
'Schule gemacht' hätte, ohnehin nie gegeben hat373), begibt man sich mit
dieser Bezeichnung von vorneherein der Möglichkeit, in den naturmagischen
Gedichten mehr als nur Naturverhältnisse mit mystischem Hintergrund zu erkennen. Vielen Gedichten des frühen Krolow würde eine solche Interpretation
jedoch nicht gerecht, auch wenn es umgekehrt verfehlt wäre, jedes Naturbild
nun gleich als metaphorisches Symbol für gesellschaftliche Zusammenhänge
ausdeuten zu wollen - eine 'Verfehlung', vor der zu warnen sich als überflüssig erweist: sie wird von der Kritik nicht eben oft begangen.374)

Es ist Krolows Verdienst, das 'naturmagische' Gedicht zum 'Zeitgedicht'
erweitert, die magische Fixierung auf die grüne Magie der Natur wenigstens
teilweise und zeitweise durchbrochen zu haben. Daß nach Lehmann'schem
Muster eine hermetische Abriegelung bzw. eine nach sporadischen 'Pannen'
doch noch erfolgreiche Verteidigung des positiv erlebten Naturraums bei
Krolow versagt, daß also die "Landschaft, die vorher so leicht zur Metapher

fand, ... von Geschichte gezeichnet" ist[375], ist weniger Folge der -
ohnehin Jahre später in einer Phase 'intellektueller Heiterkeit' formulierten - poetologischen Maxime von der notwendigen Durchlässigkeit und
Offenheit des Gedichts für "buchstäblich alles"[376], sondern eher Folge
eines "geschichtlichen Schocks"[377], hervorgerufen durch die Niederlage,
durch das erst jetzt sichtbare Ausmaß an Zerstörung, durch die Erfahrungen
unterm Faschismus und, womöglich, durch die Besinnung auf das eigene Verhalten diesem gegenüber[378]. Krolow selbst spricht von der "übergroße(n)
Benommenheit", die zunächst, unmittelbar nach 1945, "das einzig Wahrnehm-
bare" gewesen sei[379]. Entsprechend reproduziert sich das Bild vom Nachkriegsdeutschland. Gezeichnet mit den Mitteln der expressionistischen
"Deformations- und Fratzenkunst"[380], erhebt es sich, furienhaft gespenstisch, ein entfesseltes Monstrum, erobert sich gewaltsam das "aufge-
schreckte Naturgedicht"[381] und liefert das Ich eigener Ohnmacht und ver-
zweifelter Trauer aus; es ist, um in der Begrifflichkeit der existenzia-
listischen Philosophie zu reden, die großen Einfluß auf Krolow hatte, der
Angst, dem Nichts, "existenziellen Schwindelerlebnissen" preisgegeben[382].
Und trotzdem, obwohl der "schutzlose(n) Nacktheit des Daseins in einer ungeordneten, brutalen, des Sinnes baren Welt" ausgesetzt[383], wehrt es sich
gegen seinen drohenden Untergang: der elegische Duktus, die leidenschaftliche Klage und Anklage, der Aufschrei einer bis ins Innerste getroffenen
Kreatur zeugen von diesem Widerstand und Lebenswillen, der selbst noch
in den pessimistischsten Aussagen als verborgener hörbar ist. Zwar können
die subjektiven Gegenkräfte das Gefühl des Ausgesetztseins und der Verloren-
heit nicht aufwiegen, im Unterschied jedoch zu existenzialistischer Auffassung empfindet das Krolow'sche Ich die "Hinfälligkeit und tödliche Ange-
fochtenheit des Daseins"[384] nicht als 'schlechthinige Grundbefindlichkeit'
des Menschen, sondern dieses Ohnmachtsgefühl ist sichtbar auf die Situation
im Nachkriegsdeutschland bezogen. So finden sich im Band 'Heimsuchung' Vor-
formen und Rohformen vom Typ des 'öffentlichen Gedichts', dessen Umgebung
und Charakter Krolow so beschreibt:

'Öffentlichkeit, die das Gedicht zu orten und auszusprechen unternimmt, ist
ein komplizierter Leviathan geworden, ein Ungeheuer, mit dem sich Experten
mühsam abzugeben haben, das aber den Dichter oft weniger im Detail als in
der Gesamterscheinung interessiert. Er sieht diese Öffentlichkeit wie einen
Riesenkörper und beobachtet an ihm die Funktionen und die Funktions-
störungen. Er ist darauf aus, das Unberechenbare eines Monstrums zu erkennen und mitzuteilen, das seiner Natur nach den einzelnen und also auch
ihn verschlingen muß, ja schon verschlungen hat. Das 'politische' Gedicht

im Sinne des 'öffentlichen' Gedichts ist demnach so etwas wie eine Stimme aus dem Bauche jenes Fabelwesens, das die Individualität längst geschluckt hat."385)

Die Individualität in seinen frühen Gedichten ist indes noch nicht ganz verschluckt und neutralisiert, sie kämpft noch - zwar auch gegen ein Monstrum, das aber konkret als das gefallene Vaterland, als das katastrophale Nachkriegsdeutschland der Ruinen, des Hungers, der Toten und Überlebenden, und nicht, noch nicht, in der beinahe enthistorisierten Gestalt als die anonyme Öffentlichkeit der industriellen Massengesellschaft auftritt.386)

Emotionale Aufgewühltheit und Fixiertheit auf die destruktiven Seiten des Molochs Deutschland, - Folgen der "Jahre der Heimsuchung"387) - verhindern den analytischen Blick und lassen daher ein einseitiges Bild vom Nachkriegsdeutschland entstehen. Der manifeste Aufbruchs- und Aufbauwille, die antikapitalistische Bewegung, die Ideen von einem neuen Deutschland und Europa - das alles wurde, von gelegentlichem Aufscheinen von Hoffnungselementen und der revoltierenden Subjektivität, die die Bedrängtheit lediglich bestätigt, einmal abgesehen, von dem als Riesenungeheuer erlebten Nachkriegsdeutschland buchstäblich erdrückt. Trotz dieser Einseitigkeit fand Krolows frühe Lyrik in der zeitgenössischen Kritik Anerkennung:

"Karl Krolow ... ist ein rechter Gedichtsmacher ... immer wieder sind seine Verse voll vom Stigma der echten Dichtung. In Gedichten muß ein strömendes Gefälle sein. Bei Krolow ist es so. Dabei nimmt er sich durchaus der Gegenwart an. Er flüchtet sich nicht in die Weinblattlauben und Rosenhecken. Manche anderen - eine schlimme, gefährliche deutsche Tradition - schlurfen (!) seitab und singen hier von der Nachtigall und von nichts anderem ... Karl Krolow gehört zu diesen Mondanbetern nicht. Er gehört zu den Aktivisten."388)

Bemerkenswert sind die heutigen Reaktionen zweier verschiedener Personengruppen auf Krolows frühe politische Lyrik. Innerhalb des Unterrichtsprojektes 'Nachkriegsliteratur' habe ich einen Gedichtvergleich von Weyrauchs optimistisch gestimmtem Gedicht 'Anruf'389) und Krolows 'An Deutschland' durchgeführt und mit zeitgeschichtlichen Dokumenten auch über die politische Aufbruchbewegung informiert. Dennoch kam auf die Frage, welches Gedicht wohl "historisch ehrlicher" sei, die Antwort (die den Tenor auch der anderen wiedergibt): "Das von Krolow, der schreibt, wie es tatsächlich gewesen ist und macht sich und anderen keine Illusionen, denn so war's doch damals." - So gründlich ist das Vergessen der politischen Bewegung der 'Gründerjahre' der BRD nachträglich betrieben worden (einige Teilnehmer waren immerhin 35 Jahre alt), daß sie trotz entsprechender Information nicht glaubwürdig, bloße Illusion schien. Vor allem die Erinnerungen der Eltern, Bakannten usw. haben, wie bestätigt wurde, dazu beigetragen, daß die Assoziationen zu 'Kriegsende' vorwiegend 'Hunger', 'Schwarzmarkt', 'düstere Aussichten' waren. In einem Parallelversuch gab es auch vereinzelt andere Stimmen, die von Hoffnung und der Möglichkeit sprachen, daß jetzt vielleicht "alle gleich" würden, weil "alle alles verloren" hätten. -

Im Unterschied zu dieser Personengruppe stieß Krolow bei Studenten auf
nahezu einhellige Kritik: Krolow sei konservativ, metaphysisch, verschwei-
ge und verkenne die damals tatsächlich vorhandenen historischen Möglichkeiten einer durchgreifenden Umgestaltung der Gesellschaft (darüber wurde
zuvor ausführlich berichtet und diskutiert). Außerdem versperre die schwierige Metaphorik ohnehin den Zugang zum Verständnis, das sich erst ein-
stelle, wenn man die einzelnen Metaphern "auseinandergenommen" habe (Die
Arbeitsgruppe 'Krolow' berichtete von den großen Schwierigkeiten, die sie
gehabt, bzw. von dem "langen Anlauf", den sie gebraucht habe, um mit dem
Gedicht "etwas anfangen" zu können). Tue man dies nicht, bestehe die Gefahr, in der "atmosphärischen Ebene" stecken zu bleiben. - Diese Gefahr
ist richtig gesehen, nur: eben diese Atmosphäre ist durch die Metaphorik
derart verdichtet, daß sie nicht nur gefühlige Stimmung abgibt, sondern
sich zur Botschaft, zum Inhalt des Gedichtes selber vergegenständlicht,
sie wird gleichsam inhaltlich greifbar. Vielleicht ist es von daher zu
erklären, daß es bei den Schülern - im Gegensatz zu den an didaktischen
Fragen interessierten Studenten - keine Verständnisschwierigkeiten und
Nachfragen nach der Bedeutung einzelner Metaphern gab. Dabei haben viele
Teilnehmer seit Jahren zum ersten Mal wieder ein Gedicht angesehen. Ein
Schüler meinte gar, Krolows Gedicht sei bei den damaligen Lesern "weniger
angekommen als das von Weyrauch", weil es "zu einfach" sei: "Krolow
schreibt einfach nur, was ist, da gibt es nichts zu denken, das ist viel
einfacher zu verstehen." Eine Antwort, die in der Tat verblüfft, wenn man
die surrealistische Bildersprache Krolows der umgangssprachlichen Diktion
Weyrauchs gegenüberstellt.

Ein völlig anderes Bild vom Nachkriegsdeutschland als Krolow entwirft in
seiner Lyrik Günter   E i c h   (1907). Auch er steht in seinen Anfängen,
die bis ins Jahr 1927 zurückgehen, unter dem Einfluß der neueren Naturlyrik, deren Repräsentanten er in dem 'Kolonne'-Kreis, dem er selber ange-
hörte, kennenlernte.[390] In seinem ersten Gedichtband 'Gedichte' (1930)
dominiert das bekenntnishafte, elegisch getönte, mit Philosophemen durch-
setzte Naturgedicht, in dem das lyrische Ich die Einheit mit der Natur
beschwört, aber nicht mehr erleben kann. "Es genügte, ein Tier zu sein",
so beginnt ein Gedicht[391], aber "Ach du ertrinkst im Regen der Menschlichkeit"[392], das Ich fühlt sich "von der Zeit angefressen"[393], von
jener Größe also, deren Bewußtsein den Menschen als geschichtliches
Wesen auszeichnet. Schon früh wird so die Dichotomie von geschichtlicher
Zeit und Lyrik zur poetologischen Maxime von Eich, der 1932 notiert:

"Eine Entscheidung für die Zeit, d.h. also für eine Teilerscheinung der
Zeit, interessiert den Lyriker überhaupt nicht. (Was nicht ausschließt,
daß er als Privatmann sich z.B. zu einer politischen Partei bekennt.)
Der Lyriker entscheidet sich für nichts, ihn interessiert nur sein Ich,
er schafft keine Du- und Er-Welt wie der Epiker und der Dramatiker, für
ihn existiert nur das gemeinschaftslos vereinzelte Ich."[394]

An diesem Prinzip einer störrisch behaupteten Privatisierung der Ich-
Existenz wird Eich auch später festhalten. Nicht nur der Titel seines
zweiten Bandes - 'Abgelegene Gehöfte' - zeigt diese beibehaltene Tendenz
an, sondern auch das Motiv des Eingesponnenwerdens, das vor allem in Bildern wie "Spinnweben", "Nebel", "Leimnetz", "Spinnenkammer", "Spinnen",
"Gardine" des öfteren auftritt:

Von Spinnweben überzogen:
Der Nebel verhängt die Sicht.
Die Erde klebt zäh am Stiefel,
Dem Leimnetz entrinn ich nicht. 395)

Gibt die Isoliertheit sich hier als unabwendbares Schicksal (nicht ent-
rinnen können), so an anderer Stelle als entschiedene, selbst gewählte
Haltung, die keine Abweichung duldet:

Manchmal wie eine Woge
treibt ein Gespräch dich fort.
Kehr zurück in die Monologe!
Bald wird schal das Wort. 396)

Der Aufruf zum monologischen Dasein ist nicht diktiert von der Sehnsucht
nach Idylle, sondern von dem abgrundtiefen Mißtrauen gegen das 'Gerede'
der menschlichen Sprache, gegen menschliche Verkehrsformen überhaupt, die,
indem sie ein Einverständnis aller vortäuschen, echte Kommunikation nicht
ermöglichen, sondern gerade erst verhindern. Diese sucht das Ich in der
Natur; manchmal ganz vergeblich, wenn ihm z.B. der Mond in mörderischer
Absicht entgegentritt - "Der Mond, das Messer, / von Tränen geätzt, /
am Stein der Leiden / zur Schärfe gewetzt, // so noch am Tage / zielt er
auf mich /"397) - , manchmal mit Erfolg, wenn ihm die Natur Zeichen gibt,
die, sehr oft durch Vögel überbracht, zwar für es bestimmt scheinen,
aber letztlich rätselhaft und geheimnisvoll bleiben:

Ich will in solchen Schriften lesen.
Was schrieb das Gras, was schrieb das Meer?
Sie schreiben Zeiten, die gewesen,
mit fremden Zeichen her. 398)

Die Natur, an deren sinnvolle Ordnung das Ich glaubt399), entzieht sich
ihm, ihre Zeichen bleiben erkennbar, aber unleserlich.

Es ist wichtig, Eichs längst vor 1945 entschiedene Haltung gegen Gesellschaftliches, seinen Überdruß gegen alles, was von Menschen kommt, zu
kennen, um abschätzen zu können, welch energischen Widerstand das im

zähen "Leimnetz" verpuppte Ich dem schließlich doch noch erfolgreichen Einbruch von Geschichte entgegenbrachte.

Mehr als bei Krolow (und Lehmann) ist die Öffnung des Naturgedichts bei Eich auch durch dessen Biographie vermittelt, das heißt: zu dem durch die allgemeine zeitgeschichtliche Situation bestimmten Hintergrund, der eine totale Abschirmung nicht mehr zuläßt, kommen die persönlichen Erfahrungen des Soldaten Eich, der in amerikanische Kriegsgefangenschaft geriet und dort bereits Gedichte geschrieben hat, die nicht mehr die Natur, sondern die elende Realität des Gefangenenlagers zum Thema haben, z.B. die Situation im 'Lazarett'[400]; die Trostlosigkeit des erwachenden Lagers bereits am frühen Morgen, die in bitterer Ironie als jubilierende "Auferstehungswonne" ausgegeben wird[401]; die Marter, der der Gefangene ausgesetzt ist, wenn ihm, von "Penis" und "Krätze" geplagt, die Aussichtslosigkeit seiner Lage, d.h. seine totale Isoliertheit - Einsamkeit innerhalb des Lagers und Abgeschnittenheit von der Außenwelt - zu Bewußtsein kommt:

Gedanken gehn den Trampelpfad
wie ich armselig und bekrückt.
Sie machen halt am Stacheldraht
und kehren dumpf zu mir zurück.[402]

Allerdings, auch die Welt jenseits des Stacheldrahtes lockt nicht eben voller Verheißungen, wie das Gedicht 'Frühling in der goldenen Meil' zeigt[403], in dem Charakter und Verhältnis der beiden 'Welten' zur Sprache kommen:

Daheim verbrannten Kleider und Schuh,
Nibelungen und Faust.
Ich schaue dem Flug der Mosquitos zu,
mit fiebrigen Augen, stumpf und verlaust.

Die Tage im Stacheldrahtgeflecht,
Schlaf unterm Scheinwerferstrahl.
An Achselhöhle und Geschlecht
nähre ich Ekel und Qual.

In trübe Stille das Lager versinkt.
Mein eigener Seufzer füllt kein Ohr.
Als Gruß von der Welt herüberdringt
der Geruch von Latrine und Chlor.

Ungerührt von allem besteht
die Vollkommenheit der Welt.
Gottes eisiger Odem weht
übers Gefangenenzelt.

Der unmittelbare Erfahrungsbereich des Ich und dessen Zustand selbst
sind gekennzeichnet durch schieres Elend. Von ekligen körperlichen Ge-
brechen gequält, vegetiert das Ich in dem trüben Lager stumpfsinnig vor
sich hin. Und die Welt draußen? – In den ersten beiden Versen erscheint
sie als die Welt der Niederlage, des verlorenen Krieges: von den alltäglichen Gebrauchsgegenständen bis zu den beiden "heiligen Kulturgüter(n)
der Nation, die als Lebenshilfe in vielen Soldatentornistern ihren Platz
gefunden hatten", ist alles zerstört.[404] Latrinengeruch – Ausdruck des
Verfalls[405] – ist denn auch das einzige Lebenszeichen, das die äußere
Welt noch abzugeben vermag. Daher ist die letzte Strophe nicht wörtlich
zu verstehen als positive Wende, die der gefallenen eine göttlich legi-
timierte harmonische Welt entgegenhält. Vielmehr sind diese Verse in
bitterem Hohn an jene gerichtet, die "ungerührt von allem" in bornierter
Zuversicht immer noch an eine göttliche Harmonie der Welt glauben. Die
Trennung in Ich-Welt und Außenwelt, durch 'Welten' voneinander getrennt,
wird bereits durch die Struktur der ersten Strophe deutlich markiert:
die beiden in einem Satz zusammengeschlossenen Verspaare stehen beziehungs-
los nebeneinander, wobei der Abstand durch das Präteritum ("verbrannten")
noch unterstrichen wird, das die Welt 'draußen' noch in zeitliche Ferne
rückt. Die dritte Strophe scheint diesen Eindruck zu bestätigen: der Gruß,
der eben noch herüberdringt, leitet keine Erneuerung, sondern den endgültigen Abbruch der Beziehung ein. – Und doch demonstriert gerade diese
Strophe die Einheit, genauer, die Einheitlichkeit der beiden Welten: die
Latrine, Wahrzeichen der elenden Lagerrealität, ist auch das Wahrzeichen
der Welt außerhalb des Lagers. In der vierten Strophe wird die Einheit
der Welt schließlich perfekt gemacht, ihre Vollkommenheit – im Negativen –
göttlich abgesegnet. "Gottes eisiger Atem" weht nicht überm, sondern
"übers Gefangenenzelt", er weht darüber hinweg und läßt so nicht nur das
Lager, sondern die ganze Welt in trostloser Kälte erstarren. – Das Ich
erlebt den Bruch der Beziehung zur Welt nicht als Verlust, weil ihre
Qualitäten von denen des Lagers sich nicht unterscheiden – in der Perspektive des Ich allerdings nur. Denn dieses bekommt die mögliche Andersartig-
keit, geschweige denn Eigenständigkeit der 'Welt' überhaupt nicht in den
Blick: es totalisiert den eigenen beschränkten Erlebnisbereich, das Elend
des Lagerlebens wird universal.

- 86 -

Die Lagersituation als Nachkriegssituation: wie diese für Eichs Gefangenengedichte typische Verallgemeinerung, die diese Gedichte überhaupt erst so
wichtig und berühmt hat werden lassen, möglich wird, soll an dem vielzi-
tierten Gedicht 'Inventur' näher verfolgt werden[406], das zugleich das
bisher gezeigte pessimistische Weltbild Eichs bei Kriegsende korrigiert.

Dies ist meine Mütze,
dies ist mein Mantel,
hier mein Rasierzeug
im Beutel aus Leinen.

Konservenbüchse:
Mein Teller, mein Becher,
ich hab in das Weisblech
den Namen geritzt.

Geritzt hier mit diesem
kostbaren Nagel,
den vor begehrlichen
Augen ich berge.

Im Brotbeutel sind
ein Paar wollene Socken
und einiges, was ich
niemand verrate,

so dient es als Kissen
nachts meinem Kopf.
Die Pappe hier liegt
zwischen mir und der Erde.

Die Bleistiftmine
lieb ich am meisten:
Tags schreibt sie mir Verse,
die nachts ich erdacht.

Dies ist mein Notizbuch,
dies meine Zeltbahn,
dies ist mein Handtuch,
dies ist mein Zwirn.[407]

Dieses Gedicht entstand im April/Mai 1945 im Gefangenenlager bei Remagen
und erschien zuerst in 'Deine Söhne, Europa'. Durch diese Angaben wird bestätigt, was im Gedicht selber erkennbar ist: daß hier nicht irgend jemand,
sondern ein Kriegsgefangener 'Inventur' macht. Die aufgezählten Gebrauchs-
gegenstände sind zwar nicht alle unbedingt typisch für einen Gefangenen,
aber einiges verweist doch auf die besondere Situation des Lagers: die
Zeltbahn vor allem, Relikt aus dem Sturmgepäck des Soldaten; die als Eß-
napf dienende Konservenbüchse, die ebenso wie die zum Fußboden erklärte
Pappe von besonderer Ärmlichkeit zeugt; das Mißtrauen von Habenichtsen,
die, weil auf engem Raum untergebracht, ihre wenigen Habseligkeiten kaum

zusammenhalten können und ihre besonders kostbaren Stücke vor den "begehrlichen / Augen" der Mitgefangenen verbergen müssen. - Nicht so sehr die
Konkretheit an sich, sondern ihre Verallgemeinerungsfähigkeit macht den
Charakter dieses Gedichtes aus. Um so wichtiger ist es, sich zunächst einmal die Ebene des konkreten Bildmaterials zu vergegenwärtigen, weil diese
den zulässigen Grad und die Verbindlichkeit der generalisierenden Ausdeutbarkeit bestimmt, zumindest mitbestimmt.

Die Ausgangssituation ist also: ein Gefangener sucht seinen persönlichen
Besitz zusammen. Es sind Dinge für den täglichen Gebrauch, die er gleichsam tabellarisch aufführt, auch im Schriftbild, um dann unterm Strich Bilanz zu ziehen. Dabei ist der Gebrauchswert der Dinge wichtiger als ihr
Zahlenwert, das heißt, das Ich addiert nicht einfach unterschiedslos,
sondern prüft die Gegenstände einzeln auf ihre mögliche Verwendbarkeit.
Es stellt sich heraus, daß einige Dinge mehr Dienste leisten können, als
ihnen eigentlich zugedacht sind: aus der Konservenbüchse kann man essen
und trinken, Brotbeutel und Wollsocken zusammen geben ein Kopfkissen ab,
das zugleich als sicheres Versteck für besonders ausgesuchte Gegenstände
dient, die das Ich niemandem - übrigens auch nicht dem Leser - verraten
will. Denn dies hat sich ebenfalls bei der Inventur herausgestellt: daß
es einiges aus seinem Besitz besonders liebt, den Nagel und die Bleistiftmine, mit denen er seinen Namen und Verse sichtbar in Sprache festhalten kann. - Soweit der konkrete Befund, der nach zwei miteinander verbundenen Übertragungsebenen hin interpretierbar ist: als Inventur sowohl
der geschichtlichen Welt als auch der Sprache im Jahre 1945.

Schon der Titel, das läßt sich an den zahlreichen Interpretationen des
Gedichts belegen, verführt dazu, die Ausgangslage zu übersehen, zu überspringen, jedenfalls sofort zu verallgemeinern. Denn 'Inventur machen' ist
der Schlüsselbegriff für die gesellschaftliche Tätigkeit nach 1945. Fast
jeder war, auf seine Weise, an der allgemeinen Bestandsaufnahme beteiligt,
die durchzuführen nach Kriegsende sich zwangsläufig ergab: die Entnazifizierungskampagne, eine Inventur der Deutschen, die vorgab, die 'Reinen'
von den 'Schuldigen' zu scheiden; Ursachenforschung; Bekennen und Leugnen
eigener Schuld; der Glaube an und das entsprechende Eintreten für einen
totalen Neubeginn ebenso wie die Angst vor einem neuen Krieg; das behende
Ausweichen in die Idylle und die trotzige Weigerung, sich jemals wieder
an Öffentlichem die Finger zu verbrennen - das alles gehört, in Fakten

und Folgen, ebenso zu einer gründlichen Bestandsaufnahme wie das im Gedicht direkt angesprochene Zusammensuchen und Prüfen des verbliebenen
persönlichen Besitztums.

Nicht nur der Titel und die für die Mehrheit der Bevölkerung tatsächlich
dringliche Notwendigkeit, brauchbare Gegenstände festzustellen und festzu-
halten, haben dieses Gedicht zu   d e m   typischen Ausdruck der vermeint-
lichen tabula-rasa-Situation werden lassen; sein hoher Identifikations-
grad rührt auch von der nachweislich verbreiteten Bereitschaft her, die
geschichtliche Lage nach dem Krieg mit der Situation im Gefangenenlager
zu vergleichen: "Hinter dem Stacheldraht, der zum   S y m b o l   d i e -
s e r   Z e i t   (hervorgeh. v. G.Z.) geworden ist, in der Einsamkeit
der abgeschlossenen Welt, die er begrenzt, ist der Pulsschlag der Entwicklung früher spürbar als draußen in der Hast des Getriebes um das tägliche Brot. So kommen auch die ersten Zeichen einer neuen literarischen
Entwicklung aus den stacheldrahtumfriedeten Dörfern und Städten des
Krieges."[408] Zwar ist Eich, zumal wenn man seine anderen Lagergedichte
hinzuzieht, weit davon entfernt, in Richters enthusiastisches Lob auf die
Vorzüge einer "stacheldrahtumfriedeten" Existenz einzustimmen. Dennoch
trifft seine Beobachtung, daß der "Pulsschlag" der allgemein gesellschaftlichen wie auch einer im engeren Sinne neuen literarischen Entwicklung
in der Abgeschiedenheit des Lagerlebens eher spürbar sei[409], auf das Gedicht 'Inventur' zu. - Ein verhaltenes Sich-Regen macht sich bemerkbar.
Die Aktivitäten des lyrischen Ich sind erste Orientierungsversuche, sie
deuten ein vorsichtiges Weitermachen, einen zögernden Neubeginn an.

Das Gedicht ist, auf einer weiteren Interpretationsebene, auch Ausdruck
und Ergebnis einer Inventur der Sprache, es zeigt Charakter und Verfahrens-
weise des "Kahlschlags", wie Wolfgang Weyrauch die Versuche einiger Literaten nannte[410], als tatkräftige "Förster" Wegweiser im "literarischen
Gestrüpp" der Nachkriegszeit aufzustellen[411], "unsre blinden Augen
sehend, unsre tauben Ohren hörend und unsere schreienden Münder artiku-
liert zu machen"[412]. Für die 'Kahlschlägler' konnte das nur heißen,
"in Sprache, Substanz und Konzeption von vorn" anzufangen, und zwar "ganz
von vorn, bei der Addition der Teile und Teilchen der Handlung, beim
A-B-C der Sätze und Wörter."[413] Zur Demonstration dieser Literatur, die
nichts anderes sein wollte "als eine Zigarette in einer Welt ohne Licht
und Wärme"[414], eignete sich kaum ein Text besser als Eichs 'Inventur-
Gedicht[415], das Weyrauch ganz zitiert - und das, obwohl er seine 'Kahl-

schlag-These ausdrücklich auf die Prosa bezieht. Das ist kein Versehen, sondern sagt etwas aus über die antipoetische, prosaische Qualität des Gedichts, das, eben deswegen, nicht bei allen Lesern begeisterte Aufnahme fand und findet.[416] Tatsächlich gibt es in Eichs Gedichten kaum 'lyrische Reservate'[417], es sei denn, sie fungierten als Kontrastmittel, die elende Realität zu profilieren - , geht es doch, so Weyrauch, den "Männer(n) des Kahlschlags" um "Bestandsaufnahme", um "Wahrheit", und sei es "um den Preis der Poesie ... Die Schönheit ist ein gutes Ding. Aber Schönheit ohne Wahrheit ist böse"[418]. Das Verhältnis von Sprache und Wahrheit war das zentrale Problem: "Es gab nur die Wahrheit. Nicht einmal die Sprache war mehr zu gebrauchen, die Nazijahre und die Kriegspropaganda hatten sie unrein gemacht. Sie mußte erst wieder mühsam Wort für Wort abgeklopft werden. Jedem Und, jedem Adjektiv gegenüber war Vorsicht geboten."[419]

Daß die 'neue Sprache' nicht nur Illusion blieb und die jungen Spracherneuerer in der Praxis nicht   n u r   ihrem eigenen Konzept entgegenarbeiteten[420], zeigt deutlich Schnurres Prosa:
"Steh ich in der Küche auf m Stuhl, Klopft's.
Steig ich runter, leg den Hammer weg und den Nagel; mach auf: Nacht; Regen.
Nanu, denk ich, hat doch geklopft ...
Nichts.
Ulkig, denk ich.
Geh rauf wieder.
Liegt der Brief da; weiß mit schwarzem Rand.
Muß einer gestorben sein, denk ich."[421]

Wie Schnurre hat auch Eich sein Gedicht abgeklopft, in dem das schmucklose Substantiv dominiert und dessen naive Zeige-Sprache ("dies ist") die Situation dessen verrät, der sich "in der Lage eines Kindes (befindet), das Baum, Mond, Berg sagt und sich so orientiert"[422]. Aber in seinen Lagergedichten nennt Eich eben nicht (mehr) Baum und Mond, sondern Latrine, Lazarett, Stacheldraht - Versatzstücke aus der geschichtlichen Welt, die 'Der Schriftsteller 1947'[423] nicht mehr übergehen kann.
In diesem aufschlußreichen Text vergleicht Eich "mit ironischem Ernst" den Schriftsteller des Jahres 1947 mit dem "verschollenen Vorbild Rönne" - eine Figur aus Benns frühem Werk - , dessen "sich sonst im Weltall bewegende(n) Gedanken seit langem auf die Erde zurückgekehrt (sind)." Die "bereits arg angegriffene Lebensmittelkarte" vor sich, denkt er nur noch an

"Feuerung und Kartoffeln, seine Vision ist ein Linsengericht, seine Träume sind die gleichen, wie alle sie träumen, die klamme Finger haben und nicht

- 90 -

satt sind." - "Im Sonnenuntergang, den Rönne besingt, geht nicht ein Tag
der Gefühle zu Ende, sondern vorerst einmal eine genau meßbare Anzahl von
Stunden, in denen Fabriksirenen ertönen, Straßenbahnen kreischen und ein
Bagger den Häuserschutt von den Straßen räumt. Durch den Wald, von dem
Rönne spricht, klingt kein Posthorn mehr, sondern bei Morgengrauen ziehen
die Kinder und Frauen mit klappernden Eimern in die Beeren; dort werden
Reisig und Zapfen gesammelt, nicht weil es poetisch ist, sondern weil es
keine Kohlen gibt."

Das alles heißt:

"Die Verkapselung in die private Sphäre wird undicht. Die Atomkraft zer-
trümmert die starken Mauern, die sich die Seele errichtet hat; durch die
Breschen pfeift der schneidend kalte Wind der unentrinnbaren Wirklichkeit.
Da Schreiben ein Akt der Erkenntnis ist, ist die Situation des Schrift-
stellers die eines vorgeschobenen Postens. Im Treiben der Welt kann er
sich der immer stärkeren Aktivierung nicht entziehen. Seine Aufgabe hat
sich vom Ästhetischen zum Politischen gewandelt (- was der Wendung des
Menschen vom Genuß zur Arbeit entspricht)."

Der Einbruch gesellschaftlicher Realität in die Welt der Natur bzw. der
privaten Sphäre findet also einmal statt als Einbruch der elenden Nach-
kriegswelt (Hunger, Kälte, Häuserschutt), zum andern im Zusammenhang mit
der Reflexion der Atombombengefahr. Ausgehend von diesen beiden 'Realitäten', sind innerhalb Eichs Lyrik auch zwei Typen des politischen Gedichts entstanden: das auf die gesamtgesellschaftliche Situation verall-
gemeinerbare 'Lagergedicht' und das 'Atomwarngedicht'[424]. Allerdings,
dem Krieg, dem Faschismus, der Schuldfrage hat Eich keinen Platz im Gedicht eingeräumt; die aggressive Betroffenheit in vielen Gedichten anderer Zeitgenossen wird man in seiner Gefangenenlyrik vergeblich suchen.
"Die Verkapselung in die private Sphäre" ist zwar undicht, aber sie bleibt
paradoxerweise auch da noch erhalten, wo das Ich sich im "Treiben der Welt"
wähnt. Mag das T h e m a auch gewechselt, die Wirklichkeit im Gedicht
vom "Baum" zum "Stacheldraht" und zur Atomgefahr sich gewandelt haben - das
M o t i v des Eingesponnenseins, der verhängte Blick ist konstant geblieben. Er verkürzt bzw. verhindert die historische Perspektive, Geschichte
wird zum Arrangement statischen Materials, das das lyrische Ich in seinem
unmittelbaren Umkreis erreichen kann[425]. Das Gefangenenlager, das das Gedicht für soziale Realität überhaupt erst geöffnet hat, wird so gleichzeitig
zum Symbol für den begrenzten Blick, der Stacheldraht selber zur überdimen-
sionalen "Spinnwebe". Der betonten Sachlichkeit ist die historische Reflexion zum Opfer gefallen - eine Kritik, die man schon in Weyrauchs
früher Interpretation des 'Inventur'-Gedichts lesen kann, wo er zwar den
"Dichter der Gegenstände" feiert, weil endlich wieder einmal einer den Mut

und die Fähigkeit habe, die Dinge aus der Traumhaftigkeit und dem Nebel,
in dem sie in der deutschen Lyrik schon immer verwischt worden seien, zu
isolieren. Aber gleichzeitig fordert er - mit Blick auf das 'Inventur'-
Gedicht, der aber auf alle Gedichte Eichs zu richten wäre - : "Man sollte
aber die Äpfel (als Beispiel für den isolierten Gegenstand; G.Z.) auf den
Tischen schildern, die Tische unter den Äpfeln dazu, dazu, wem die Äpfel
gehören, warum sie ihm gehören, wem der Tisch gehört, weshalb er ihm gehört, wer der Mann ist, dem der Tisch und die Äpfel gehören."[426]
Für die hier geforderte Darstellung des komplexen historischen und Si-
tuationszusammenhangs, durch den das Einzelding, zumal das politisch aus-
deutbare, überhaupt erst seine Konturen erhält, interessiert sich Eich
deswegen so wenig, weil er sich für die 'Sache selbst' weniger interessiert,
als dies die sprichwörtlich gewordene Sachlichkeit seiner Gedichte vorzu-
geben scheint. Wenn eine Schülerin über das 'objektivste' aller Eich-Ge-
dichte - 'Inventur' - urteilt, mit der Aufzählung der Gegenstände be-
schreibe Eich "sich im Grunde nur selber, weil er immer 'mein' und 'ich'
sagt", so hat sie die Intention der Gefangenengedichte insgesamt getroffen.
Diese sind in ihrer sachlichen Diktion wesentlich 'subjektiver', privater
als etwa die emotionsgeladenen Gedichte Krolows, in denen das Ich zwar
auch seine eigenen Leiden und Verwirrungen darstellt, diese aber als Ausdruck und Folge der Auseinandersetzung mit der geschichtlichen Welt erscheinen (jedenfalls mehr als bei Eich), die in diesem 'Kampf' immer noch
a u c h als das qualitativ andere und eigenständige Gegenüber auftritt
und so das Gedicht 'welthaltiger' und informativer macht, als es die Gedichte von Eich sind, in denen eine vergleichbare Auseinandersetzung
nicht stattfindet. Sie ist zusammengeschrumpft auf die Klage und Sorge
um den immer noch gegen die Gesellschaft und Geschichte verteidigten ver-
meintlichen Freiraum der Privatheit, der allerdings durch den "schneidend
kalte(n) Wind der unentrinnbaren Wirklichkeit" teilweise zerstört worden
ist.

Die Tendenz zum Rückzug - das Spinnwebenmotiv, das "Kehr zurück in die
Monologe!" - ist selbst in dem 'weltoffenen' Gedicht 'Inventur' wirksam;
das jedenfalls war der Tenor einer Diskussion mit Studenten: Vor allem
die vorletzte Strophe zeige ("Die Bleistiftmine / lieb ich am meisten: /
Tags schreibt sie mir Verse, / die nachts ich erdacht."), daß diesem Gedicht ein "intellektualistisches Programm" zugrunde liege (die meist geliebte Bleistiftmine!), das in einem "diffusen, geschichtslosen Raum" erdacht worden sei (in der nächtlichen Einsamkeit des eh schon vereinsamten
Lagers; ein ähnlicher Individualismus zeige sich auch in der besorgten

Geheimhaltung des Brotbeutelinhalts) und daher auch in kommentarloser
Neutralität verbleibe. Allerdings sei indirekt, vermittelt durch die Aussagestruktur, ein Programm erkennbar: das häufige "mein" sei Zeichen
mangelnder Solidarität, bzw., ideologisch gesehen, Ausdruck der bürgerlich-
individualistischen Eigentumsideologie - eine "Kehrtwendung gegen die
völkische Ideologie des Faschismus".

Diese kritische Aufnahme, die Eich bei den Studenten fand, muß zum einen
auf dem Hintergrund der vorausgegangenen Diskussion sowohl über die Aufgabe von Literatur als auch über die Situation nach 1945 gesehen werden,
weil erst von daher die Eich'sche Reduktion der "Wahrheit" sichtbar wurde;
zum andern spielte wohl auch mit, daß die meisten Studenten noch relativ
'unbelastet' waren von der fast durchweg positiven Kritik, die Eichs
frühe Lyrik erfahren hat. Die Bewunderung seitens der Kritk verdankt
Eich vor allem, um mit Höllerer zu reden, seiner "lapidaren Sprache, die
dem beschönigenden Sprachbrimborium von Agitation und Erbauung abge-
schworen hat."427) Die Rezeption des Inventur'-Gedichts aber zeigt, daß
diese Erklärung für Eichs Ruhm nicht genügt. - Krolow schreibt: "Der Ge-
dichttext gibt in seiner Aufzählung von Habseligkeiten wieder, was uns
nach der Katastrophe übrig blieb. Er nimmt nicht Stellung. Er stellt
fest."428) Das "uns" zeigt die ungebrochene Übereinstimmung des Kritikers
mit dem Autor. Die Faszination, die von der Eich'schen Lyrik ausgeht,
läßt übersehen, daß die von Eich vorgenommene 'Inventur' der geschichtlichen Welt bruchstückhaft ist, daß also das 'Inventur'- und damit das
Wahrheitsversprechen bei weitem nicht eingehalten worden ist.

Weyrauch hat diesen Zusammenhang in seiner ersten Eich-Kritik erkannt
(ihn aber schon in dem Nachwort zu 'Tausend Gramm' nicht mehr berücksichtigt). Später war man an den unbequemen Fragen des Warum und Woher
kaum mehr interessiert. Das Interesse galt und gilt, neben der Würdigung
der Sprache, der Tugend der Besinnlichkeit und Bescheidenheit, die, aus
der "Überflußgesellschaft" nahezu verbannt, durch das 'Inventur'-Gedicht
wieder in Erinnerung gebracht werden soll: "Die Schüler sollen aus der
Notsituation die elementare Notwendigkeit einfachster Gebrauchsdinge
wiedererkennen. In einer Gesellschaft, 'die wachsende Schwierigkeiten
(hat), den Ausstoß des Komforts unterzubringen, die Riesenhalden von
Flaschen und Dosenblech', könnte dem Schüler wieder die Kostbarkeit eines
Gegenstandes aufgehen, der wie hier die Konservenbüchse, als Teller
und Blech zugleich dienen muß."429) So beantwortete denn auch ein Schüler
der Abendrealschule die Frage nach der Aktualität des Gedichtes mit dem
Hinweis, dem "Wohlstandsbürger in der Wohlstandsgesellschaft" könne dieses
Gedicht "sehr viel sagen"; heute sei der "Mensch ja so anspruchsvoll",
daß die hier dargestellte Ärmlichkeit, "die doch so wertvoll für den
Menschen sein kann", viel aussage. Dem Menschen solle durch dieses Gedicht "eine gewisse Zufriedenheit ins Bewußtsein" gerufen werden.

Dagegen wurde - um noch einige wichtige Aussagen aus der kontrovers geführten Diskussion anzuführen - eingewendet, das Gedicht sage heute
"keinem mehr was", höchstens noch dem einen oder anderen aus der "langsam
aussterbenden Generation", die jene Zeit noch "voll" miterlebt hätten; die
könnten sich nach der Lektüre des Gedichtes sagen, "ja, so war es wirklich." Er selber aber, so der gleiche Schüler, wisse jetzt auch nicht
mehr als zuvor und er frage sich, ob nicht schon damals ihrerseits sich
einige Leser gefragt hätten: "Was will der Mann. Der schreibt ja, was er
hat. Soll ich jetzt auch schreiben, was ich hab? Ich hab vielleicht zwei

Nägel; aber was will er damit." Ein anderer meinte, damals, als es "kaum etwas einigermaßen Gescheites zum Anziehen" gegeben habe, seien diese Dinge, die hier aufgezählt werden, durchaus "eines besonderen Hinweises wert" gewesen, zumal in der Gefangenschaft, wo man "praktisch nichts anderes" gehabt habe, jeder Mensch aber irgendetwas Persönliches brauche.

Auf die Frage, welche Haltung der Dichter einnehme, kamen folgende Antworten:

- Eich habe "keine großen Vorstellungen", weder werde ein Rückblick in die Vergangenheit gemacht noch ein Vorblick in die Zukunft, er sei weder optimistisch noch pessimistisch.
- Viel habe er nicht zu sagen.
- Eich schmeiße "mit Substantiven rum und mit Realitäten", um sich die Dinge zu vergegenwärtigen, mehr aber, um sich selbst darzustellen.
- Eich habe ausdrücken wollen, daß es doch noch "etwas" gebe und daß dies der erste Schritt zu einem Neuaufbau sein könne.
-"Sollte das Gedicht den Zweck eines Appells haben, dann gibt es bestimmt bessere Gedichte." Eich sei ernüchtert und könne nicht glauben, daß die Situation einmal anders werde. Trotzdem sei kein "Jammergedicht" daraus geworden. Sollte das Gedicht aber "irgendwie optimistisch" sein, dann hätte er zumindest noch einen Satz "dranhängen" müssen, etwa: "Genug, um wieder neu aufzubauen. Ausrufezeichen."

Die Antworten zeigen, daß das Gedicht fast ausnahmslos nicht nur als Situationsbeschreibung eines Gefangenen (1. Interpretationsebene), sondern auch des Deutschland im Jahre 1945 verstanden wurde (2. Interpretationsebene). Auch die dritte Interpretationsebene, die an diesem Gedicht demonstrierte Notwendigkeit einer neuen, der Nachkriegssituation angemessenen Gedichtsprache wurde angesprochen: Das Gedicht sei eine bloße Aufzählung, "wie ein Tagebuch", es sei schmucklos, außerdem gebe es "kaum einen schönen Reim", was "irgendwie die Knappheit der Zeit" wiedergebe. Und: "Wenn es gereimt wäre, würde man meinen, es ist erdacht, das ist alles erfunden ..."

ab) 'Kabarettlyrik', 'Einfache Lieder', 'Bänkelsang'

Das Naturgedicht tendiert zur Hermetik. Selbst da, wo es als 'politisches Naturgedicht' sich öffentlicher Themen annimmt, wird es gleichsam unter Ausschluß der Öffentlichkeit und auch nicht für die Öffentlichkeit geschrieben. Eine "allgemeinverständliche Sprache", so Eich 1949, könne den Zusammenhang der Welt nicht mehr fassen. Ein Schriftsteller solle daher "genau und unverständlich" sein, "ähnlich wie ein Lehrbuch der Atomphysik", und wenn er nicht "zerstreuen, sondern wirken will, muß (er) den Mut aufbringen, auch gegen den Leser zu schreiben. Stil ist kein Schlafpulver, sondern ein Explosivstoff."[430] - Nun gibt es einen Typ politischer Lyrik, besser, eine in sich breit gefächerte Gruppe von Gedichten, deren Wirksamkeit im Gegenteil auf der 'allgemeinverständlichen' Sprache beruht, die dem Gedicht alles andere als die Folgewirkungen eines 'Schlafmittels' be-

schert: ich meine die Kabarettlyrik, das Chanson, die 'Arme-Leute-Poesie',
'Lieder des armen Mannes'[431], 'Einfache Lieder'[432], Kinderlieder, Kinder-
verse, "Bänkelsang der Zeit"[433].

Habt ihr nicht einen Pfennig?
Habt ihr nicht ein Stück Brot?
Ich habe ja so wenig -
ich leide bittere Not.

Mein Geld hab ich versoffen,
mein Weib ist mir verreckt. -
Was soll ich da noch hoffen, -
ich bin total verdreckt.[434]

In der in dieser Lyrik beliebten vierzeiligen Volksliedstrophe wendet sich
einer, der, wie die herzhafte Sprache verrät, dem 'Volk aufs Maul geschaut'
hat, in direkter Ansprache und eindeutiger Absicht an seine Mitmenschen.
Ein Bettler gilt in der Regel als ein Außenseiter der Gesellschaft; aber
in einer Zeit äußerster Not gewinnt seine Situation exemplarische Bedeutung, träumen doch viele den 'Traum eines armen Fressers', der sich
"schmatzend (über) einen weißen Fisch" hermacht und "einen Käse aus dem
Spind" zerrt[435]. Ein hoher Grad an Identifikation ist somit nicht nur
über die saloppe Sprache, sondern auch über den dargestellten Sachverhalt
möglich. Überhaupt wird die allgemeine Notlage mit Vorliebe an denen demonstriert, die es am härtesten trifft: neben dem Bettler, dem "armen
Fresser" und dem "armen Pfeifer" - "Ich pfeife auf die fromme Herrlichkeit der Welt. / Die Welt ist Dreck, und wir sind Dreck darin ..."[436] -
sind es Mütter, vor allem aber Kinder, die der Autor aus ihrer Perspektive berichten läßt, wie sie ihre Situation und die Umwelt erfahren. Von
Hermann Mostar, einem Meister des lyrischen Umgangstons, stammen folgende
Strophen:

Ich war ein kleines Mädchen
In einem großen Haus,
Dann ist der Krieg gekommen,
Da bombten sie uns aus.
Wir kriegten ein kleines Zimmer,
Eine Küche war auch dabei;
Sie bombten aber noch immer,
Da ging auch das entzwei.

Wir liefen durch die Brände
Und waren noch zu drein,
Dann war der Angriff zu Ende,
Und ich war ganz allein.
Erst hab ich geweint und geschrieen
Wie die Sirenen so schrill,

Doch um mich schrieen so viele,
Da wurde ich langsam still.

Still bin ich nun auch geblieben,
Da Frieden kam ins Land,
Ich wurde herumgetrieben,
Mein Köfferchen in der Hand.
Das habe ich auch noch verloren,
Nun bin ich schon sechzehn Jahr
Und weiß kaum, wo ich geboren
Und wo ich zuhause war.[437)]

Die Benennung 'einfaches Lied' trifft den Charakter des Gedichtes genau:
die in gleichbleibendem Rhythmus verlaufende Volksliedstrophe (der Acht-
zeiler ist lediglich die Summe zweier in Reim und Sinneinheit abgeschlosse-
ner Vierzeiler); die unmetaphorische Sprache; die parataktischen Sätze,
die meist mit der jeweiligen Zeile enden und den formalen Rahmen für das
Grundmuster epischen Erzählens, das geregelte 'und dann ... und dann', abgeben. Ein 'Erzählgedicht' also, in dem ein Mädchen eine Geschichte erzählt, seine eigene Geschichte, die die Geschichte vieler und zugleich
die jüngste Geschichte Deutschlands ist, wie sie ein kleines Mädchen eben
erleben kann: "Dann ist der Krieg gekommen, / Da bombten sie uns aus".
Der behende Plauderton aus dem Kindermund steht in krassem Gegensatz zu
den mitgeteilten Erfahrungen und der trostlosen Situation, in der sich das
Mädchen befindet, nachdem "der Frieden kam ins Land." - "Erst hab ich geweint und geschrieen ... Da wurde ich langsam still. // Still bin ich nun
auch geblieben ..." - diese Verse zeugen von dem brutalen Geschäft des
Krieges, der es versteht, laute Kinder auf Dauer "still" zu machen.

Der Autor arbeitet mit einprägsamen Kontrasten: auf der einen Seite wird
die Vorstellung von einem artigen, braven Mädchen aufgebaut, das einsichtig genug ist zu wissen, wann man "still" zu sein hat; ein Mädchen, das bescheiden wird und sich abfindet. Gleichzeitig wird dieses Bild bereits
im Aufbau wieder zerstört, denn die Geschichte des Mädchens zeigt, daß es
nicht aus Ungezogenheit, sondern der Bomben wegen geweint hat; daß es
nicht aus Einsicht "still" geworden ist, sondern "still" gemacht, das
heißt, in seiner ganzen Lebens- und Willenskraft zerstört wurde. "Still
bin ich nun auch geblieben ..." das ist die kindhafte Version der Bilanz
des Heimkehrers: "Zerbrochen und müde - so kehrst du nun wieder, / am
Boden den Blick."[438)]
Der Einfachheit dieses 'Liedchens' korrespondiert die Intensität der
Leser- bzw. Hörerwirkung. Sie beruht auf dem Gegeneinander von arglosem

Erzählton, einer gleichsam naiven Oberfläche also, und dem durch Tod, Grausamkeit, Einsamkeit und Heimatlosigkeit geprägten Hintergrund bzw. Untergrund des Krieges (und seiner Folgen), der an entscheidender Stelle, in der Mitte der 2. Strophe, im Weinen und Schreien des Kindes am deutlichsten durchbricht.

Diese gegenläufige Bewegung von momenthaftem Aufbau und massiver Zerstörung von Illusion ruft beim Leser/ Hörer, beim zeitgenössischen zumal, der in Geschichte und Situation des Mädchens vieles aus seiner eigenen Geschichte und Situation wiedererkennen kann, emotionale Beunruhigung hervor, Mitleid, Trauer, Wut. Ergänzt wird diese emotionale durch eine reflexive Reaktion, die ausgelöst wird durch die spezifische Darstellung des Ereignisablaufs, wie er sich aus der kindlichen Perspektive ergibt: als ein äußerer, in dem ein Ereignis unerklärt und unvermittelt dem anderen folgt. Die Aufgabe des Rezipienten ist es also - sie ist gesteuert durch die bloße Existenz dieser 'Leerstellen' - , die Addition der Ereignisse in einen Ereigniszusammenhang zu überführen.

Eine ähnliche Aussage- und Wirkungsstruktur hat das folgende 'Kindergedicht' mit dem für die 'Trümmerliteratur' so bezeichnenden Titel 'Das Trümmerkind':

Meine Mutter sagt, es hat 'ne Zeit gegeben,
Wo die Häuser alle janz jewesen sind.
Viele Bäume standen manchmal dicht daneben,
Und im Frühjahr rauschten die dann so im Wind.

Und die Fenster hatte alle janze Scheiben –
Mutter liegt schon lang in de Charité.
Wie se wegjing, sagt se, ich soll ehrlich bleiben.
Vater ham se abjeholt nach Plötzensee.

Ehrlich bin ick ja soweit bisher jeblieben,
Nur die Strümpfe hab ick mir orjanisiert.
Doch auch dazu hat mir nur die Not jetrieben,[439)]
Und ick hab mir vor mir selbst dabei geniert.

Auch in diesem Gedicht erstreckt sich der zeitliche Rahmen von der Vorkriegszeit, in der, wie das "Trümmerkind" aus den Erzählungen seiner Mutter weiß, die "Häuser alle janz jewesen sind", bis zur Gegenwart, in der selbst ein um Ehrlichkeit bemühtes Kind, von der "Not jetrieben", "orjanisieren" muß.

Der Kontrast zwischen der Art des Vortrags und dem Vorgetragenen erhält hier seinen besonderen Charakter durch den originellen Dialekt, in dem ein 'waschechter' Berliner so unbekümmert über seine Situation berichtet. Das dabei entstehende zwiespältige Schmunzeln stockt spätestens bei dem Hinweis auf die Hinrichtungsstätte der Männer des 20. Juli. "Plötzensee" weckt wohl bei jedem Berliner Zeitgenossen des Jahres 1946 die ohnehin noch frischen Erinnerungen an die Verbrechen des Nationalsozialismus. Aber das Trümmerkind gibt keine Bedenkzeit, es erzählt weiter, von seiner Tante, die so arg weint, "weil det Hafermehl nicht bindet / Und die olle Kochmaschine immer raucht", von Herrn Dünnebier - "der war in der Partei" - , der sich mit Frau Olga Zielke zankt, "Denn er sagt, die olle Kuh war ooch dabei", und beendet seinen Auftritt schließlich mit einem erneuten Fingerzeigt auf seinen Gerechtigkeitssinn und sein Pflichtbewußtsein:

Na, nun will ick aber mal nach Hause wandern,
Sonst frißt Oskar det Jemüse janz alleen,
Denn der denkt ja meist nicht jerne an die andern,
Und heut abend muß ick noch nach Hering stehn.

Diese Strophe gibt dem Gedicht einen letztlich versöhnlichen Ausklang. Durch das 'Menschlich-allzu Menschliche'[440], das aber immer bezogen bleibt auf die besondere Situation der Nachkriegszeit, wird die folgenschwerste politische Aussage ("Plötzensee") einerseits eingeebnet, andererseits stößt eben diese Gleichbehandlung z.B. einer ulkigen Tante und der NS-Verbrechen auf den - emotionalen und intellektuellen - Widerstand des Lesers, der die von dem Kind unterschlagenen Akzente selber setzt, d.h. die kommentarlos dargebotene Information über die Hinrichtung des Vaters wenigstens eine Zeitlang als politische Reflexion gegen die 'Entschärfung' durch Berliner Humor und kindhafte Unbekümmertheit verteidigt.

Der Wechsel von Identifizierung mit und Distanzierung von dem Sprecher ist entscheidend für den Grad der politischen Qualität eines mit politischen Themen befaßten Gedichtes, dessen lyrisches - hier eher 'erzählendes' - Ich dem Publikum gegenüber eine bestimmte Rolle einnimmt und so zu diesem aus einer entsprechenden Perspektive spricht (Rollengedicht).

Die obigen Bezeichnungen - Sprecher, lyrisches und erzählendes Ich, Leser, Berliner Zeitgenossen, Publikum - machen eine Erklärung der hier unterstellten Kommunikationssituation erforderlich.

'Das Trümmerkind' ist in einer Zeitschrift erschienen, die von Aufmachung, Inhalt, Vertrieb auf ein breites Publikum zugeschnitten war: in der seinerzeit berühmten und gerühmten[441], heute (leider) kaum noch erwähnten Berliner Zeitschrift 'Ulenspiegel', im Untertitel 'Literatur – Kunst – Satire', die 1946 von Herbert Sandberg und Günter Weisenborn herausgegeben wurde.[442] Noch im Entstehungsjahr 1946 wurde das 'Ulenspiegel'-Kabarett 'Die Hinterbliebenen' eröffnet; eine konsequente Entscheidung, denn die Möglichkeiten eines Großteils der in der Zeitschrift publizierten Lyrik können erst im Vortrag, gesprochen oder gesungen, in direktem Kontakt mit einem Publikum voll entfaltet werden[443]. Über die tatsächlich realisierten Entfaltungsmöglichkeiten legt ein zeitgenössischer Bericht Zeugnis ab, in dem die Münchner 'Schaubude' vorgestellt wird[444], die kurz nach dem Kriege von Erich Kästner eröffnet wurde. Dessen eigene Texte, vor allem das 'Marschlied 1945'[445], haben sowohl Berichterstatter wie Publikum fasziniert:

In den letzten dreißig Wochen
zog ich sehr durch Wald und Feld.
Und mein Hemd ist so durchbrochen,
daß man's kaum für möglich hält.
Ich trag Schuhe ohne Sohlen,
Und der Rucksack ist mein Schrank.
Meine Möbel hab'n die Polen
und mein Geld die Dresdner Bank.
Ohne Heimat und Verwandte,
und die Stiefel ohne Glanz, –
ja, das wär nun der bekannte
Untergang des Abendlands!
Links, zwei, drei, vier,
Links, zwei, drei – ...

Eine Großstadtpflanze bin ich.
Keinen roten Heller wert.
Weder stolz, noch hehr, noch innig,
sondern höchstens umgekehrt.
Freilich, als die Städte starben ...
als der Himmel sie erschlug ...
zwischen Stahl- und Phosphorgarben –
damals war'n wir gut genug.
Wenn die andern leben müßten,
wie es uns sechs Jahr' geschah –
doch wir wollen uns nicht brüsten.
Dazu ist die Brust nicht da.

Links, zwei, drei, vier ...

Die Begeisterung für diesen Trümmerspruch war zugleich die Begeisterung für den Interpreten (der bei dieser Lyrik maßgeblich für Qualität und Wirkung verantwortlich ist):

"... wenn Ursula Herking im 'Marschlied 1945' als Großstadtpflanze mit
schneidender Kraft einen positiven Nihilismus heraufbeschwört, spürt man die
abgründige Zwiespältigkeit der Verzweiflung und des Willens zum Leben, der
dann von der Bühne in das sensationsbedürftige Publikumsgemüt zischt. Wenn
die Herking mit asphaltblankem Charme den Pappkoffer auf die Bühne knallt
und in der Landserpelzweste ihren Refrain: 'Links, zwei drei, links zwei
drei, wir haben ja noch den Kopf auf dem Hals' losgellt, dann schaudern
die Herzen entzückt vor dem eventuell Kommenden und sich Wiederholenden."[446]

Schaudern und Entzücken des Publikums rühren einmal von der Vortragsweise,
zum andern von der "Gewissensforschung der Alltäglichkeiten" her[447], die
Kästner betreibt. Das Alltägliche ist nicht mehr bloß alltäglich: glanz-
lose Stiefel als Zeichen für den Untergang des Abendlandes; die dirnen-
hafte Großstadtpflanze und tote Städte; zerlöcherte Hosen und das Ende der
"Schnurrbart-Majestät" sind gleichermaßen Ausgangsbasis für das "Vorwärts
marsch" ins Ungewisse (3. Strophe). So wird, im Eilschritt, aus der Perspektive der "nicht verzagenden, verbissen zupackenden deutschen ...
T r ü m m e r f r a u " ein gerafftes Zeitbild mit hohem Identifikations-
wert für ein breites Nachkriegspublikum entworfen.[448]

Aber nicht nur Kästners 'Marschlied 1945' - das "vielleicht eindrucks-
vollste(n) Reportagechanson der Nachkriegszeit"[449] - , sondern das ge-
samte Eröffnungsprogramm der 'Schaubude' ('Bilderbogen für Erwachsene')
schlug beim Publikum, das kann man nach Wodaks Bericht sagen, wie eine
Bombe ein.:

"Das Publikum rast und trampelt Beifall. Man spürt die treffsicheren Formeln
für die Fragwürdigkeiten der Stunde, des Tages und der Zukunft prickelnd
und ein wenig schmerzhaft auf der eigenen Haut. Wahrheiten und peinliche
Erkenntnisse, die jedermann irgendwo im Untergrund braten läßt, prasseln[450]
in brillanten Floskeln und Bildern hinein ins Angesicht des Publikums.."

Mit der Einschätzung "treffsichere(n) Formeln für die Fragwürdigkeiten der
Stunde, des Tages und der Zukunft" ist Wodak selber eine treffsichere Formel für die Kabarettpoesie gelungen, die, eben ihrer Treffsicherheit wegen, einen nicht geringen Anteil an der lyrischen und überhaupt literarischen Aufklärungsarbeit der Nachkriegsjahre bestritt.

Diese Behauptung wird auch in den folgenden Kapiteln belegt, deren Fragestellung den Intentionen dieser Lyrik noch mehr entgegenkommt. Zur Frage,
warum gerade die Nachkriegszeit ein so 'guter Boden' für Kabarett und
Kabarettlyrik war, hier einige Thesen:

- Das Kabarett kommt dem zeitgenössischen Bedürfnis nach intimer Öffentlichkeit entgegen (kleiner Raum, begrenzte Teilnehmerzahl, direktes An-
  gesprochenwerden). Es ist gleichsam die kritisch-aggressive Parallele
  zu den mehr auf Besinnlichkeit ausgerichteten Dichterlesungen, Goethegemeinden, Gesprächsabenden usw. (vgl. S. 37)

- Seine Fähigkeit, für Fragwürdigkeiten der Stunde treffende Formeln zu finden, durch scharfe, witzige, hintergründige Formulierungen, durch perspektivisches Sprechen Kontraste deutlich zu machen, ist in einer Zeit besonders gefragt, die von großen Teilen der Bevölkerung als fragwürdig, unsicher, zwiespältig empfunden wird und deren Charakter in der scheinbar banalsten Alltäglichkeit zutage tritt.
- Die Momente des Humoristischen, Ironischen, Satirischen und Komischen sind nicht nur bloß 'formale' Mittel zur besonders treffsicheren Charakterisierung von Personen und Situationen, sondern stellen, indem sie tragischen Ernst nicht einfach verdoppeln, den 'literarischen Beitrag zum Überleben' dar.
- Mit dem Kabarett konnte eine Tradition wieder aufgenommen werden, die als literarische Institution noch nicht verbraucht war (ähnlich der Naturlyrik). An die Erfahrungen der 20er Jahre - Kästner (!), Tucholsky, Mehring - konnte man unmittelbar anknüpfen.

Mit 'Aufklärungsarbeit' ist das Stichwort für das zentrale Anliegen des nächsten Kapitels gefallen. Denn ging es der in diesem Kapitel vorgestellten Lyrik vor allem darum, den Krieg in Auswirkung und Verlauf, die Nachkriegszeit in charakteristischen Situationen und Zuständen darzustellen - Heimkehrerprobleme, Flüchtlinge, zerstörte Städte, Not und Elend der Menschen, Schwarzmarkt, Deutschland als Gefangenenlager, typische Menschenschicksale usw. - , so werden im folgenden die in der Lyrik unternommenen Aufklärungsversuche zu untersuchen (und mit denen in anderen 'Institutionen' zu vergleichen) sein, Aufklärung verstanden als das Aufdecken der Ursachen und Verantwortlichkeiten für die 'deutsche Katastrophe'.

B. "Wie kam das, durch wen und durch was?"

> "Die lodernden Gefühle des Zornes gegen Menschen
> mögen verlöschen; aber das, was geschehen ist,
> geschehen konnte, muß mit jedem vergehenden Tag
> an Deutlichkeit gewinnen. Jeder Flüchtling, jeder
> Kriegsgefangene, jeder Krüppel, jede Witwe und
> Waise, jeder Greis und jede Greisin, die am Abend
> ihres Lebens einsam und verlassen sind, fernen
> Gräbern nachtrauernd, letzte Reste einer einst
> zahlreichen Familie, jeder, der Hab und Gut und
> das Dach über dem Kopf, seine Rente, seinen Ar-
> beitsplatz verloren hat, jeder, der hungert,
> friert, in Elend, Krankheit, Siechtum und Not er-
> stickt - dieses ganze aschgraue Heer, durch die
> großen Schatten der Ruinen marschierend, Mitter-
> nachtsgespenster eines Volkes, das einmal lebendig
> war und einzig so wieder lebendig werden kann,
> gelobe sich in dieser ernsten Stunde des Jahrhun-
> derts: in jeder versickernden Minute nur einen Ge-
> danken zu haben - wie dies kam, durch wen und
> durch was."451)

Ein eindrucksvolles Dokument des seinerzeit vorhandenen oder doch geforderten Willens zur radikalen Offenlegung der Gründe und Hintergründe, die dazu
geführt haben, daß Deutschland zu einem "Gespensterreiche" geworden ist[452].
Dieser aufschlußreiche Text macht noch weitere Implikate der Leitfrage
dieses Kapitels deutlich:

Erstens: Ohne Klärung dieser Frage scheint die Hoffnung auf ein Wiederauf-
leben des deutschen Volkes, die Umwandlung des schattenhaft gespenstischen
in ein lebendig menschliches Dasein kaum möglich. Sie ist daher, im wörtlichen Sinne, zur Lebensfrage der - gestorbenen - Nation geworden.

Zweitens: Dem Gewicht der Frage entspricht die Schwierigkeit, sie zu lösen.
Denn stünde eine verbindliche, überzeugende Antwort in Aussicht, wäre die
Mithilfe eines jeden Greises wohl nicht nötig.

Drittens: Die Schwierigkeit dieser Frage - ebenso die Zahl derer, die sie
zu beantworten haben - läßt auf die Unterschiedlichkeit der Antworten wie
auch der Perspektiven schließen, unter denen sie gegeben werden.

Viertens: Das Antwortgeben ist - auf die Allgemeinheit und den einzelnen
bezogen - als ein Prozeß unter Zugzwang zu denken ("in jeder versickernden
Minute nur einen Gedanken zu haben"), dessen verschiedene Stadien sich
ebenfalls als unterschiedliche Antworten niederschlagen können: Syste-
matisches, Halbfertiges, hastig und spontan Geäußertes, Widersprüchliches,
Voreiliges, Durchdachtes, Verschwommenes kann mitunter bei einem einzigen
Autor vorkommen.

Fünftens: Das gespenstische, durch die Ruinen marschierende Heer von Ge-
schädigten und Leidtragenden gibt den sinnlich anschaulichen Beleg ab für
Krolows Bemerkung, daß die eigene Benommenheit das zunächst einzig Wahr-
nehmbare gewesen sei[453] - ein weiteres Hindernis auf dem Wege zur vorbe-
haltlosen und konsequenten Aufklärung.

Schließlich ist Regers namentlicher Appell an jeden einzelnen nicht nur
als Ausdruck der Schwierigkeit des genannten Problems zu werten, dessen
Lösung der Mithilfe aller bedarf, sondern er deutet zugleich an, daß jeder
daran, "wie dies kam", in irgendeiner Weise beteiligt war. Jeder, auch
jener in der 'innersten' Emigration, war 'irgendwie' dabei, so daß die
dringliche Aufforderung zur Prüfung immer auch eine Aufforderung zur
Selbstprüfung meint - ein weiterer Anlaß, diese Frage sehr zögernd an -,
bzw. ihr ganz aus dem Weg zu gehen.

All diese Begleitumstände, Schwierigkeiten, Zusätze - sie sind in Regers
Text auch stilistisch als Problemfeld zu erkennen, das der Hauptfrage, durch
den Doppelpunkt markiert, vorgelagert ist - müssen berücksichtigt werden,
zumindest einmal genannt sein, weil sie den Zugang zum Verständnis der gegebenen Antworten und Antwortversuche erleichtern können, die sich in der
Lyrik als Reaktionen auf die zentrale Frage der Nachkriegsjahre niederge-
schlagen haben.

1. "Wir alle haben Schuld" -
   die Kollektivschuldthese in der Lyrik

a) Bekenntnis und Selbstanklage

Die eben gemachte Annahme, daß die unumgängliche Reflexion der eigenen
Verstrickung in den Ursachen- und Schuldzusammenhang davon abhalten würde,
Regers Aufruf zu befolgen, scheint zumindest für die Lyrik keine Geltung
zu haben, im Gegenteil: Hauptanliegen vieler Gedichte ist das vorbehalt-
lose Bekenntnis eigener Schuld, das in auffälliger Bereitschaft gegeben
wird. 'Der Deutsche', so ein Gedicht von Weyrauch[454], in seine "heimat-
liche Stadt" zurückgekehrt, bemerkt inmitten der Trümmerwüste einen
Schmetterling:

Der sah in an, und er, er sah das Tier.
In ihm sah er die Unschuld ohnegleichen,
er sah die Einfalt, und er sah das Zeichen:
Wo Unschuld ist, ist Schuld. Die Schuld ist hier.
So dachte er und wußte: das ist Wahrheit.
Im Falter schwebte sternenhafte Klarheit.
Die Stadt ist tot, und ich bin schuld daran.
Wir alle haben Schuld. Du, Nebenmann,
du tötetest die Straße und das Haus.
Du, Nachbar, branntest Bett und Zimmer aus.

Die Stadt als "Schädelstadt" auf der einen, der Schmetterling als Zeichen
der Unschuld auf der anderen Seite: beides verlangt nach dem Verantwortlichen, fordert ein Geständnis, das 'Der Deutsche' bereitwillig ablegt.
Diese Bereitwilligkeit zur Übernahme der vollen und direkten Verantwortung
nimmt zuweilen fast schon makabre Züge an:

Wir haben sie zerbrochen, ich und du.
Auch du: Warum willst du es nicht mehr wissen?
Wir alle haben schuld, daß sie zerrissen,
zermartert wurden, denn wir sahen zu.

Und schwiegen. Ich und du. Vergiß das nie!
Wir wandten uns von ihnen, kalt und träge,
und ließen sie die letzten dunklen Wege
alleine gehn. Und dann verblaßten sie.

'Die Überlebenden von Theresienstadt'[455], kaum den Qualen des Konzentra-
tionslagers entkommen, überführen sich selber der Schuld am Tod ihrer Mit-
häftlinge - einer Schuld, die darin besteht, nichts getan, zugesehen und
geschwiegen zu haben. Eine genauere Analyse der Kommunikationsstruktur
dieser Verse kann Aufschluß über die spezifische Wirkung solcher bei
Dichtern und Lesern beliebten Schuldbekenntnisgedichte geben.

Das 'Wir' der Sprecher ist, laut Titel, eine Gruppe entlassener KZ-Häft-
linge, die die Alleinschuld - "die schwere Schuld, die uns, nur uns gehörte" - für den Tod ihrer Mitgefangenen übernehmen. So scheint der (zeitgenössische) Leser zunächst von einer möglichen Schuld entlastet zu werden.
In Wirklichkeit aber gilt diese Entlastung den Sprechern selber, die mit
ihrer Selbstanklage gerade den zunächst nicht miteinbezogenen Leser be-
lasten. Denn dieser wird sich zu der Paradoxie, daß die sichtbarsten
Opfer sich zum Alleinschuldigen erklären, verhalten müssen, sich sagen
müssen, daß die Schuld von KZ-Häftlingen niemals größer als die eigene sein
kann. Der Kreis der Schuldigen wird so, obwohl zunächst eingegrenzt, durch
eben diese Eingrenzung erweitert, weil das 'moralische Gefälle' zwischen
Sprechenden und Lesern einen Druck auf diese ausübt. Aber der Leser wird
auch direkt als Schuldiger angesprochen:

Wir haben sie zerbrochen, ich und du.
Auch du. Warum willst du es nicht mehr wissen?

Das "Wir" als "ich und du" weist über die Gruppe der Sprechenden hinaus,
denn das mehrmals mit Nachdruck angesprochene Du meint nicht nur ein Gegenüber aus der Sprechergruppe - ist nicht bloße Selbstaufforderung - , sondern jeden Leser und vor allem jene, die sich angeblich keiner Schuld bewußt sind. - Die Ausweitung des lyrischen Subjekts auf die je einzelnen
bzw. auf das Kollektiv der Leser kann als Strukturprinzip dieser Bekennt-
nisgedichte gelten, das auf verschiedene Weise eingelöst wird.

Weyrauch arbeitet in dem zitierten Gedicht mit dem Mittel der Typisierung.
'Der Deutsche', das ist jeder Deutsche. Dabei verleiht nicht nur die Titel-

stellung dieser Aussage besonderes Gewicht, sondern, wiederum wie bei
Nick, die explizit behauptete Einheit von er, ich, du, wir. Wenn 'Der
Deutsche' von sich sagt "Die Stadt ist tot, und ich bin schuld daran", ist
bereits ausgesprochen, was in den folgenden Versen zur Bekräftigung dieser
Aussage wiederholt wird: "Wir alle haben Schuld. Du, Nebenmann ...", wobei
"Nebenmann" ebenso auf die Auswechselbarkeit des Angesprochenen verweist
wie 'Der Deutsche' auf jene des Sprechers.

Eine der prägnantesten Formeln für die totale Identifikation des lyrischen
Ich mit einem Wir unter dem Zeichen gemeinsamer Schuld stammt von Krolow:

"Ich bin das Land, das im Gerichte steht ..."[456)]

Wie bei Weyrauch in dem 'Deutschen', so ist hier im politischen Begriff
Deutschland - aus dem Kontext geht hervor, daß mit "Land" Deutschland gemeint ist - das Kollektiv der Schuldigen zusammengefaßt, dem sich das Ich
in uneingeschränkter Verantwortungsbereitschaft zurechnet und das jeden
Deutschen unterschiedslos zum Schuldigen stempelt. Der Versuch einer
Differenzierung, so Bergengruen in dem weit verbreiteten Zyklus 'Dies
irae', scheint aussichtslos:

Wer will die Reinen von den Schuldigen scheiden?
Und welcher Reine hat sich nicht befleckt?[457)]

Und wieder solidarisiert sich das Ich - "Uns allen ist der Bittertrunk
gegeben"[458)] - mit der Masse derer, die keinen einzigen "Reinen" mehr in
ihren Reihen haben. Dabei ist das Schuldbewußtsein derart stark ausgeprägt,
daß ein bloßes Bekenntnis nicht mehr genügt und umschlägt in eine kaum
mehr zu steigernde Opferbereitschaft, mit der sich das Ich zugleich Erlösung, Befreiung aus der weltlichen Schuldverstrickung erhofft:

Schlagt mich ans Kreuz! Es soll der Schächer
mit Ihm im Paradiese sein.[459)]

In einem 1946 gehaltenen Vortrag 'Der Mensch vor dem Gericht der Geschichte'
hat Reinhold Schneider die Dimension dieser Schuld umrissen: "Erkennt und
ergreift die ganze Wucht der Verantwortung. Ihr steht nicht zwischen Recht
und Unrecht allein, sondern zwischen Himmel und Hölle."[460)] Daher sieht
auch er in einem kollektiven Sühneopfer, in der Selbstaufgabe des sündig
gewordenen Volkes die angemessene Form des Schuldbekenntnisses, das das
Ich in dem Sonettenzyklus 'Die Überlebenden' gemäß einem Spruch Jakob
Böhmes - "Wor der Weg am härtesten ist, da gehe ich hin"[461)] - wiederum
mitträgt:

Das Volk steht schweigend vor dem Tribunale,
Da sich der Schlachten letztes Wetter bricht,
Im Rauch der Welt, die nimmer aufersteht.

Gott spricht, nicht wir, und spricht zum letzten Male,
Volk ist noch einmal, sühnend vor Gericht,
Und stirbt und wirkt unendlich im Gebet.[462])

Diese Beispiele mögen genügen, um die 'Anfälligkeit' der Lyrik für die

Kollektivschuldtheorie zu demonstrieren, die die ideologische Basis für

die politische Praxis der Alliierten abgab und vor allem deswegen heftig

kritisiert wurde - auch, wenngleich selten, in der Lyrik selber.

Zum Beispiel in Mostars Gedicht 'Die Fabel vom bösen Hund'[463]): "Ein Hof-
hund, schlecht genährt, doch groß, / Riß sich von seiner Kette los. / Er
würgte Huhn und Lamm und Pferd, / Und da sich keines recht gewehrt, / Ward
Mut aus Hunger, und der Hund / Biß Löwe, Bär und Adler wund. / Doch die
drei Großen, schnell erwacht, / Zerfetzten ihn, eh ers gedacht: / Dreifach
gekettet und halb tot / Lag er in Hunger, Schmerz und Not, / Sah, was er
tat, was er verlor, / Und nahm sich ernstlich Besserung vor. / Er dachte
nach, was da zu tun - / Doch Leu, Bär, Aar, Pferd, Lamm und Huhn, / Kurz,
alle, die er je verletzt, / Umstanden ihn im Kreise jetzt, / Es brüllte,
brummte, gackte, schrie: / "Ein Vieh wie dich gab es noch nie, / Und du
bist schuld, nur du schuld, du, nur du!" / Der
Hund, grad im Begriff zu sehn, / Was er verbrach, und zu gestehn - / Der
Hund kommt gar nicht mehr zu Wort, / So schreit es dort, so schreit es
fort, / Und wie der Zehnte "Schuldig!" spricht, / Denkt er:"So schlimm
wars wieder nicht!", / Und wie ers hundertmal vernimmt, / Denkt er: "Wer
weiß, obs wirklich stimmt!", / Und wie ers tausendmal gehört, / Denkt er:
"Als ob i h r Engel wärt!" - , / Und beim millionsten Schrei von
Schuld, / Da reißen Nerven und Geduld, / Und schließlich kläfft das Hunde-
tier: / "Ich bin unschuldig, schuld seid ihr!" / Moral: Schuld sieht man
selber ein, / Doch nicht, wenn andre davon schrein."/ Ob Hermann Mostar
seine Kritik an den "drei Großen" und an anderen Ländern, die den bösen
deutschen Hund mit einem tausendfachen "Schuldig!" umstellen, deshalb ins
Tierreich verlegt hat, um, wie eine Schülerin meinte, "Schwierigkeiten
mit den Besatzungsmächten aus dem Weg zu gehen", ist nicht nachweisbar;
doch hätte sich bei der Zensur der Alliierten kein Deutscher hinstellen
und im Namen Deutschlands sagen können "Ich bin unschuldig, schuld seid
ihr!". Das ist zwar nicht die 'Moral der Geschicht' - (die ein Schüler
selber zog und so doppelsinnig mit 'Getroffene Hunde bellen' umschrieb) -
und schon gar nicht die Auffassung des Autors (die man nicht teilen muß,
denn daß der Hund "grad im Begriff" war "zu gestehn" und daran nur von
bösen ausländischen Tieren gehindert wurde, ist mehr als fraglich); aber
immerhin dürfte dieser im Kontext der Fabel entschärfte Satz vielen
Deutschen ebenso aus der Seele gesprochen (gewesen) sein wie der Ausruf
"Als ob i h r Engel wärt!".

"Engel" waren die Alliierten auch nicht nach Meinung Eugen Kogons, der in
dem schon zitierten Aufsatz 'Das Recht auf politischen Irrtum'[464]) und in
dem Buch 'Der SS-Staat'[465]) die (durch die Kollektivschuldthese bestimmte)
alliierte Politik ebenso heftig kritisierte - ohne in Vereinfachung, Überzeichnung, Verkleidung zu sprechen - wie, um auch ein Beispiel aus der
literarischen Prosa zu nennen, Hans Werner Richter in seinem autobiographischen Kriegs- und Heimkehrerroman 'Die Geschlagenen'[466]).

Jaspers hat in einer mehr philosophisch-systematischen Analyse des Schuld-
begriffs Stellung bezogen, um "vor der Flachheit des Schuldgeredes (zu bewahren), in dem alles stufenlos auf eine einzige Ebene gezogen wird, um es
im groben Zufassen in der Weise eines schlechten Richters zu beurtei-
len"[467]. Ein differenzierteres Zufassen sollte die Unterscheidung in
kriminelle, politische, moralische und metaphysische Schuld gewährlei-
sten[468].

Kriminelle Schuld (Verbrechen) liegt vor bei Handlungen, die gegen eindeutige Gesetze verstoßen. Instanz ist das Gericht. - Politische Schuld: Jeder Bürger, ob "apolitischer" Künstler, Gelehrter, Mönch, Einsiedler, ist
als Angehöriger des Staates, dessen Gewalt er unterstellt ist und dessen
Ordnung er mitträgt, haftbar zu machen für die Handlungen dieses Staates.
Instanz ist die Gewalt und der Wille des Siegers. - Moralische Schuld:
Der Mensch ist verantwortlich für Handlungen, die er als   e i n z e l -
n e r   begeht. "Moralisch schuldig sind die Sühnefähigen, die, die
wußten oder wissen konnten und die doch ihre Wege gingen, die sie in der
Selbsterhellung als ein schuldiges Irren verstehen - sei es, daß sie sich
bequem verschleierten, was geschehen, oder daß sie sich betäuben oder verführen ließen oder sich kaufen ließen durch persönliche Vorteile oder daß
sie aus Angst gehorchten."[469] Instanz ist das eigene Gewissen . - Metaphysische Schuld: "Es gibt eine   S o l i d a r i t ä t   zwischen
Menschen als Menschen, welche einen jeden mitverantwortlich macht für
alles Unrecht und alle Ungerechtigkeit in der Welt, insbesondere für Verbrechen, die in seiner Gegenwart oder mit seinem Wissen geschehen ... Daß
ich noch lebe, wenn solches geschehen ist, legt sich als untilgbare Schuld
auf mich."[470] Instanz ist Gott.

Diese Bestimmungen mögen bei der Beurteilung eines Einzelfalles schwer zu
trennen sein - Jaspers hat ihr verschlungenes Wechselverhältnis und ihre
komplexe Einheit an einigen Beispielen demonstriert - sie sind, so Alfred
Döblin in einer Rezension, von großem Nutzen für alle jene, "die das Thema
im Laufe der nächsten Jahre und Jahrzehnte aller Verdunkelung durch uner-
trägliche Umstände zum Trotz abzuklären suchen."[471]

Ergebnis seiner Überlegungen: eine ethisch gemeinte Kollektivschuld ist
ein Widerspruch in sich. Eine Kollektivschuld der Deutschen kann es daher
nur als politische Schuld geben, weswegen Kurt Hiller vorschlägt, den Begriff der Schuld in diesem Zusammenhang ganz fallen zu lassen und von einer "im Völkerrechtssinn zu verstehende(n) kollektive(n) Haftung Deutschlands" zu sprechen[472].

Legt man nun dieses von Zeitgenossen selber entwickelte und geschätzte In-
strumentarium an die obigen Lyrikbeispiele an, um zu prüfen, von welchem
Schuldverständnis die Bekenntnisse geleitet sind, ergibt sich folgendes
Bild:

Ausgenommen das Verbrechen, sind alle Formen der Schuld auszumachen, in jeweils verschiedener Verbindung und Gewichtung: Krolows 'Land im Gericht' vertritt am deutlichsten die strittige Position einer sittlichen Kollektivschuld. Das anonyme Kollektiv derer, die im "Totenland" wohnen, wird, im Schuldbekenntnis des lyrischen Ich (das als "Totenland" spricht), moralisch zur Rechenschaft gezogen. Einen etwas anderen Akzent setzt Weyrauch. Zwar wird auch in seinem Gedicht jeder Deutsche schuldig gesprochen, aber dieser wird, trotz der typisierenden Rede und Anrede (Deutscher, Nachbar, Nebenmann) , mehr an die Schuld, die er als einzelner begangen hat, als an jene erinnert, die darin besteht, ein Deutscher zu sein. Was für Krolow das "Land" und für Weyrauch 'Der Deutsche', ist für Schneider das "Volk", das sich ebenfalls als geschlossene Einheit schuldig bekennt - mehr im Sinne einer metaphysischen Schuld. Das belegt die richterliche Instanz (Gott), vor allem aber die auch in Bergengruens Gedicht demonstrierte Opferbereitschaft: die metaphysische, d.h. die "untilgbare Schuld", die darin besteht, "daß ich noch lebe, wenn solches geschehen ist", ist nur durch einen metaphysischen Akt, durch radikale Selbstverwandlung zu beheben. In Dagmar Nicks Gedicht liegt der Akzent mehr auf der Ebene individueller, also moralischer Schuld, die aber, wenn sich schon die KZ-Opfer zu ihr bekennen, wiederum "alle" betrifft.

Man kann also festhalten, daß die zeitgenössischen Bemühungen um einen adäquaten Umgang mit dem Begriff der Schuld in zum Teil recht subtiler Form auch in der Lyrik vorzufinden sind, wenn auch mit dem Ergebnis, daß ihre oben behauptete 'Anfälligkeit' für die Kollektivschuldthese dadurch nicht merklich beeinflußt wurde. Zwar tendiert sie eher zu einer Schuld des je einzelnen, d.h. auch individuell verschiedener Schuld (wobei solche Unterschiede in den bislang zitierten Beispielen nirgends zur Sprache kommen), als zu einer kollektiv verstandenen eines abstrakt mystischen Volksganzen - aber diese Unterscheidung wird selber abstrakt, wenn mit dem je einzelnen   a l l e   einzelnen, also alle Deutschen ("wir alle") gemeint sind, wie dies in den zitierten Beispielen, entweder explizit formuliert oder von der Intention her erkennbar, der Fall ist. Jedenfalls wird niemand ausdrücklich ausgenommen.

Wenn Eugen Kogon über das Ergebnis der "'Schock'-Politik", die die Alliierten mit der Kollektivschuldthese gegenüber den Deutschen verfolgten, sagen konnte, ihr Ergebnis sei bereits nach einem Jahr ihrer Verkündigung

ein "Fiasko" gewesen, weil sie gerade nicht die "Kräfte des deutschen Ge-
wissens, sondern die Kräfte der Abwehr gegen die Beschuldigung (geweckt
hat), für die nationalsozialistischen Schandtaten in Bausch und Bogen mitverantwortlich zu sein"[473], dann ist nach den Gründen zu fragen, die Teile der Lyrik zum beinahe unumstrittenen Anwalt der so umstrittenen, ja ver-
haßten Kollektivschuldthese werden ließen.

Zunächst ist es ein gewichtiger Unterschied, ob die Kollektivschuld als
Vorwurf oder Bekenntnis, d.h. ob sie als Anklage (von den Alliierten) oder
als Selbstanklage (von Deutschen) vorgetragen wird. Im letzten Fall entfiel der verbreitete Vorbehalt gegenüber der moralischen Berechtigung der
Sieger, frei von jeder Selbstkritik über die Deutschen zu Gericht zu
sitzen[474]. Dagegen konnte der Dichter - und insbesondere der seinerzeit
so geschätzte Lyriker - als allseits anerkannte moralische Instanz mit
einem Vertrauensvorschuß rechnen, der dem Leser die geforderte Identifikation mit der Selbstanklage des lyrischen Ich möglich machte. Als Gewissen der Nation fühlte sich der Dichter - gerade auch wegen des breiten
Widerstandes gegen das verordnete Schuldbekenntnis - verpflichtet, vor der
Welt stellvertretend die Reuefähigkeit der Deutschen zu dokumentieren. Zu
dem moralischen Druck von außen kam jener von innen: die quälende Ungewißheit - oder: Gewißheit - in der Einschätzung des eigenen Verhaltens
unterm Faschismus[475]. - Dabei ist das Schuldbekenntnis so allgemein gehalten (Schweigen, Zusehen, Schuld am Tod der Stadt usw.), daß jeder Leser
sein eigenes mögliches Versagen in dem 'Ich' - oder 'Wir'-Bekenntnis wie-
derfinden konnte. Kollektivität und Solidarität, durch den Faschismus in
Verruf gebracht und pervertiert, wurden so wieder möglich: im Negativen,
in einer solidarischen Gemeinschaft der Büßenden und Bekennenden. Das
schlechte Gewissen vieler erlaubte diese Form von 'Gemeinschaftslyrik'
(oder sehnte sich nach ihr), die sehr oft einem Sühnegebet, einem lyrisch-
liturgischen Ritual gleichkam, das in Dichterlesungen, kleinen Vorlese-
und Gesprächszirkeln auch wirklich praktiziert werden konnte[476].
Mochte die kritisierte Kollektivschuldtheorie in dem "Wir alle haben
schuld" auch sichtbar zum Ausdruck kommen: das Ärgernis darüber schien
zweitrangig gegenüber dem durch die (beschriebene) spezifische Kommunikationsstruktur ermöglichten Angebot, sich als einsam Klagender mit anderen
einsam Klagenden eins fühlen, d.h. die i n d i v i d u e l l e Schuld,
die das Gewissen plagte, auch in der Isolation k o l l e k t i v be-

kennen und somit teilweise abtragen zu können, ohne daß damit zwingend
zugleich ein Bekenntnis zur Kollektivschuld abgelegt gewesen wäre.

Entlastung durch Belastung einer Selbstanklage also? Jaspers hat die
vielerlei Absichten, von denen die Bereitschaft zum Schuldeingeständnis
gesteuert sein   k a n n ,   in aller Deutlichkeit herausgestellt: Manch
einem scheine es

"vorteilhaft, die Schuld zu bekennen. Der Entrüstung der Welt über das
moralisch verworfene Deutschland entspricht seine Bereitwilligkeit zum
Schuldbekenntnis. Dem Mächtigen begegnet man durch Schmeichelei. Man
möchte sagen, was er zu hören wünscht. Dazu kommt die fatale Neigung,
durch Schuldbekenntnis sich besser zu dünken als andere. Im Sichselbst-
bloßstellen liegt ein Angriff auf die anderen, die es nicht tun. Die
Schmählichkeit solcher billigen Selbstanklagen, die Ehrlosigkeit der ver-
meintlich vorteilhaften Schmeichelei ist offenbar."[477]

Diese Sätze wurden zwar nicht explizit im Hinblick auf die Lyrik geschrieben, aber da Schuldbekenntnisse in ihr vergleichsweise häufig vorkommen
und sie bei ihrer damaligen Beliebtheit durchaus ein ideales Forum für
solche Formen von Scharlatanerie bot - für Schreiber und Leser gleichermaßen - besteht auch kein Anlaß, sie von der Jaspers'schen Kritik ausdrücklich auszunehmen. Den tatsächlichen Anteil solcher 'Hintergedanken'
kann man jedoch kaum angeben.

Mit größerer Sicherheit läßt sich dagegen sagen, wer an diesem Mißbrauch
n i c h t   oder nur in geringem Maße beteiligt war: die Gedichte schreibenden Kriegsgefangenen und Heimkehrer - weil sie sich nämlich auch an
Schuldbekenntnissen nicht oder nur kaum beteiligten. In den Bänden
'Bänkelsang' und 'Deine Söhne, Europa' finden sich keine den obigen vergleichbare Selbstanklagen, wohl aber Begründungen für eben diese Weigerung, die Gemeinschaft der demütig Bekennenden solidarisch zu verstärken:

Manchmal sprachen wir abends vom Krieg und unserer Schuld.
Zum ersten hatten sie alle, zum zweiten wenig Geduld.
Und wir müssen das verstehen: man liegt nicht jahrelang im Dreck
und benimmt sich ziemlich heldisch - und wirft dann alles weg
und sagt: Ich war ein Schurke oder ein blindes Huhn,
und die Feinde sind feine Kerle - und wir wollen's nicht wieder tun ...
Sondern da bleibt schon was hängen (an jedem, der draußen war!) ...[478]

Wird hier die ablehnende Haltung psychologisch damit begründet, daß ein
Schuldbekenntnis gerade für die jungen Soldaten einer völligen Selbstaufgabe gleichkommen, d.h. für sie bedeuten würde, sie müßten ihre Jugend-
jahre als sinnlos vertan gleichsam aus ihrer Lebensgeschichte streichen
- was die meisten einfach nicht wahrhaben wollen und sich daher gegen die-

ses deprimiernde Fazit sperren[479] - , beruft sich ein anderer Heimkehrer
(er, Jahrgang 1906, ist bezeichnenderweise dreizehn Jahre älter als Lohmeyer) auf den Status des Soldaten:

Wir sollen vor die Hunde gehn,
im schwarzen Buch der Menschheit stehn
für all den blutigen Schaden,
den wir den Völkern angetan!
wir stehn im Schuldbuch obenan -
und waren nur Soldaten. [480]

Soldaten, die, durch die "harte Welt ... zum Mord verpflichtet", den Krieg
ja gar nicht wollten, sondern:

Man hat uns in den Krieg gejagt.
Soldaten werden nicht gefragt,
sie müssen alles schaffen!
Und alles ist "Fürs Vaterland"!
Das Herz war tot wie der Verstand.
Wir waren ja nur Sklaven.

Sie waren lediglich "Zahlen" in den blutigen Berechnungen derer, "die diesen Krieg befahlen" und die sie zuritten wie einen "Gaul": "nicht mal zum
Fressen aus dem Maul / nahm man uns die Kandare." Schließlich fand dieser
"wüste Schwank" ein Ende - in "Stacheldraht und Prügel" allerdings und
einer darauffolgenden Heimkehr, wie sie sich schlimmer wohl niemand aus-
zumalen gewagt hatte:

Dann schickt man glorreich uns nach Haus.
Zum Schluß spuckt man noch vor uns aus,
und Buben werden Steine.
Von Brücken pissen sie - pardon! -
uns in den offenen Wagen:
Wir sind die "deutschen Schweine".

Wer so gedemütigt, erniedrigt, hintergangen wurde, beendet diesen wüsten
Schwank wahrlich nicht in einem demutsvollen, um Vergebung für seine - was
für eine? - Schuld bittenden Kniefall:

Wir leiden Hunger, Haß und Hohn,
wir sind mit unserer Nation
vors Weltgericht geladen
und tragen schweigend, mit Geduld,
die Schulden, aber nicht die Schuld!
Wir waren nur Soldaten. [481]

Die wichtigste Aussage in diesem 'Soldatenlied' ist das " W i r
w a r e n n u r S o l d a t e n " , als solche auch durch die Wieder-
holung an ausgezeichneter Stelle in der ersten und letzten Strophe und

durch das Schriftbild kenntlich gemacht. Sie dient als Begründung für die
Weigerung, auch eigene Schuld anzuerkennen. Denn Soldatsein heißt, Befehle
ausführen, "alles schaffen" müssen, was die, "die diesen Krieg befahlen"
und die das "Kriegsgeschäft gemacht", bedingungslos forderten. Aber nicht
die Strapazen stehen primär unter Kritik, sondern, daß sie als Soldaten
für etwas herhalten sollen, was dem Wesen des Soldaten fremd ist. Sicher,
"Soldaten werden nicht gefragt", aber - und das ist das Entscheidende - sie
wollen offensichtlich auch gar nicht gefragt werden, denn "Uns armen Kum-
peln ist es gleich, / Wem wir die Stiefel putzen", nur soll man sie als
diejenigen, die getreu bloß ihre nationale Pflicht getan, auch gefälligst
mit Schuldbekenntnissen in Ruhe lassen, schon gar mit solchen, mit denen
sie sich zu den Hauptschuldigen erklären sollen. Nun plötzlich, nach ver-
lorenem Krieg, werden sie, die gemeinen Soldaten, als Sündenböcke ins Ram-
penlicht der Öffentlichkeit gezerrt, dahin also, wo sie während des Krieges
niemand haben wollte, als es darum ging, siegreiche Schlachten der deutschen
Armee, von aller Welt bestaunt, zu feiern:

Und wenn dann auch ein Wunder kam,
das aller Welt den Atem nahm -
wir waren keine Sieger!
Wir, die das Wunder wir vollbracht,
wir blieben nach gewonnener Schlacht
die ärmsten aller Krieger."

Aber so geht es eben zu auf der Welt, immer trifft es die Falschen, immer
den kleinen Mann, der an die großen Herren entweder den selber verdienten
militärischen Ruhm abtreten oder aber deren Verantwortung für einen Weltkrieg übernehmen muß:

Nun läßt man uns entgelten,
was unsere große Herrn getan!
Und immer ists der kleine Mann,
er muß die Zeche zahlen!
Ja, "Gottes Mühlen mahlen"! - [482)]

Ich habe diesen Argumentationsgang aus der Perspektive des Sprecher-Ichs
deshalb so ausführlich nachgezeichnet, weil er sich auf zwei sich sehr
nahestehende Leitsätze stützt, die das Dilemma der immer noch nicht abgeschlossenen bundesdeutschen 'Vergangenheitsbewältigung' charakterisieren:
'Soldat ist Soldat. Wir Soldaten haben nur unsere Pflicht getan', und:
'Was hätten wir kleinen Leute auch schon machen können. Die da oben machen
ja doch immer, was sie wollen." Fazit aus beidem: 'Diese Herren da oben

sollen nun auch geradestehen für das, was passiert ist. Wir haben ohnehin
genug durchgemacht.'

Man mag diese Haltung für fragwürdig und gefährlich halten[483] - zusammen
mit der einsichtigen Begründung von Lohmeyer kann sie die auffallende Zurückhaltung der Gefangenen - und Heimkehrerlyrik gegenüber Schuldbekenntnissen plausibel machen.

Den bisher vorgestellten Schuldbekenntnisgedichten ist gemeinsam, daß sie
beim bloßen Bekenntnis stehenbleiben, hie und da auch einmal sehr allgemein die Art der Schuld bezeichnen (zugesehen, geschwiegen haben, schuld
am Tod der Stadt sein), über tiefere Zusammenhänge der Schuld- und Ur-
sachenverstrickung aber nichts verraten. Das sich bekenntnishaft in den
Vordergrund schiebende 'Ich' oder 'Wir' bildet auch schon die - völlig
offenen - Grenzen der Erklärung. Manchmal jedoch, wenn von dem 'Land im
Gericht', von 'dem Deutschen' oder von dem "Tod" als einem "Meister aus
Deutschland"[484] die Rede ist, wird eine 'Spur' genannt, auf die Weyrauch
in dem Gedicht 'Friede auf Erden'[485] mit Nachdruck hinweist:

Und der alte Mann vom Huronensee,
dem war der Enkel gefallen,
und es tat ihm drum das Herz so weh,
daß er zog mit den andern allen.

Und die andern alle, die zogen zum Meer,
und sie schifften sich ein, und sie fuhren,
und sie kamen alle nach Deutschland her,
denn in Deutschland waren die Spuren.

Die Spuren von Blut, die Spuren von Schrei,
hier waren vom Kriege die Gründe,
und sie fragten, ob hier der Friede sei,
denn die Unschuld liebe die Sünde.

"... hier waren vom Kriege die Gründe": aber w e l c h e   Gründe es
waren, wird auch in den weiteren Strophen des Gedichtes verschwiegen. Die
'Analyse' macht auch hier beim Konstatieren des bloß faktischen Daß halt:
daß eben Deutschland am Krieg schuld sei.

Im folgenden werden Gedichte vorgestellt, die die "Spuren" weiter verfolgen.

b) Erklärungsversuche

ba) Von Wotan zu Hitler: Deutsche Gedichte als Untertanen- und Kriegs-
geschichte

Einer der wichtigsten lyrischen Versuche, die Kriegsschuld nicht lediglich
in bekennerischer Selbstanklage einzugestehen, sondern sie, in radikaler
Anklage, auf ihre Hintergründe zu untersuchen, dürfte Alexander Lernet-
Holenias 'Germanien' sein (Berlin 1946), ein 350 Verse umfassendes Werk,
das sich ausschließlich mit der Kollektivschuldthese auseinandersetzt,
die in äußerster Konsequenz vertreten wird:

Schiebt nicht die Schuld auf andre, - diese Schuld
und alles andre Schuldsein!
...
Sagt nicht: Nicht ich war's - der! Nicht ich war's, - die!
Wenn man die Schuld euch allen auflädt, tragt
sie denn allesamt! Ihr wälzt ja doch
nicht mehr vom Einzelnen, was alle trifft.
Es geht der Welt nicht mehr um Einzelne.
Wenn man euch zählt, so zählt nicht hinterdrein,
wenn man euch wägt, so wägt nicht nach. Wenn man
euch richtet, richtet nicht ... Denn was ist Schuld!
Weil keiner sich von allen gegen die
gemeinsame, die ungeheuere,
erhob, war j e d e r schuldig. Beugt euch denn
und tragt es alle! Trägt nicht jeder, weil
er sie nicht tragen will, die ganze Last?
Nur wer ihr nicht entgehen will, trägt sie leicht. (7)

Hier ist von zwei sich wechselseitig konstituierenden Formen kollektiver
Schuld die Rede: Schuldig sei deshalb jeder Deutsche, weil sich niemand
gegen die "gemeinsame, die ungeheuere" Schuld erhoben habe. Diese wird,
als die ursprüngliche, im Rahmen deutscher Geschichte interpretiert,
deren telos von ihren Anfängen des Ersten Reiches auf Selbstzerstörung
hin angelegt war:

                    Das Erste Reich
vergeudete sich selbst. Das Zweite fiel,
weil es auf sich vergaß. Das Dritte Reich
verzehrte sich vor Habgier, preßte bei,
schob alle Schuld auf andre, raffte, trog ... (3)

Diese zunächst nur als äußere beschriebene Kontinuität des sich wiederholenden Verfalls der drei deutschen Reiche wurzelt in der "Saat / der
Friedriche", die schließlich, "aus Drachenzähnen auf- / geblüht, die

allerschlimmste", im Dritten Reich als (faule) Frucht zur vollen Reife
kam[486]. Der politische Kern dieser "Saat": die Verachtung des Volkes durch
die "Fürsten"[487], was, "zuletzt", als autoritäres Prinzip von militärischem
Befehl und Gehorsam durchgängig gesellschaftlich wirksam wurde:

In dir war niemand mehr, der nicht, zuletzt,
den Zaum, den er einst andern angelegt,
ins eigne Maul genommen; niemand, der
nicht Peitsch' und Sporn geduldet. Keinen gab
es unter deinen Kriegern, der sich nicht,
wenn man ihn mit dem Stocke schlug, den Stock
erhofft, einst andere zu schlagen ... (6)

Das politische Prinzip gesellschaftlicher Organisation wurde Charaktermerk-
mal der Nation, es ging jedem Deutschen in Fleisch und Blut über; das Unrecht gegenüber den Völkern gerann zum "Unrecht in / euch selber" (12), und
umgekehrt ging dem Zerstörungswillen nach außen ein wachsender Wille zur
Selbstzerstörung einher, der ebenfalls in den geschichtlichen Anfängen keim-
haft angelegt war: "Habt ihr es nicht schon seit je / gewollt?" (8) - "Seit
je": nicht erst die Hohenstaufer haben der deutschen Unheilsgeschichte den
Weg gebahnt, sondern die Germanen sind es gewesen die

         mit gekrönten Helmen, auf-
geworfnen Bannern, an den tödlichen,
den Hof der Hunnen, in das fiebernde
Byzanz gezogen, an das Grab des Herrn,
nach Rom und immer wiederum nach Rom, (8)

und so den Untergang von Anfang an gesucht und "gewollt" haben; nicht aus
freien Stücken, denn dieser kollektive Wille schien selber nur das ohn-
mächtige Werkzeug eines "unabwendbaren Geschicks", dem "ihr" - Germanen,
Hohenstaufer, Preußen und Deutsche des Jahres 1946 - "euch" immer schon
einsichtig unterworfen habt:

         Habt ihr nicht,
im Einsehn unabwendbaren Geschicks,
euch selbst zerstört, von Anfang? (8)

Eben deswegen, weil das deutsche Übel jahrhundertelang über Geschlechter
hinweg in schicksalhafter Zwangsläufigkeit sich ausbilden konnte - es ist
die ursprüngliche Schuld, die "gemeinsame, die ungeheuere" - , hat sich
auch niemand gegen sie, als sie im Dritten Reich ihren Kulminationspunkt
erreichte, erheben können - dies die andere, die 'aktuellere' Kollektivschuld. Dieser fatale Schuldzusammenhang ist derart perfekt und in seinen
Auswirkungen so grausam, daß es der Welt in der Anklage der Deutschen nicht

nur "nicht mehr um Einzelne" geht, sondern daß sie, das Opfer, sich auch
noch "auf euer Elend ... stützen", "eure Schuld" nicht einmal "verstehen"
und nicht wissen wird, "woran / ihr w i r k l i c h leidet, und
warum ..." (11).

Lernet-Holenias Text macht es einem nicht leicht, weder darin, aus der
letztlich als fatalistisches Geschick begriffenen deutschen Untertanenge-
schichte den wahren, historischen Kern herauszuschälen, noch im Fortgang
der Lektüre selber: weder eine metrisch-rhythmische noch eine strophische
Ordnung läßt sich in den teilweise langatmigen, in sich zerklüfteten
Sätzen ausmachen. Allerdings kommt die sperrische Syntax nicht von ungefähr; sie ist einmal Ausdruck der Schwierigkeit, das schwierige Thema der
Schuld historisch und theoretisch in Versen e r ö r t e r n zu wollen,
was viele Zusätze, Einschübe, Erklärungen nötig macht und so einen
'alyrischen' Argumentier-Stil in Versen erzeugt, zum andern Ausdruck der unmittelbar damit zusammenhängenden Intention, das Lesen durch den permanent
aufgehaltenen Sprachfluß ebenfalls aufzuhalten, um dem Leser Zeit und Gelegenheit zu geben, den Reflexionen zu folgen, sie zu prüfen oder zu ver-
vollständigen[488].

Mit einer 'Germanien' vergleichbaren Historisierung der Schuldfrage leitet
Beheim-Schwarzbach sein Epos 'Der Deutsche Krieg' ein[489]. Auch bei ihm ist
das deutsche Volk identisch mit Wotans und Thonars Volk, dessen im "Kyff-
häuserschlaf ... schlummernde Seele" durch den "eiserne(n) Abgott" geweckt
wurde, wenngleich sie die langen Jahrhunderte hindurch nicht in schlummern-
der Untätigkeit zugebracht haben kann, wenn es über die Enkel der germa-
nischen Götter heißt: "Geduldig durch viele Geschlechter / Reiften sie stetig heran, rüsteten emsig zur Schlacht"[490], zur großen Schlacht des 2.
Weltkrieges, auf den hin die deutsche Geschichte schon immer ausgerichtet
war.

"Warum begannst du es, Volk?" (26) - Daß der Autor sich diese Frage im
letzten Abschnitt gleich zweimal erfolglos stellen muß, obwohl er doch zuvor mit seinen geschichtlichen Erklärungen auf das Woher und Warum eingegangen ist, liegt nicht nur daran, daß sich Faschismus und 2. Weltkrieg
nicht global mit Germanenblut und historisch gewachsener Kriegslust befrie-
digend erklären lassen, sondern ist auch Folge davon, daß diese Fragen nicht
im Zentrum von Beheim-Schwarzbachs Interesse stehen. Während es Lernet-
Holenia fast ausschließlich um eine Ableitung der deutschen Schuld aus der

deutschen Geschichte zu tun und aus dieser Fragestellung heraus ein argu-
mentierendes, ein   R e f l e x i o n sgedicht entstanden ist, geht es dem
Autor des 'Deutschen Krieges' primär um eine   B e s c h r e i b u n g
des Krieges in seinem Verlauf. Dabei werden, aufs Ganze gesehen, die geschichtlichen Verweise eher als metaphorisches Dekor, zu wortgewaltigen
Vergleichen und effektvollen Parallellisierungen denn als zentrale Aus-
gangspunkte und Hintergründe einer historischen Ursachenforschung benutzt;
so, wenn es heißt: "Und wie zu römischen Zeiten wilde germanische Stämme, /
Unvergleichlich im Grimm, unermeßlich an Zahl, / Grausam und trunken von
Gier aus ihren Urwäldern brachen, / ... / Also brechen die Enkel aus ihren
Fabriken und Höfen / Unwiderstehlich hervor ... " (5). Sichtbarer noch
wird die Tendenz, Geschichte lediglich zur poetischen Bebilderung der Gegenwart heranzuziehen, wenn auf die Hunnen zurückgegriffen wird - "Selbst
Attilas Horden / Schwärmten nimmer so dicht, wüteten nimmer so wild" (6) - ,
die schwerlich den historisch gewachsenen und schließlich verinnerlichten
Kriegswillen der Deutschen zu verantworten haben.

Den Begründungszusammenhang für die Kollektivschuld der Deutschen im Text
e r k e n n b a r   aus ihrer Geschichte hergestellt zu haben, bleibt im
Bereich der Lyrik, soweit ich das übersehen kann, auf diese beiden Texte
beschränkt, deren formale Gemeinsamkeit, bei allen genannten Unterschieden,
nicht zufällig die Länge ist: die historische Erklärung oder auch nur
episch ausschmückende Parallelisierung braucht Platz zum Ausholen.

Die publizistische Prosa hingegen ist reich an solchen "finsteren Bögen",
die in "einer manchmal grandiosen, oft auch nur läppischen Willkür ... von
Luther über Friedrich und Bismarck zu Hitler" gespannt wurden, ausgewählt
aus dem unverbindlichen "Angebot von Musterkollektionen", als das sich Geschichte und Politik seinerzeit darbot.[491]
Für Erik Reger beginnt die Geschichte des deutschen Unheils erst mit den
Preußen: "... daß nämlich der Nationalsozialismus keine isolierte Erscheinung, sondern die Enderscheinung einer nicht erst mit Friedrich dem Zweiten,
sondern schon mit dem Kurfürsten Friedrich Wilhelm begonnenen, über Scharn-
horst, Bismarck, Ludendorff und Kapp so gut wie über Arndt, Jahn, Uhland,
List, Krupp, Stumm und Röchling führenden Entwicklung war, und daß infolge-
dessen die Entfesselung des Krieges durch Hitler, seine idiotische Kriegs-
führung und die Niederlage in dieser infernalischen Gestalt nicht allein
Zwangsläufigkeiten, sondern im höchsten Sinne Akte historischer Notwendigkeit sind."[492] Und über die autoritäre Bewußtseinsstruktur schreibt er
(Lernet-Holenia ganz ähnlich): "Gehorsam, blinder Gehorsam - so tönt es
durch die ganze preußisch-deutsche Geschichte hindurch, hinunter bis zum
letzten erbärmlichen Unteroffizier, der den Kasernenhof mit dem Gebrüll
der machtberauschten Subalternität erfüllt und in der systematischen Ausrottung des Menschgefühls seiner Untergebenen Befriedigung gesucht hat. Gehorsam 1866, Gehorsam 1870, Gehorsam 1914, Gehorsam 1933, Gehorsam
1939."[493]

Auch der Historiker Friedrich Meinecke, dem dies als Bewunderer Bismarcks, dessen "Segnungen (er) reichlich genossen" hatte[494]), nicht leichtgefallen sein kann, zieht eine Verbindung vom "merkwürdig pentranten Militarismus"[495]) unter Friedrich Wilhelm I über Bismarck zu Hitler. Dabei läßt er den deutschen "Machtstaatgedanke(n)" (S. 28) mit Hegel beginnen, von dem aus auch Kurt Hiller einen Weg zu Hitler sieht und Hegel deshalb den "Hauptverbrecher in der Geschichte des deutschen Denkens" nennt[496]).

In der schon zitierten Eröffnungsrede der Mainzer Universität heißt es, die "fernsten Wurzeln" des Hitler-Staates lägen in dem "maßlosen Elend nach dem Dreißigjährigen und späteren Kriegen", die Entwicklung führe in "gerader Linie über Friedrich II., Bismarck und Wilhelm II. zu Hitler."[497])

Wie schon im Falle der Inflation der Schuldbekenntnisse haben Zeitgenossen ein (mehr oder weniger) feines Gespür für den möglichen Mißbrauch solcher geschichtlicher Rückgriffe entwickelt, die, zunächst zur Herleitung anerkannter Schuld unternommen, wiederum zur Entlastung, als Beweismaterial für die eigene Unschuld angeführt werden können.

Hans Carossa, der Grund genug hatte, sich mit der Schuldfrage zu befassen, schreibt in seinem Lebensbericht, jeder dritte Deutsche habe seinerzeit "Gerichtstag" abgehalten, "aber nicht über das eigene Ich, wie es der alte Ibsen wollte, sondern über irgendeinen andern ... Wer aber gar nicht wußte, in welchem Nebenmann er Schuldgefühle wecken sollte, der tadelte irgendeinen Toten und redete so, als hätte er vor Jahrhunderten sibyllinisch am Quell der Geschichte gesessen. Längst vermoderten Kaisern, Königen, Päpsten, Staatsmännern und Philosophen wurden ihre Fehler vorgehalten und gewissenhaft erörtert, wie sie einstmals hätten handeln und denken sollen, um uns die Leiden der Gegenwart zu ersparen."[498])

Zu einem differenzierteren Urteil kommt Erik Reger: "Erklärungen und Entschuldigungen aus der Zeit unserer Vorfahren sind für uns Lebende nicht ebenso viele Rechtfertigungen unserer Handlungen und Unterlassungen, sondern höchstens unserer Existenzbedingungen."[499]) Damit zielt er auf eine wiederum Jasper'sche Unterscheidung ab - sie blieb aus Gründen einer vereinfachenden Darstellung bisher unberücksichtigt - , die das Funktionieren des Mißbrauchs mit den "finsteren Bögen" transparent macht: "Wir unterscheiden Ursache und Schuld ... Die Ursache ist blind und notwendig, die Schuld ist sehend und frei. So pflegen wir es auch mit dem politischen Geschehen zu machen. Der historische Kausalzusammenhang scheint das Volk von der Verantwortung zu entlasten. Daher die Befriedigung, wenn im Unheil die Unausweichlichkeit aus wirksamen Ursachen begreifbar erscheint"[500])- eine Befriedigung, die nach Lernet-Holenia zur fragwürdigen "Tugend" werden kann: "Rühmt / nicht, daß ihr Knechte seid! ... Elend ist / wer eine Tugend macht aus solcher Not."[501])

bb) Eine Krise des Abendlandes: Technik - Masse - Materialismus

Der Rückgriff auf die deutsche Geschichte ist bei einigen der bisher genannten Zeitgenossen nur der e i n e Ansatzpunkt zur Rekonstruktion des Schuld- und Ursachenzusammenhanges, in den die Deutschen verwickelt sind; der andere geht über die 'Borniertheit' nationalgeschichtlicher und -charakterologischer Betrachtungsweise insofern hinaus, als der "neue Kultus

von Kohle und Eisen"[502], die "arbeitsteilige Technik" des industriellen
Zeitalters[503], die "Vergottung der diesseitigen Mächte"[504], vor allem aber
die Maschine und der wie eine Maschine funktionierende Mensch, der einseitig
im technisch-utilitaristischen Geist dressierte "homo faber"[505] als weitere notwendige Voraussetzungen oder doch als fruchtbarer Nährboden für
Faschismus und 2. Weltkrieg genannt werden. Wo die Welt des Verstandes, der
Maschine und der 'bibergleichen' Arbeit nach seinem Dafürhalten zwangsläufig
enden muß, demonstriert F.G. Jünger innerhalb seines Zyklus 'Das Weinberghaus'[506]:

Bibergleich wird alle Arbeit
In Fabriken heut verrichtet.
Oft schon hat der Fluß der Biber
Einen ganzen Wald vernichtet.

Die Maschine, hieß es, sollte
Endlich unserer Muse dienen.
Später sah man, daß die Muse
Fortzog auf den Eisenschienen.

Widerwillig fügt sich manches,
Übt man List und Zwang zusammen.
Plötzlich stand der tieferschrockne
Feuerwerker selbst in Flammen.

Jene Weltmechanik, welche
Schlaue Köpfe nacherrichten,
Endet dort, wo die Titanen
Den Mechaniker vernichten.

Die vorwärtstreibende Kraft - vorwärts zur endgültigen Vernichtung - ist
die menschliche Arbeit, aus ihr, "aus der finsteren Arbeit kommt die Zerstörung".[507] Dabei tritt sie in verschiedenen Gestalten auf: Die Fabrikarbeit wird mit der Arbeit der Biber verglichen, damit nicht nur treffend
die Monotonie dieser verzerrten Form menschlicher Arbeit, sondern zugleich
die mit ihrem Auftreten notwendig mitgesetzte Tendenz zur Zerstörung
herausgestellt. - Die vergegenständlichte Arbeit erscheint in Form der
Maschine, die, selbst Ergebnis menschlicher Arbeit und ursprünglich mit
dem Ziel produziert, den Menschen zu entlasten und ihm Freiräume zur Beschäftigung mit der "Muse" zu verschaffen, die dienende abgestreift und
die Herrscherrolle übernommen hat. In dieser entzieht sie ihm die Muse
vollends - die Eisenschienen zu ihrem Abtransport liegen bereit. - Aber
auch die Kopfarbeit, die "List und Zwang" für ihre Ziele einsetzt, legt
ihren zerstörerischen Charakter frei, indem sie das planende Subjekt (den
erschrockenen Feuerwerker) selbst zerstört. Die letzte Strophe faßt die ver-

schiedenen Gestalten menschlicher Arbeit in ihrer entfremdeten Form der
ihnen immanenten Tendenz zur Vernichtung und Selbstvernichtung zusammen,
sie erscheint im Bild der titanenhaften Weltmechanik als das metaphysische,
dennoch wirkliche, weil wirklich erfahrbare Subjekt schlechthin, demgegen-
über das ursprüngliche Subjekt - der Mechaniker, d.h. der Mensch, der sich
durch Arbeit die Natur anzueignen und zu unterwerfen sucht - zum wehrlosen
Objekt und zur ohnmächtigen Beute dieses 'mechanischen Ungeheuers' verkommt[508].

Die in diesem Gedicht erkennbare Steigerung - von der Fremd- zur Selbstzerstörung, von der vergegenständlichenden zur vergegenständlichten Arbeit,
und, auf der Ebene der Bilder, von den Bibern über den erschrockenen Feuerwerker zu den Titanen - beruht nicht nur auf dem geschickten Einsatz
poetischer Mittel, sondern auf der nachweisbaren historischen Entwicklung
der Arbeit selbst, vom Beginn der Fabrikarbeit an. Insofern ist dieses Gedicht - von der Unfähigkeit, diesen Prozeß als einen aufhebbaren zu denken,
einmal abgesehen - bis zu einem gewissen Grade historisch 'richtig', auch
jedem Leser verständlich, weil leicht identifizierbare Bilder und konven-
tionelle Satzmuster verwendet werden, die sich dem strikt eingehaltenen
Metrum unterordnen, das übrigens den Leser hier nicht, wie es Jünger mit
den Trochäen beabsichtigt, "zu Scherzen, zu Zärtlichkeiten" ermuntert[509],
sondern in seinem 'monotonen Ram-tam'[510] vielmehr als Ausdruck der Monotonie der Arbeit gelten kann. Jedoch ist Zurückhaltung bemerkbar, neben der
Analyse der verschiedenen Arbeitsformen auch jene vorzunehmen, die zwischen
Verantwortlichen und Betroffenen der am wirklichen Arbeitsprozeß Beteiligten unterscheidet. Die Verwendung des Passivs, unpersönlicher und reflexi-
ver Formen erlaubt es, diese Differenzierung zu umgehen, die ohnehin nicht
in der Intention des Autors liegt, da sich seine Kritik nur ganz global
auf eine von Nüchternheit, Verstand, Technik und der "finsteren Arbeit" be-
herrschten Welt bezieht.

Während sich Jüngers 'Strophenverbund' auf die griffige Formel von der
"Perfektion der Technik" als Destruktion des Menschen bringen läßt, bleiben
in Rudolf Hagelstanges Gedicht 'Auf des Messers Schneide'[511] - ein Titel,
der das dualistische Bewußtsein der Nachkriegszeit treffend wiedergibt -
die bewegenden Kräfte eines ebenfalls befürchteten Unterganges wesentlich
unbestimmter:

Die im Vorgefühl des Falles
ihrer Künste Form zerbrochen,
haben schon des Erdenballes
Sprengung mystisch vorgesprochen.

Ist es Warnung? Ist es Zeichen?
Dionysischen Verstandes
Totentanz in allen Reichen
des verirrten Abendlandes?

...
Auf des Messers nackter Schneide
schläft der Derwisch. Unseres Amtes
ist es, feuriger im Leide
tilgen Dunkles und Verdammtes,

ist es, neues Maß gewinnen
und dem Irrtum abzusagen.

Wenn in einem zeitgenössischen Gedicht vom "Totentanz ... des verirrten
Abendlandes" die Rede ist, wird man annehmen dürfen, daß damit vor allem
der 2. Weltkrieg gemeint ist[512]. Gleichwohl ist dieser nur ein
Z e i c h e n bzw. e i n Zeichen des abendländischen Irrtums und
nicht dieser selbst, der tiefer zu liegen scheint und weder erst mit dem
2. Weltkrieg begonnen noch mit ihm endgültig abgeschlossen wurde. "Auf des
Messers Schneide" ist es, ob die "nächste Wehe" aus dem "Schoß der Erde"
eine weitere, dann aber letzte 'Fehlgeburt', d.h. den endgültigen Abstieg
"zu den Toten", oder aber die 'Erweckung' zu neuem Leben bringt[513]. Dieses kann sich nur durchsetzen, wenn es gelingt, dem abendländischen "Irrtum abzusagen" - was die Kenntnis dieses Irrtums voraussetzt. Gerade in
diesem wichtigen Punkt aber geht das Gedicht über vage Andeutungen nicht
hinaus; assoziationsfähige Ansatzpunkte, die eine historisierende Interpretation erlauben, scheinen mit dem in der ersten Strophe erkennbaren
Hinweis auf die Expressionisten und mit der Forderung nach einem 'neuen
Maß' gegeben. Auch die Expressionisten richteten sich u.a. gegen die
gleichmacherischen, das Individuum zerstörerischen Kräfte des Molochs der
modernen Industriegesellschaft, und die Forderung nach einem neuen Maß ist
eine Reaktion auf die Maßlosigkeit, besser, die Diskontinuität, d.h. die
innere und äußere Zusammenhanglosigkeit des durch die technischen Errungenschaften produzierten Massenmenschen, wie ihn abschreckend vor allem Max
Picard in dem Buch mit dem bezeichnenden Titel 'Hitler in uns selbst'[514]
beschrieben und ihn, ob Deutscher, Europäer, Amerikaner - im Prinzip dem
"Nazi" gleichgestellt hat[515].

Daß Hagelstange mit den Verirrungen des Abendlandes Charakter und Verhalten
eben dieses haltlosen "Massentyp(s)" meinte, "der sich von jedem lauten
Schreier mitreißen ließ und aus der düsteren Dämonie der Massenseele zu den
grauenhaftesten Ausschreitungen fähig wurde"[516], kommt deutlich in dem
schon zitierten Zyklus 'Venezianisches Credo'[517] zum Ausdruck, das einzig
den Zusammenhang von "Maß" und "Irrtum" zum Thema hat.

"Maß setzt der Geist allein", "Ihm sollt Ihr dienen" (18), denn "Er ist
das Ende. Er ist die Vollendung. / Ihm haben sich die Edelsten verschrie-
ben (20) - "die Edelsten", nicht "Ihr", denn "Ihr habt Euch selbst verlassen" (12), "Eure Züge / Sind fahl von Heuchelei und Lüge" (15); "taub
vom Dröhnen der Maschinen", wart Ihr unfähig, die "Sprache" des Geistes
zu verstehen (24):

Wie war es möglich, seiner nicht zu achten,
nur weil er lautlos lebt? Ist Euer Fühlen
vom Groben taub geworden und vom Schwülen
vergiftet? Ist der Sinne einziges Trachten
nur Rausch und Wollust, Übermaß und Sätte? (21)

Deswegen, weil "Ihr" solch materialistischem Denken, dem Wechselvollen des
äußeren Lebens verfallen seid, "seid (Ihr) schuldig" (11):

Ihr habt verwirkt, einander Recht zu sprechen.
Ihr ludet schreckliches Verbrechen
auf Euch. Ihr habt den Quell getrübt. (15)

Er war trübe spätestens nach dem ersten Weltkrieg, denn der zweite hat die
Existenz "unvorstellbarer Abgründe im Seelenleben abendländischer 'Kultur-
menschen'" nur bestätigt[518]. Diese "Abgründe" sind identisch mit bzw.
Folge der in der technisch-ökonomischen Struktur der modernen Zivilisation
und den Existenzbedingungen des technisch-industriellen Arbeitsprozesses
angelegten Auflösung der "Einheit der Person"[519]. Es erstaunt daher nicht,
daß es gerade die älteren, auf die Prinzipien des klassischen Humanismus
eingeschworenen Lyriker sind, die diesem "Verlust der Mitte"[520] entgegen-
zuarbeiten versuchen, indem sie eben "jene Mitte / und jenes Maß der Kraft,
die in sich ruht / wie ein Gewicht", gegen die "ungebändigte und eitle
Kraft", die als Maß der seelenlosen "Menge" fungiert, behaupten[521]. Unter
diesem Gesichtspunkt kann die schon in anderem Zusammenhang[522] festge-
stellte Absetzung des Dichters von der Masse eine zusätzliche, politische
Bedeutung erhalten: nicht weil die Masse dem Niederen verpflichtet ist,
das dem dichterischen Drang nach Höherem im Wege stehe, sondern weil sie,

da ohne inneren Halt und dem "Markt" verfallen[523], letztendlich die Katastrophe des Krieges zu verantworten habe, hebt er sich von ihr ab, um
sich so der Möglichkeit zu versichern, sich notfalls aus dem Schuldzusammenhang, obschon er ihn, wie Hagelstange, zu einem abendländischen Phänomen
gerade ausgeweitet hat, herauszunehmen. (Die Kommunikationsstruktur des
'Venezianischen Credo' scheint auf diese Möglichkeit eines 'solidarischen
Sich-Absetzens' hin konzipiert: Wo von Verbrechen, Schuld, Lüge und anderem
negativen Verhalten die Rede ist, verwendet der Autor anklägerisch oder
belehrend das "Ihr"; seltener und an weniger brisanten Stellen - etwa bei
einem wehmütigen Rückblick auf die Unschuld des Knabenalters (S. 12 f.) -
in der Regel das "Wir".)

Wenn nun schon Nationalsozialismus und Weltkrieg als Ausdruck und Folge
abendländischer Verirrungen begriffen werden, die in Deutschland lediglich
zum Ausbruch kamen, dann ist es nur konsequent, die anderen Völker ebenfalls
an ihren Schuldanteil zu gemahnen, wie dies Werner Bergengruen in seinem
Aufruf 'An die Völker der Erde'[524] mit Nachdruck unternimmt:

... Völker der Welt, die der Ordnung des Schöpfers entglitt,
Völker der Welt, wir litten für euch und eure Verschuldungen mit!
Litten, behaust auf Europas uralter Schicksalsbühne,
litten stellvertretend für alle vom Leiden der Sühne.
Völker der Welt, der Abfall war allen gemein;
Gott hatte jedem gesetzt, des Bruders Hüter zu sein.
Völker der Welt, die mit uns dem nämlichen Urgrund entstammen:
Zwei Jahrtausende stürzten vor euren Grenzen zusammen.
Alles Schrecknis geschah vor euren Ohren und Blicken,
und nur ein Kleines war es, den frühen Brand zu ersticken.
Neugierig wittert ihr den erregenden Atem des Brandes.
Aber das Brennende war das Herzschild des Abendlandes!
Sicher meintet ihr euch hinter Meeren und schirmendem Walle
und vergaßt das Geheimnis: was einen trifft, das trifft alle ...
Völker der Welt, der Ruf des Gerichts gilt uns allen.

Die politische Kritik an dem Verhalten der späteren Siegermächte, denen es
nach Meinung des Autors ein "Kleines" gewesen wäre, "den frühen Brand zu
ersticken", ist unüberhörbar. Sie hätten, das ist auch Jaspers' Meinung,
die Macht gehabt, das Unglück zu verhindern. "Die Nichtbenutzung dieser
Macht ist eine politische Schuld dessen, der sie besitzt."[525] Andererseits
folgt aus der Tatsache, daß der 2. Weltkrieg in seinen Ursachen nicht nur
als eine deutsche, sondern als eine abendländische 'Angelegenheit' begriffen wird, zwar nicht unbedingt eine Minderung der eigenen Schuld, aber
"es befreit aus der absoluten Isolierung. Es wird lehrreich für die anderen.
Es geht jeden an."[526] Es geht nach Bergengruen deshalb jeden an, weil wir

alle aus dem "nämlichen Urgrund entstammen" und weil "Gott jedem gesetzt
(hatte), des Bruders Hüter zu sein."

Damit erfährt das "Wir" in dem Bekenntnis "Wir alle haben Schuld" seine
größtmögliche Ausweitung: nicht nur die deutschen und die abendländischen,
sondern - das hat auch Hagelstange mit dem Hinweis auf "des Erdenballes /
Sprengung" angedeutet[527] - a l l e Menschen betrifft nun die Kollektivschuldthese, eine Ausweitung, die möglich wird auf der Basis theologisch-
metaphysischer und 'biologistischer' Interpretationen, die im folgenden
Abschnitt vorgestellt werden.

bc) Theologisch-metaphysische und naturhafte Gesetze

Der Hang, Nationalsozialismus, Hitler, Weltkrieg als außermenschliche und
-weltliche Einbrüche zu deuten, denen man wehrlos ausgeliefert (gewesen)
sei, ist in der Lyrik besonders stark ausgeprägt. Da sah man sich "von
Erinnyen eingeschüchtert"[528], im Getümmel von streitenden 'Engeln',
"Drachen" und 'Teufeln'[529]; "Die Sintflut kam"[530], oder war die "Hölle
hinter euch"[531], habt ihr "in stufen alle grade / des fegefeuers" durch-
lebt[532]? "Dämonenvortrupp rüttelt an den Toren"[533] - mit Erfolg, denn
"nicht ein grab, nicht eine wiege, / die der dämon nicht umstellt"[534].
Kein Raum mehr für freie Entscheidungen der Menschen, die, ohnehin "vom
wahn des ichs befallen"[535], sich in den Fängen eines 'unbegreiflichen
Geschicks' wähnten.[536] Begreiflich wird das 'verhängte Leid'[537] allerdings für den, der im wüsten Treiben der Welt Gott, den "Zeiten-Gott"[538]
walten sieht. Wer fest an ihn glaubt, verfügt über die beneidenswerte
Fähigkeit, sich eine beruhigende Erklärung für das Geschehene zurecht-
legen zu können:

Erfüllt ist jede Zeit und
abgemessen sind die
Taten und Wünsche, daß
das Schwache schwach und
stark das Starke sei.
Gerecht und furchtbar ist die
Wahrheit ...
Darum gab er auch
den Liebenden den Haß,
den Brüdern aber
das Schwert, daß sie sich töten.[539]

Damit ist die faschistische Ideologie vom Recht des Stärkeren göttlich abgesegnet, ja, Reinhold Schneider, der mit der christlichen Botschaft mutig
wider den Nationalsozialismus angetreten ist, begnügt sich nicht damit, von
ihr her Krieg und Faschismus zu deuten: im Glauben, das Volk werde, aufge-
rüttelt durch das "Schrecknis dieser Tage", endlich die "Heimkehr zu
Gott"[540] antreten, versteigt er sich zu den Versen:

Gepriesen sei das Schrecknis dieser Tage!
Lob sei dir, Schmach, gesegnet seist du, Gram!
...
Schilt die Tribunen nicht, ihr Amt ist echt,
Und übten sie's mit hundertfachen Lügen
Und mit vertausendfachtem Blutvergehn.
Sie haben ihre Schickung und ihr Recht ...[541]

Diese Beispiele mögen genügen, um den Anteil der Lyrik an der Enthistorisierung der Genese von Faschismus und Krieg zu verdeutlichen - eine Form
der Auseinandersetzung, wie sie indes nicht nur in der Lyrik mit Vorliebe
betrieben wurde. Kaum ein Buch, ein Aufsatz, ein Vortrag o.ä., wo nicht,
sofern thematisch das Woher und Warum der letzten Jahre anstand, von Dämonen und vom Schicksal, vom Bösen[542] und von Teufeln die Rede war:
"... die Teufel haben auf uns eingehauen und haben uns mitgerissen, daß
uns Hören und Sehen verging", so hat Jaspers 1945 in seiner Eröffnungsrede
der Universität die Heidelberger Studenten belehrt[543]. Erik Reger vermochte in dem "Fegefeuer"[544] gar zwischen Teufeln[545] und "unmittelbaren"
Teufeln unterscheiden, die er für die "letztlich Verantwortlichen"
hielt[546], während Kogon 'Titanen' am Werk sah, deren 'Kampf'[547] er ein-
reiht in die "Geschichte der Totentänze ausgehender Epochen"[548].

Eine der m.E. aufschlußreichsten diesbezüglichen Diskussionen wurde in den
ersten Heften der Zeitschrift 'Die Gegenwart' geführt. In einem Aufsatz
mit dem Titel 'Dämonie' wendet sich Fritz Schlotthöfer[549] gegen die Auffassung eines gewissen Prof. Jung (vermutlich der Schweizer Psychologe
C.G. Jung), der die Geschichte der NS-Herrschaft mit "Druck der Dämonen"
abgetan habe, der sich der Menschen bemächtigt und sie zu "geisteskranken
Übermenschen" aufgebläht habe. Schlotthöfers Plädoyer, die "wirklichen
Grundlagen" und die "psychologischen und politischen Entwicklungen und Mo-
tivierungen" zu erforschen, die nun nach und nach an die Oberfläche kämen,
hält Max Meister entgegen[550]: "Wer seinem Einfluß Feind ist, glaube nicht,
den Dämon mit solchen Mitteln bannen zu können." Mit Hitler habe sich eine
"anonyme Kraft" menschlicher Form bedient, "um eine Zeit aus den Angeln
zu heben"; es handle sich um einen Einbruch des Dämonischen, der als solcher
weder zufällig noch vermeidbar gewesen sei. Selbst die Art seines Todes
bestätige, daß Hitler ein "zum Werkzeug des Verhängnisses" Verdammter gewesen sei: während Mussolini immerhin die "Ehre einer Hinrichtung" zuteil geworden sei, "(warf) diesen um so Vieles Bedeutsameren (aber) das Schicksal,

nachdem es ihn verbraucht hatte, mit einer Gebärde der Verachtung weg wie
ein zerbrochenes Instrument". Die Reaktion der Leserschaft auf diesen Aufsatz veranlaßte Benno Reifenberg zu einer weiteren Stellungnahme, die aus
dem "unglückseligen Dickicht" heraushelfen sollte[551]). Er zitiert darin
aus einem Leserbrief, der den Tenor der anderen wiedergebe: "'Schon der
hohe, fast pathetische Ton ist dem trübseligen Thema nicht angemessen.
Und erst der Inhalt! Hitler als dämonische Figur, als Schicksalsgestalt,
als Skorpion im Feuerring! Er wird nicht gerade verherrlicht; aber er wird
mythisiert, so, wie er es 12 Jahre lang wurde ... Gegenüber einer solchen
Figur verblaßt natürlich die Frage nach der Schuld seiner Anhänger, denn in
Deutschland zum mindesten gilt alles Mythische als unwiderstehlich ... Der
Artikel nährt den infantilen Glauben an das Wunder, das rationale Erwä-
gungen überflüssig macht. Wenn Hitler schon kein Gott war, so doch
wenigstens ein Dämon. Man wird schließen: wenn Schicksalsdämonen möglich
sind, warum nicht auch mythische Erlösergestalten auf dem Gebiete der Politik? Womit wir wieder auf dem geistigen Stand von 1933 angelangt wären,
und alles kann von vorne losgehen. Die 'Gegenwart' genießt und verdient
die höchste Achtung. Wie war ein solcher Artikel möglich? ...'" Er war
deshalb möglich, weil er die Auffassung auch der Redaktion wiedergegeben
hat. Das Dämonische sei nun einmal "die Realität des Bösen in der menschlichen Seele", die es so lange geben werde, solange der Mensch zum Guten
u n d zum Bösen fähig sei. An das Dämonische daher zu erinnern, von dem
Schrecken zu zeugen, den es verbreite - dies sei Inhalt und Absicht von
Meisters Artikel gewesen - , habe mit Mythisierung, deren Wesen u.a. die
"Entstellung des Wahren" sei, überhaupt nichts zu tun.

Der Theologe Helmut Thielicke hat 1946 einen Aufsatz mit dem Titel 'Über
die Wirklichkeit des Dämonischen' veröffentlicht[552]), in dem er das Dämonische zu den "tragenden Faktoren in der Geschichte" zählt. Er zieht
daraus den Schluß: " W e r   G e s c h i c h t e   v e r s t e h e n
w i l l ,   m u ß   d i e   K a t e g o r i e   d e s   D ä m o n i s c h e n
b e s i t z e n "; besitzen, sie nicht nur, als abstrakte, erkenntnis-
theoretisch handhaben können. Das wiederum bedeutet: nicht nur "'draußen'
regiert das große Babylon ... Nein: alles das finden wir in uns selber
vor; die vitalen Götter des Blutes - um nur diese zu nenen - unterhalten
auch in   u n s   ihre Herdfeuer"[553]) - seit langem schon, denn "So wird
man geboren / Und hat schon unterschrieben."[554]) Hier wird die christliche Lehre zu einem beklemmenden Fatalismus ausgedeutet, denn wem die
Dämonen schon im   B l u t   sitzen, ist in der Tat wehrlos, kann nicht
einmal mehr mit einer gütigen Laune des Schicksals rechnen. Von hier aus
ist es nicht mehr weit zu jener schwülen Theologie des Blutes, die in der
Lyrik vor allem H.E. Holthusen vertritt.

In der 'Trilogie des Krieges' vergleicht Holthusen das Geschehen, das zum
Krieg führte, der Situation eines Mannes und einer Frau, die an Ehebruch
denken, zunächst zögern, das Verbotene in einer ungestümen Lust schließlich

doch tun, weil sie es - so will es ihr Blut - tun müssen, denn

> ... ach, sie vermögen es nicht mehr,
> Sich den äußersten Graden des Lebens zu weigern, und plötzlich
> Sind sie, gierig nach Lust, aneinander geraten, begeistert
> und der barbarischen Ordnung des Blutes verfallen ...[555]

Die Gültigkeit dieses Vergleichs wird durch ein anderes Gedicht bestätigt[556], in dem ein Mann, "Rauch und Blut im Gesicht", einem Mädchen das entscheidende Datum des Jahres 1939 erklärt:

> Denk an den Abend, August Neununddreißig, als einer dir sagte:
> 'Nichts mehr. Kein Tropfen Benzin in der Stadt!' - und lautlos
> Trat uns der Krieg ins Blut, den Männern und Frauen,
> Heiß, eine Flutwelle tödlichen Lebens. Bald fielen die ersten
> Schüsse.

Aber diese Schüsse sind nichts Außergewöhnliches, sondern lediglich Ausdruck eines "ewigen Aufruhr(s)" zwischen den Menschen:

> Solange wir leben,
> Immer ist Brandung und Klippe und Gischt und Wirbel und Sog der
> Geschlechter:
> Einer bricht sich am andern, und wieder erhebt sich Verlangen,
> Bäumt sich und bricht ...

Mit anderen Worten: Kriege entstehen und vergehen nach verborgenen Gesetzen der Natur, die als nicht steuerbare Triebe und Bewegungen des Blutes den Menschen und damit die Menschheitsgeschichte im Griff haben. - "Mein Blut, das dunkel umläuft in der Nacht"[557] - es ist das wahre Subjekt der Geschichte; in den "verborgenen Untergrundbahnen des Blutes[558] fallen die Entscheidungen über Krieg und Frieden, über die Menschen überhaupt. Ü b e r sie, denn sie selbst sind solcher Entscheidungen nicht fähig, reicht es doch nur für "Fünf Liter Blut für jeden und wenig Bewußtsein"[559]_ was aber auszureichen scheint für die -"Liebe und Schuld" verzehrende - "allmächtige / Blutsäuferin Zeit"[560], um im "Blutsturz" der Geschichte[561] düster ihr Unwesen treiben zu können. - Wenn irgendwo in der Lyrik Nachklänge zum braunen Bombast der Blut-und-Boden-Lyrik zu hören sind, dann hier; Aufklärung über Gründe und Verantwortliche des Krieges und der nationalsozialistischen Verbrechen ist von einem, der selber in magischer Faszination dem Geraune dunklen Blutes verfallen zu sein scheint, kaum zu erwarten.[562]

Das dunkle Blut wird auch von anderen Lyrikern, mehr oder weniger explizit, aber längst nicht in dem Maße wie bei Holthusen, als Erklärungshintergrund für die These von einer universalen Kollektivschuld angegeben: "Denn dunkel ist die Stimme unseres Blutes", heißt es einmal bei Hagelstange[563]), und "In allen Adern dieser Erde steigt / Dasselbe Blut die tief verborgne Bahn" bei Reinhold Schneider[564]). Auch Krolows 'Männer' sind durch Blutschande verbunden, genauer, durch die kriegslüsterne "alte Hyäne, die dunkel durchs Blut kommt gestiegen / Mit gierigen Lefzen, die lautlos im Totenwind flie- gen".[565]) – Der Rekurs auf die Aktivitäten des Blutes ist im Prinzip ver- gleichbar dem seinerzeit verbreiteten Erklärungsansatz, Faschismus und Krieg als Ausbruch einer (nicht nur) deutschen Krankheit anzusehen. Döblin spricht von einer "Massenerkrankung" und von einer "Infektion"[566]), Frank Thiess von einer "Krankheit unseres Volkes", die durch "chirurgische Ein- griffe" geheilt werden könne[567]). "Der ganze Körper ist verseucht, aber die Krankheit zeigt sich in   e i n e m   Organ" – so verdeutlicht Picard ihre Verteilung auf die Welt im allgemeinen und auf Deutschland im beson- deren[568]), und nach Reger war der "deutsche Volkskörper" schon vor dem Nationalsozialismus "durch und durch mit diesen Krankheitskeimen infi- ziert"[569]), ein "Baum(e) mit Wurzelfäulnis"[570]).

In all diesen Versuchen, Ursachen und Verantwortlichkeiten für Faschismus und Krieg nachzugehen, kommt aber nun ein Problem zum Vorschein, das zwar in jeder (nicht nur lyrischen oder literarischen) sprachlichen Äußerung latent vorhanden ist, dem aber in den (lyrischen) Beispielen dieses Ka- pitels besondere Bedeutung zukommt: die Metapher[571]) meint ja nicht, was sie sagt, sondern sie steht für etwas, das der Leser durch Analogie-Schluß, Vergleichen, In-Beziehung-Setzen herausfinden soll. Kaum ein Leser, der den Vers "Die Sintflut kam. Nun wird es Zeit zur Tat" liest, wird annehmen, daß hier von der 'historischen Sintflut' die Rede ist, sondern an ein Ge- schehen mit ungeheurem Ausmaß an Zerstörung und katastrophalen Folgen für die Menschheit denken – bei einem Gedicht aus den Nachkriegsjahren fraglos an den 2. Weltkrieg (dies gilt ebenso für "Hölle", "Gewitter" usw.). – Warum 'Sintflut' und nicht 'Krieg', wenn dieser doch gemeint ist? – Sehr oft, so hier, steigert die Metapher die Anschaulichkeit[572]); die gemeinte Realität, der Krieg, kann durch die metaphorische Umschreibung 'Sintflut' im Leser deshalb eine reichhaltigere Vorstellung evozieren als 'Krieg', weil damit zugleich einige Spezifika dieses Krieges mitgenannt sind: das Ausmaß, der Grad der Zerstörung, das ungeheure Leid, das Von-vorn-Anfangen- müssen usw. Auf dieser, der Ebene der   B e s c h r e i b u n g   dessen, was geschehen ist, kann die indirekte Benennung 'Sintflut' somit einen höheren Informations- und Wahrheitwert haben als die direkte 'Krieg'. Problematisch hingegen ist es, die ebenfalls in 'Sintflut' enthaltene Ant- wort auf die Frage nach der   G e n e s e   des Krieges zu übernehmen: ein Entschluß Gottes, die Menschheit ihrer Sündhaftigkeit wegen grausam zu be-

strafen. Weil für das Verständnis einer solchen bildhaften Wendung jeweils
b e i d e , die Realitäts- und die Übertragungsebene, konstitutiv sind[573],
wird diese Antwort auch dem suggeriert, der sich weigert, ein geschichtliches Phänomen theologisch-metaphysisch zu begründen und dessen wahren
Hintergrund zu verdecken. Veranschaulichung u n d Verschleierung durch
die Metapher also? Ist dies ihre Zwieschlächtigkeit prinzipieller Natur?
Halten sich beide Funktionen die Waage, oder hat Nietzsche recht, wenn er
sagt, "Die Dichter lügen zuviel"[574]?

Stephan Hermlin hat in einer Rede auf dem Deutschen Schriftstellerkongreß
in Berlin (1947) die zeitgenössische Lyrik analysiert und dabei zu diesem
Fragenkomplex - der in dieser Allgemeinheit kaum ergiebig diskutierbar,
d.h. somit auf die (hier genannten Beispiele aus der) Lyrik der Nachkriegs-
jahr zu beziehen ist - indirekt Stellung genommen[575]:

"Was den geistigen Gehalt angeht, scheut man das Direkte, das Konkrete,
m a n   f l ü c h t e t   i n   d i e   M e t a p h y s i k   u n d
n e n n t   d i e   T o t s c h l ä g e r   a m   l i e b s t e n   D ä -
m o n e n . Aus Widerwillen vor dem Marschieren stelzt man. Es ist an der
Zeit, gehen zu lernen".

(hervorgeh. v. G.Z.). Der tiefere Grund für diese auffällige lyrische

Gangart:

"Der Versuch so vieler junger Schriftsteller in Deutschland, unserer Zeit
und ihrem Erleben mit lyrischen Mitteln Ausdruck zu verleihen, ist bisher
meist gescheitert, mußte scheitern, weil die wichtigsten Phänomene dieser
Zeit, die Auseinandersetzung mit dem Faschismus etwa, nicht einmal rational
bewältigt worden war, und weil man darauf verzichtete, einen Weg zu be-
schreiten, an dessen Ende erst das adäquate poetische Produkt steht."

Und noch deutlicher:

"Das Unvermögen, die jüngste Vergangenheit und die Gegenwart dichterisch
zu gestalten, hat wahrscheinlich viel mit der Tatsache zu tun, daß der
Faschismus und sein Krieg bei uns fast durchweg erduldet, ja geduldet,
aber nicht bekämpft wurde."

Die metaphorischen Wendungen - Dämonen und Erinnyen, Drachen und Teufel -
stehen also nicht im Dienste aufklärerischer Veranschaulichung, sondern
im Dienste der Verschleierung und der Unwahrheit, weil die wirklichen
Totschläger ungenannt bleiben. Nicht das vorgängig metaphorische Wesen der
Sprache, sondern das, gesamtgesellschaftlich gesehen, zwielichtige, hilf-
lose, ungeklärte Verhältnis zum Faschismus hat demnach den Dichter zum
'Stelzen', zum "Lügen" gezwungen, das aufrechte, auf r i c h t i g e
Gehen verhindert und die Poesie so in die Gefahr gebracht, zum Ersatz an-
statt zum Medium von Kritik zu werden.

Dennoch wäre diese historische Erklärung eines sprachlichen Phänomens un-
vollständig, würde man nicht auch die gegenläufige Bewegung berücksichtigen:
daß nämlich das in der allgemeinen Sprachpraxis der Nachkriegsjahre vorhandene sprachliche Angebot zur metaphysisch-metaphorischen Umschreibung des
Woher und Warum geradezu eingeladen hat. Die Neigung zum bildhaft-poetischen
Ausdruck ist nämlich nicht nur da vorzufinden, wo es darum gegangen wäre,
Hintergründe und Verantwortliche für das Geschehene konkret zu benennen,
sondern ist - in Reden, Aufsätzen, Notizen, Vorworten, in der Lyrik ohnehin - ein auffälliges Strukturmerkmal der Nachkriegssprache überhaupt.

Ernst Wiechert nennt seinen autobiographischen Bericht über das Konzentrationslager Buchenwald eine Einleitung zu einer später einmal noch zu
schreibenden "großen Symphonie des Todes"[576]; die Herausgeber der Zeitschrift 'Die Gegenwart' charakterisieren ihre 'Blätter' als "Flaschenpost,
einem Meer anvertraut, als welches Deutschland schwer, dunkel und fast
unbewegt in der Mitte Europas ausgebreitet" liege und in dem "ungezählte
Landsleute irgendwo in den gebrechlichen Fahrzeugen der Not" einen Weg
suchten; um eine vergleichbare Anschaulichkeit hat sich H.W. Richter bemüht, wenn er die "Staatsschiffe der Gegenwart" mit den "Kauffahrteifahrern des 16. Jahrhunderts" vergleicht[577]; die bildgewaltigsten Sätze,
die ich gefunden habe, stammen aus einer Rede, die Günter Weisenborn vor
ehemaligen Häftlingen des KZ's Sachsenhausen 1946 gehalten hat: "Jener
Hitler brauchte damals nur die Orgel der unbefriedigten leerlaufenden Emo-
tionen in der Brust des deutschen Volkes zu spielen, um nach dem Präludium
der triumphalen Machtergreifung alle Gefühle in der Engführung zu sammeln
zu einem barbarischen wilden Katarakt der Raserei gegen Sozialismus und
Demokratie. Der Vulkanausbruch der jahrhundertelang unterdrückten ger-
manischen Wut ist vorüber, wir Überlebenden entsteigen dem totalen Chaos,
nachdem die Sintflut aus Blut sich verläuft und den rattendurchhuschten
Denunziantenschlamm der Katastrophe freigibt."[578]

So richtig es auch ist, die - nicht nur in der Lyrik praktizierte - Scheu
vor dem Konkreten, oder umgekehrt: die Vorliebe für Dämonen, Schicksal und
dunkles Blut als Kaschierung der wahren "Totschläger" zu werten, so falsch
wäre es, daraus zu schließen, die Metaphorik der Nachkriegslyrik insgesamt
betreibe das Geschäft der Verschleierung; sie könne zwar durchaus einen
plastischen Eindruck der Oberfläche vermitteln, sei aber prinzipiell unfähig, sich auch an der Aufklärung der Hintergründe und Bloßstellung der
Verantwortlichen zu beteiligen. Zwar belegen zu viele Beispiele die vor-
herrschende Tendenz, die "metaphorische ..., 'Entstellung', der Realität
nicht mehr auf die 'Erklärung'" zurückzulenken[579], sondern sie entweder
(bewußt oder unbewußt) als Medium der Lüge zu benutzen oder aber als
"Selbstzweck"[580] zu pflegen. Dennoch oder gerade deswegen verdienen die
Beispiele Beachtung, in denen die metaphorische Entstellung tatsächlich der

Erklärung zu dienen, d.h. näher an jene Realität heranzuführen vermag, die durch die Frage, "Wie kam das, durch wen und durch was" abgesteckt ist.

'Näher an die Realität' - Leitspruch auch für Inhalt und Fortgang des folgenden Kapitels - heißt also, nach all jenen lyrischen Erklärungsversuchen
zu fragen, die von den verschiedenen Versionen des (immer auch entlasten-
den) "Wir alle haben schuld" - der von der Geschichte jahrhundertelang
'vorbereitete' Deutsche, der abendländische Mensch ohne "Mitte", der von
bösen Mächten und Trieben gejagte und geplagte Mensch an sich - abrücken;
sie können, so meine ich, den "alte(n) Mann vom Huronensee" auf seiner
Suche nach "Spuren von Blut" und "von Schrei" ein entscheidendes Stück
voranbringen[581].

2. Differenzierungen:
   "die Älteren", "die Väter", "Guderian und Genossen" ...

Hermlin wirft den Lyrikern vor, sie nennten die Totschläger am liebsten
Dämonen. Wer aber sind die Totschläger? - Totschläger sind Menschen, die
andere Menschen totschlagen. Und doch dürften von den vielen, die während
des Krieges andere 'totgeschlagen' haben, die wenigsten zu denen zu zählen
sein, die Hermlin im Sinn hat. So wird eine Metapher durch eine andere ersetzt - ohne daß deshalb aber ein inhaltsleeres Spiel mit Worten daraus
würde, denn der Assoziationshintergrund bei 'Dämonen' ist mythischer, bei
'Totschläger' geschichtlicher Natur. Im letzteren Fall wird der Leser eher
angehalten, die Schuldigen in bestimmten Gruppen geschichtlich handelnder
Menschen zu suchen, während in einer dämonisierenden und mythisierenden
Sicht des Geschehens jeder Ansatz einer spezifischen Schuldzuteilung in
Erkenntnis einer (im Jasperschen Sinne) metaphysisch verstandenen Kollektivschuld (die Schuld des Menschen an sich) wieder zurückgenommen werden
kann. Obwohl also Hermlin, bildlich gesprochen, die Verantwortung dem Himmel entzogen und an die Erde delegiert hat, bleibt dem Leser auf der Suche
nach den wahren Totschlägern noch so viel an Auslegungsspielraum, daß er
sich alleine gelassen sieht in der Frage, ob überhaupt und in welchem
seiner Interpretationsakte sich ihm denn nun das "Konkrete" enthüllt. Die
Tatsache, daß (der Zeitgenosse) Hermlin, trotz seines um Differenzierung
und Entschleierung bemühten Blicks, sich selber, indem er sie kritisiert,

an eben der Praxis der 'Scheu vor dem Konkreten' beteiligt, mag ein Hinweis darauf sein, wie schwer offensichtlich das Anvisierte einzuholen war; daß es nicht einfach, als unmittelbar Vorahndenes, Fertiges, wiedergegeben werden konnte, sondern immer auch erst 'hergestellt' werden mußte.

Die abstrakteste Form dieser gesuchten Annäherung an das "Konkrete" kommt in jenen Gedichten zum Vorschein, die das Thema der Schuld in einer erkennbaren Sprechsituation so angehen, daß sich ein nicht oder nur vage umschriebenes 'Ich' oder 'Wir' von einem ebensolchen 'Du' oder 'Ihr' absetzt und somit eine erste Differenzierung nach Schuldigen und Nicht- oder doch weniger Schuldigen vorgenommen wird.[582] Eine Sonderform dieses Typs stammt von Erich Kästner:

Wir haben euch gezwungen und verlockt?
Stellt eure Unschuld bloß nicht untern Scheffel!
Wir haben euch die Suppe eingebrockt, -
und ihr habt nicht mal einen Löffel![583]

Dieses Gedicht behält zwar die genannte äußere Form bei, benutzt sie aber auch, um die damit geübte Praxis der Differenzierung zu kritisieren: die schuldig gesprochenen "Widersacher" nehmen die Anklagen auf und präsentieren sie, scheinbar zustimmend, den Anklägern in einer derartigen Überzeichnung wieder, daß sie deren Anschuldigungen als Tarnung eigener Schuld bloßlegen. Der Leser, der ohnehin Schwierigkeiten hat, die Kontrahenten zu bestimmen, wird dadurch, daß diese sich die Schuld gegenseitig zuspielen, auf seiner Suche nach der Wahrheit zusätzlich behindert.

Nicht so in dem Gedicht 'Die Jugend hat das Wort'[584], wo die Jüngeren sich an die Älteren wenden und zunächst mißtrauisch deren Sinneswandel verfolgen:

Vor einem Jahr schriet ihr noch "Heil!"
Man staunt, wenn ihr jetzt "Freiheit" predigt
wie kurz vorher das Gegenteil.

Wenn sich die Erwachsenen dann auch noch "beschweren", daß sie mit ihren "guten Lehren" bei den Jüngeren "nichts Recht's" erreichen, reagieren diese mit einem schärferen Ton:

Wir wuchsen auf in eurem Zwinger.
Wir wurden groß mit eurem Kult.
Ihr sei dieÄlt'ren. Wir sind jünger.
Wer älter ist, hat länger schuld.

'Längere', nicht alle Schuld wird den Erwachsenen also angelastet - ein
versöhnliches Moment, das auch in den Schlußversen ("Es heißt: Das Alter
soll man ehren ... / Das ist mitunter, das ist mitunter, : das ist mitunter
furchtbar schwer") bei aller darin enthaltenen Skepsis aufscheint und das
nicht verwundert bei einem Mann, der, dabei seine Erfahrungen als Jugend-
licher aus dem Ersten Weltkrieg und Nachkrieg verwertend, alles "Menschen-
mögliche" versucht hat, um seine wichtigste pädagogisch-politische Aufgabe,
den Abbau der "Chinesischen Mauer" zwischen den Generationen, zu erfüllen[585]. Außerdem war Kästner 1945 bereits 46 Jahre alt, gehörte also
selber zu der beschuldigten Generation, für die er, um moralisch überleben
zu können, auch bei der Jugend um Verständnis werben mußte.

Von einer ähnlichen Rücksichtnahme ist bei den jungen Autoren, die, er-
zähltechnisch gesehen, zur direkten Anklage der Älteren keine Rollenge-
dichte schreiben mußten, kaum etwas zu spüren, vor allem nicht bei
Schnurre, der die Attacken am heftigsten führt. Dabei hat er es, wenn er
die "lauten Schreier" anführt, sie hätten nichts "dazugelernt"[586], nicht
unterschiedslos auf die ältere Generation, sondern auf die 'Heldenväter'[587]
abgesehen:

Am Ende habt ihr's wirklich gut gemeint,
als ihr von 'Mut' und 'Ehre' überliefet ...
Doch nur die Mutter hat die Nacht geweint.
Ihr lagt, vom Skat erschöpft, im Bett und schliefet.

Wir aber in den Bächen warmen Blutes,
wir fragten starr da draußen: Kann es sein,
daß uns das Höchste, Letzte allen Gutes
ein väterlicher Metzgerblick soll sein?

Wo blieb, als wieder Bajonette blinkten,
die Vaterfaust, die zornig sie zerbrach?
Und wo ... seid still, wir fragen in die Leere:

Ich kenne Photos, drauf die Väter winkten,
feldgrau und froh, mit Blumen am Gewehre ...
Wir folgten nur, auf Leichen tretend, nach.

Dieses Gedicht zeigt, wie tief der allseits beklagte Graben zwischen den
Generationen war und daß er nicht einfach nur die ewige Wiederkehr der
Konflikte zwischen jung und alt bedeutete: er kam zustande einerseits durch
die Übereifrigkeit der Väter, wenn es darum ging, die ahnungslosen Söhne
mit "Blumen am Gewehre" über "Leichen" ins vaterländische Blutbad zu
locken; durch trainierten Stumpfsinn andererseits, wenn es galt, die Leiden
der ohnmächtigen Mütter zu ignorieren. Im Kontext dieses Gedichtes (und

anderer zeitgenössischer Äußerungen Schnurres) ist das in den ersten beiden Versen gezeigte Verständnis nur als höhnisches Nachäffen der späteren
väterlichen Rechtfertigungsfloskeln, als entschlossene Absage an alle
Hoffnungen auf familiäre Übereinkunft zu werten. "Väterlicher Metzgerblick"
gibt am prägnantesten wieder, wie viele Söhne ihre Väter sehen: als hinter-
hältige Doppelgesichter, die das Väterliche - und das meint immer auch
warmherzig, gütig, treusorgend, Schutz gewährend - als Maske ziert, hinter
der sich der 'Metzger' verbirgt, der seine eigenen Söhne zur Schlachtbank
führt oder doch, so Lohmeyer, "lächelnd" zusieht, wie die Kinder sich für
diese im arglosen Spiel mit "Gewehr und Schleuder" präparieren[588].

Das Beispiel der beschuldigten Erwachsenen und, eingegrenzt, der Väter,
zeigt einmal mehr, daß der Verzicht auf das poetische Bild nicht schon die
gesuchte Wahrheit garantiert, daß also eine schmucklose konkrete Benennung
dann ebenso verschleiernd wirken kann wie eine metaphorisch aufgeblähte,
wenn es dabei die Falschen oder doch die Richtigen und Falschen zusammen
trifft. Eben dies ist bei den obigen Konkretisierungsversuchen der Fall,
hieße es doch, die Kollektivschuldtheorie, mit einigen Abstrichen versehen, weiterhin behaupten, würde man die ältere Generation oder die Väter
insgesamt auf die Anklagebank setzen.

Auf einer Hermlins "Totschläger" vergleichbaren Konkretionsebene bewegen
sich - mit allen dort aufgezeigten Folgen für die Reflexionsaktivität des
Lesers - die "Henker und Würger" in dem Vers "Es schritten / um uns durch
zwölf Jahre die Henker und Würger[589] oder die "Bestien" in folgendem Beispiel: "Wo sind die Bestien, daß wir sie strafen, / laßt uns sie strafen,
gebt sie preis dem Tod. / "[590] Wer die "Bestien mit dem Tod bestrafen
will, muß sich ganz sicher sein, an wen er sich zu wenden hat - bei der
hinsichtlich der Schuldfrage vorhandenen Unsicherheit, auch Unaufrichtig-
keit der Zeitgenossen ein schwieriges Problem. Sich selber erst vorsichtig
vergewissernd, versucht der Autor in der folgenden Strophe eine Teilant-
wort zu geben:

Der Offizier dort, ist er nicht so einer,
der uns in diese Hundehölle trieb?

Ähnlich tastet sich Vitalis in dem 'Deutschen Soldatenlied'[591] an die wahren Schuldigen heran: Das Unbestimmtheitspronomen "man" - "Man hat uns in
den Krieg gejagt. / ... Man ritt uns zu wie einen Gaul" - und das Passiv -
"Wir wurden in den Krieg gehetzt" - lassen die 'Treiber', die man ent-

sprechend ihrer Tätigkeit allenfalls noch 'Jäger', 'Zureiter', 'Hetzer'
nennen könnte, ebenso im Dunkeln wie die (zum abstrakten verantwortlichen
Subjekt erhobene) "harte Welt, / die uns in Reih und Glied gestellt / und
uns zum Mord verpflichtet. /"

Auch mit dem Relativsatz kann man eine namentliche Vorstellung der Verantwortlichen umgehen - zu diesem Zweck wird er öfter herangezogen ("Ich
hasse, die mich abgerichtet"; "Weil es Menschen gab, / die den Menschen
verlachten / und schlachteten"; "Selbst schlechte Knittelverse sind zu gut
für die, / die den Kasernenhof umgaben mit Magie") -, doch mit einer entsprechend gezielten Information vermag er mitunter einen gleichwertigen
Namensersatz bieten: " ... und wer das Kriegsgeschäft gemacht"[592] macht
dem Leser die Identifizierung der Schuldigen fast ebenso leicht wie die
Namensskala, die Karl Mundstock in seinem pathetisch-aggressiven Gedicht
'Mütter' auffährt[593]. Auch er wendet, weniger behutsam als die beiden zuvor genannten Autoren, die sukzessive Methode an, indem er zunächst von
der 'tyrannischen Welt', dann von 'raubgierigen Meistern', 'Ursachern',
'Folterknechten', "feigen Mördern", "Marodeuren" und von "Bankrotteuren"
spricht, die "ihr Mahl mit dem Schweiß und Blut eurer Söhne würzen". Doch
dann verzichtet er auf all jene sprachlichen Techniken, die, zur Charakterisierung der Schuldigen verwendet, noch Zweifel aufkommen lassen könnten,
um wen es sich dabei handelt:

Wo man hinschaut: satte,
zufriedene und glatte,
hohnglänzende Profitgesichter.
Befracktes Diplomatengelichter,
Schlächtergeneräle, die mit Orden und Sternen prahlen,
preußische Junker, Giftmischer vom IG-Konzern, Ruhrmagnaten,
Minister, Gauleiter, Statthalter, Amtswalter, Potentaten,
Gauner, Banditen, Schieber in Uniformen und Fräcken;
Weltuntergangspropheten, die immer blutigere Pläne hecken,
Hexensabbat wortedrechselnd auf verlogenen Parteikonferenzen.[594]

Nach dieser umfassenden und konkreten Information hat der Leser nun keine
Schwierigkeiten mehr, die "Henker", die auch in diesem Gedicht attackiert
werden, zu identifizieren: der Autor selbst hat ihnen die schützende Ka-
puze heruntergerissen und sie in ihren verschiedenen Typen und Funktionen
einträchtig versammelt an den Pranger gestellt.

Das gilt ebenso für die folgenden Beispiele, die diese 'Henkerskala' ergänzen oder sich daraus einige der gewichtigsten Repräsentanten(gruppen)
einzeln vornehmen - ohne dabei den Umweg der sukzessiven metaphorischen
Einkreisung der Gemeinten zu machen.

Manchmal sorgt bereits der Gedichttitel für die nötige Klarheit. An einem
Titel wie 'Richter 1933-45'[595] läßt sich nicht herumdeuten, wer wohl gemeint sein könnte, von Interesse ist vielmehr die Frage, wie ihr Schuld-
konto aussieht:

Richter waren da in Deutschland
die das Recht zu ihrem Vorteil
Und nach Angst und Feigheit beugten,
Die dem Unrecht Stimme liehen ...

Sie waren wie "Hunde",

Sprangen flugs nach jedem Knochen,
Lasen aus Tyrannenaugen
Jeden Wunsch ab und erfüllten
Ihn schweifwedelnd und ergeben.
Richter, Richter waren diese,
Schämten sich nicht, so zu handeln,
Schande brachten sie und Elend,
Scheuten keine dunklen Bahnen,
Häuften Unrat und Gemeinheit,
Tilgten aus Gesetz und Rechte. -

In der "Liste jener Bösen", die sich, als "Henker Hitlers" und als "Mörder",
vor dem "Tribunal der Freiheit" zu verantworten haben[596], findet sich neben der Justiz - die Richter sind "sämtlich aufgenommen"[597] - die "Elite
vom Schwarzmarktkorps"; gemeint sind "Guderian und Genossen"[598]:

Zwölf Jahre firmierten sie nazional,
Und DEUTSCH wurde groß geschrieben.
Sie bliesen das großdeutsche Angriffssignal ...
...
Sie haben schon öfter das Volk angeschmiert -
die Butter aßen sie selber.
Sie wissen genau, wie man kommandiert,
wie man Kriege führt und den Krieg verliert.

Mit derlei Fähigkeiten ausgestattet befinden sich die pflichtbewußten und
eifrigen Militärs in guter Gesellschaft mit einer weiteren mächtigen Gruppe,
deren jahrhundertelange Geschichte und deren Rolle bei der 'legalen' Machtergreifung Hitlers Herbert Roch in einer politischen Ballade, der 'Junker-
ballade' beschreibt.[599]

Von den Junkern im "ostelbischen Land" ist also die Rede, die früher einmal "viel Land und viel Gemüt" und so viel "Kredit" hatten, daß sie "aus
dem Vollen" wirtschaften konnten. Doch nach und nach wurden die Güter dieser "Geschlechter aus arischem Blut" "museumshaft", sie verschuldeten und
verkamen immer mehr[600]. Doch

die Regierung war freundlich und voller Huld,
die Schulden wurden gestundet, genullt,
den Junkern in jedem Falle.

Und so ging das eine sehr lange Zeit,
die Junker schluckten Millionen,
und trotzdem klagten sie laut ihr Leid
und saßen behäbig und fett und breit
auf ihren Gütern wie Drohnen.

Ein fettes Leben konnten sie sich, paradoxerweise, vor allem nach der Wirtschaftskrise 1929 leisten, die den längst überlebten ostelbischen Groß-
grundbesitz in eine Katstrophe stürzte. Milliardenbeträge wurden erfolglos
in dieses Gebiet gepumpt, bis sich Reichskanzler Brüning (1930-32) über
eine effektivere Form der sogenannten Osthilfe Gedanken machte:

Dann dachte ein Kanzler von ferne daran,
ein Experiment zu versuchen:
die verschuldeten Güter enteignen - und dann
siedelt man dort die Erwerbslosen an
unter deutschen Eichen und Buchen.

Die Reaktion der Junker, die mit den Subventionen nicht schlecht zu leben
verstanden, ließ nicht auf sich warten:

Da erhoben die Junker ein lautes Geschrei,
und die Sippe stand geschlossen.
Bolschewismus, rief man: Barbarei!
und berief sich auf Freiheit und Recht dabei
und zeigte sich sehr verdrossen.

Der Junker Geschrei und Verdrossenheit konnte dem Reichspräsidenten Hinden-
burg nicht verborgen bleiben, den es seinerseits verdroß, daß das traditionelle Adelsgeschlecht ein so unwürdiges Ende finden sollte und der
u.a. deswegen Brüning fallenließ. Entscheidungshilfe leistete ihm dabei
der politische Anwalt der Junker, General von Schleicher, der ihm auch
gleich einen neuen Kanzler, von Papen, präsentierte, mit dessen Hilfe er
seine abenteuerlichen Pläne hinsichtlich Hitler - "Nur wenn wir die Nazis
an die Futterkrippe lassen, werden wir sie staatsfromm machen" (Schleicher)-
zu realisieren gedachte. Die Nazis kamen denn auch auf dem vorgesehenen
Weg über die versprochenen Neuwahlen an die "Futterkrippe", auf die, nun
mit nationalsozialistischem Inhalt versehen, die nimmersatten Junker
ihre ganzen Hoffnungen auf ihr Überleben setzten:

Un der Kanzler, der experimentieren gewollt,
der mußte schleunigst verschwinden,
die Barone und Junker hatten gegrollt,

und dann ließen sie dem hungernden Volk
die nazi - onale Einheit künden.

Das abgewirtschaftete Junkertum allein hätte, auch unter der tätigen Mithilfe von Justiz und Militär[601], diese "nazi - onale Einheit" wohl kaum verkünden können, wenn an ihrem Zustandekommen nicht auch die einflußreichste, weil ökonomisch potenteste Gruppe aus der 'schwarzen Liste' brennend interessiert gewesen wäre: "Die Herrn von Hütten, Zechen, Stahlvereinen", die "stets Beziehungen nach oben: / Zu Kaiser, Führer und zum lieben Gott" hatten[602] - im Interesse des 'Profits':

Es braust ein Ruf wie Donnerhall,
wie Schwertgeklirr und Wogenprall!
Die Herrn von Kohle und von Stahl,
sie waren immer national.
Sie waren großdeutsch, fromm und stark,
sie waren deutsch bis in die Mark ...
Denn Profit geht über alles,
über alles in der Welt.

Sie haben Hitler finanziert.
Das Volk, das wurde angeführt.
Die Herrn von Kohle und von Stahl,
sie mehrten Macht und Kapital.
Sie zeigten stolz das Hakenkreuz.
Das Geld lag sicher in der Schweiz ...
Denn Profit geht über alles,
über alles in der Welt.[603]

Die dominierende Rolle, die das Großkapital beim Aufstieg und bei der Konsolidierung der nationalsozialistischen Herrschaft gespielt hat - in dieser sah man eine sichere Garantie für den Aufbau einer profitträchtigen Kriegsindustrie[604] - ist nicht erst in der heutigen Faschismus-Forschung erkannt worden[605]. Ein gewisser Zusammenhang zwischen Faschismus und Kapitalismus, sofern dieser sich unter alleiniger deutscher 'Treuhänderschaft' mächtig entfalten konnte, ist bereits im Potsdamer Abkommen unterstellt und wird, deutlicher, sogar in den Einleitungssätzen des Ahlener Programms der CDU sichtbar[606]. Selbst 'Des Teufels General' wirft dem Industriebaron von Mohrungen vor: "Sie und Ihresgleichen (haben) die Kerls finanziert"[607], was für einige von ihnen, so schien es zunächst, nicht ohne Folgen blieb: Krupp von Bohlen und Halbach wurde unter der Anklage der Mitschuld für die Vorbereitung des Krieges eine Weile in Militärhaft genommen, - wo er sich mit der Herstellung von Spielzeugkanonen beschäftigt hat[608] - , und auch den Bankier Abs, Vorstand der Deutschen Bank, setzten die Alliierten auf die Liste der ökonomischen Kriegsverbrecher: "Abs war der spiritus rector der niederträchtigen Deutschen Bank, die eine ungewöhnliche Konzentration wirtschaftlicher Macht mit aktiver Teilhaberschaft an der verbrecherischen Politik des Nazi-Regimes verband."[609)]

Es mag überraschen, daß die Lyrik mit einer Fülle von Beispielen aufwarten kann, die in ihren Ergebnissen aus der Aufklärungsarbeit über Krieg und Faschismus der Wahrheit sehr nahe gekommen sind, weil die wichtigsten Hintermänner und Interessengruppen um Hitler bloßgestellt werden - im wörtlichen Sinn; denn der weitgehende Verzicht auf metaphorische Umschreibungen dieser Verantwortlichen macht das unentschiedene Zwar und Aber, das - der Dominanz der Unbestimmtheit wegen mitunter auch leidige - Rätselraten darüber, woher etwa der "ungestüme Wille der Cäsaren" kommt, der "uns in großen Haufen in die Schlacht geworfen"[610)], nahezu überflüssig. Und wenn in diesen Gedichten die Schuldigen bildhaft umschrieben werden, dann erleichtern oder ersetzen zusätzliche Informationen aus dem Gedichtkontext die Identifizierungsarbeit des Lesers. (Ist nur von e i n e m Schuldigen die Rede, weiß der Leser in jedem Falle Bescheid: "Es kam einmal ein Mann ins Land, / der hob die Hand, die rechte Hand, / da war das Land im Banne"; "Einer genügte vollauf, die schlummernde Seele zu wecken"; "Meister des Hasses"; "Untier"; der "heulende Derwisch"; "Rattenfänger der Deutschen"; der "Frevler"; "Chef der Bande"; der 'müttermordende Diktator'; "Schnurrbart-Majestät"; "der schlimmste Knecht".)

Die "Spuren von Blut und von Schrei" führen, das konnte gezeigt werden, zu den verschiedensten Ausgangspunkten, zu Wotans Kriegslust und zur seelenlosen Apparatur der modernen Zivilisation, sie überkreuzen, überlagern und vereinigen sich und führen auch manchmal ins Leere. Die tiefste und breiteste Spur aber wurde von denen getreten, die in den zuletzt zitierten Gedichten beschuldigt wurden: M i l i t ä r , J u s t i z , G r o ß g r u n d b e s i t z , G r o ß k a p i t a l nebst den anderen, von Mundstock angeführten Gruppierungen.[611)] So unerschütterlich sind sie ihren Weg gegangen, daß nicht nur ihre Spuren, sondern viele von ihnen, kaum war der Krieg beendet, selber schon wieder sichtbar waren bei dem Bemühen, sie und sich zu erhalten und nur zu oft wieder hinkamen, wo sie herkamen. Dabei mußten sie zwangsläufig auf den Widerstand derer stoßen, die sich vorgenommen hatten, das "ganze Nazipack"[612)] für das Geschehene zur Verantwortung zu ziehen und seine erneute 'Verantwortungsbereitschaft' beim Aufbau eines neuen Deutschland im Keim zu ersticken. Doch

wie sollte das neue Deutschland der Zukunft aussehen? Und hatte es überhaupt eine Chance, sich durchzusetzen?

C. "Was wird weiter?"

> O zarter Zweig, der in den Abgrund ragt,
> von dem Kristall der Tränen überblüht,
> wie schon der Morgen staunend darin glüht,
> der noch gestaltlos zwischen Trümmern zagt. 613)

Glaubt nicht, es käme irgend Künftiges
noch davon her, es könne, irgend, noch
ein Gleiches kommen, ja das Gleiche. Zwar
kommt alles, was noch ist, von dem, was war,
und alles Kommende von dem, was ist,
und alles kehrt einst wieder, aber nicht
als gleiches, sondern wie ihr selber seid
und nicht mehr seid, was ihr gewesen, wird
auch, was noch sein wird, sein und nie mehr sein,
wie es gewesen ist. Was kommen wird?
Ein Anderes. Solang die Sonne scheint
und über dieses Menschenelend auf-
und untergehn wird über Elendslust,
solang der Schoß gebiert, das Grab verschlingt,
wird anderes und immer anderes
und immer anders kommen.614)

Bei Lernet-Holenia wäre "anderes" sicherlich nicht und schon gar nicht
"anders" gekommen, hätte er diesen Exkurs über die Zukunft der Deutschen
noch weitergeführt. Um eine deutliche Antwort in der Schuldfrage nicht verlegen, hat er den Deutschen, denen er mit erhobenem Zeigefinger (ihre) Geschichte lehrt, über ihr weiteres Schicksal lediglich ein fast unverständ-
liches Gestammel anzubieten, das bestenfalls das Klischee enthält, irgendwie werde das Leben schon weitergehen und bringe dabei immer wieder Neues.
Eine überstrapazierte Syntax soll die totale Perspektivlosigkeit des Autors kaschieren und legt sie dadurch erst richtig frei (und sein mangeln-
des Gespür für die Notwendigkeit, sich zurückzuhalten, wo man nichts zu
sagen hat, ebenso).
Gleichwohl kann dieser Text als zeittypisches Dokument der Ratlosigkeit
gelten, auch wenn er in der Art, wie die Ratlosigkeit sich äußert - in
geschwätziger Besserwisserei und ohne emotionale Anteilnahme - gerade nicht
typisch ist. Typisch für das zeitgenössische Bewußtsein ist vielmehr jene

Ratlosigkeit, die sich als Resultante aus extremen "Schwankungen" ergibt,
die H.W. Richter als Basis der von ihm gesammelten Gedichte erkannt hat:

" ... das rauhere Wort jenes Menschen wird lebendig, dessen Wandlung durch
den Gang über Blut und Leichen, über Wunden und Tränen bestimmt wurde, und
hin und wieder schwingt sich die Sehnsucht nach dem vergangenen, schöneren
und reineren Leben in ihm auf. Am Rande des Abgrundes, zwischen stumpfer
Verzweiflung und einer immer wieder ausbrechenden Hoffnung sind diese Gedichte entstanden. In ihren Schwankungen zwischen dunkelstem Pessimismus
und hellstem Optimismus, in dem glühenden Bekenntnis zu der größeren menschlichen Idee und dem völligen Irresein an der menschlichen Bestimmung spie-
gelt sich der Mensch unserer Zeit."[615]

Dieser Text, der die anfangs schon beschriebene Zerrissenheit des Menschen[616] eindringlich wiedergibt, überführt die 'tabula-rasa'-Theorie ihres
Scheins; er macht noch einmal deutlich, daß Zukunft nicht voraussetzungslos
und ungetrübt gedacht werden konnte, sondern daß der helle Morgen, dessen
Licht mitunter aus vergangenen Zeiten entliehen ist, mit der Trostlosigkeit
der Gegenwart und dem Schrecken der unmittelbaren Vergangenheit verstrickt
ist, und er kann, in seiner Struktur, ein Hinweis oder selber ein Beispiel
dafür sein, daß die Widersprüchlichkeit einzelner Autoren bei Aussagen über
die Zukunft mehr noch als bei jenen über die Schuldfrage die Regel sein
wird.

Richters Anthologie belegt, daß viele zeitgenössische Gedichte, die die
Desolatheit von Krieg und Nachkrieg beschreiben, ohne ermutigende Zeichen
aus der bzw. in die Zukunft auskommen, daß aber umgekehrt eine hoffnungsvolle Zukunft selten - die düstere schon gar nicht - unbeschwert von dem
Trauma des Geschehenen dargestellt ist. Die typische Struktur eines solchen 'Zukunftsgedichtes' ist deutlich an Krolows Gedicht 'Heimsuchung'
abzulesen[617]:

Der Wangen leichte Spur verfällt
Im Strudel Blut und Schweiß.
Das zarte Schattenanlitz Welt
Durchbohrt vom Schwert des Schrei's,
Wenn man ins Fleisch das Messer stößt
Und tritt in einen Bauch,
Die Haut, die sich in Fetzen löst,
Hängt über'n Wermutsstrauch!
O Angst und aller Ängste Grund:
Du rührst mir ahnungsvoll den Mund.

Wenn einsam wie im Todeskampf
Gewehre mir im Licht
Zuflüstern und der Strick aus Hanf
Trägt meines Leibs Gewicht,
Der sich in seinen Schmerzen strafft,
Von Krampf und Qual verklebt:
Pythagoräisch zeichenhaft
Sich's auf der Stirn belebt,
macht sich als zarte HOFFNUNG kund
Und rührt mir ahnungsvoll den Mund.

Resultat der einen Strophe ist die noch wirksame "Angst" (aus der erlebten
Geschichte), während die andere in "zarte HOFFNUNG" mündet. Dabei werden
die jeweiligen Enden der existenziellen "Schwankungen" nicht einfach nur,
auf zwei Strophen verteilt, nebeneinander genannt, sondern in ihrer Beziehung präzisiert: die Hoffnung ist nicht nur das andere, das Gegenüber,
sondern P r o d u k t der Angst, aus der Verzweiflung des 'Todeskampfes'
gleichsam herausgetrieben[618]. Eine solche Hoffnung kann sich zunächst nur
auf die Negation ihres Gegenteils stützen, ihre Substanz bestimmt sich aus
der Vehemenz des Lebenswillens und nicht aus einer positiv begründbaren
Vorstellung von Zukunft, auf deren Realisierung schon erste Anzeichen in
der Gegenwart hindeuten würden. Eine 'schließlich fruchtbare, aktive Verzweiflung' hat Hermlin in Krolows Gedichten entdeckt[619] und damit zugleich
auf die Situation all derer hingewiesen, die sich zwar der verbreiteten
Resignation und den vielfältigen Verlockungen ins gesellschaftliche Abseits
widersetzen konnten, deren beibehaltene oder durch die Ausweglosigkeit der
Lage provozierte Aktivität aber letztlich ziellos blieb, es zunächst auch
einmal bleiben mußte, folgt man dem historisch begründeten Urteil eines Kritikers über die Lage der 'Schriftsteller heut':

"In den uns bekannten Zeilen schrieben die Schriftsteller entweder
rüstig zu einer bestehenden Ordnung hin und zwar bis zum Höhepunkt
des Mittelalters zum Christentum hin, oder sie schrieben vom Beginn
der Aufklärung an, sofern sie revolutionäre Geister waren, von der
bestehenden Ordnung weg. Es ist relativ einfach, im Vaterhaus zu wohnen und die Möbel anders zu stellen und die Wände neu anzustreichen,
und es ist relativ einfach, im Ärger über seine Enge das Dach abzu-
decken und die Öfen einzureißen und die Grundmauern zu untergraben.
Es ist bedeutend schwieriger, wenn endlich das ganze Gebäude einge-
stürzt ist, ein neues Haus zu errichten. Wo? Im Schutt des alten?
Mit den alten Steinen? Woher neue nehmen? Wie neuen Grund finden?
Nach welchem Plan?"[620]

Es sind genau die Fragen, die die verschiedenen Aspekte der übergreifenden
Fragestellung "Was wird weiter" formulieren (und besonders mit den Verwei-

sen auf das 'Alte' noch einmal an die funktionale Einheit der "drei wichtigsten gesellschaftlichen Fragen der Zeit" erinnern). Doch derselbe Autor, der den Schriftstellern so gekonnt ihre bedrängenden, konkreten Fragen gleichsam von den Lippen abzulesen versteht, kann ihnen auch nur den in
seiner Allgemeinheit unverbindlichen Rat geben, die "Wahrheit" in einer
"voraussetzungslosen Tiefe", in den "Spiegelungen und Geheimnissen des Lebens" und nicht etwa im "Zeitgeist" zu suchen, der allenfalls noch "in den
Ländern, in denen die Struktur der überkommenen Gesellschaft noch erhalten
ist", das eine oder andere "lesbare Buch" zustande bringen könne ...[621]

Mit diesem Appell, die Wahrheitssuche "bedeutend tiefer"[622] anzusetzen,
war die Ratlosigkeit der Schriftsteller kaum zu beheben; diese hätten
vielmehr, so Walter Jens im Rückblick, eines "tragenden -ismus" bedurft[623]
- eine gutgemeinte Orientierungshilfe, die aber vor allem bei den jungen
Schriftstellern auf wenig Gegenliebe gestoßen wäre, denn

Wir sehen durch geschärfte Prismen
Uns kritisch jeden Ismus an;
Wir haben etwas gegen Ismen,
Durch die man uns vernebeln kann.[624]

In welchem Maße sie diese Haltung auch wirklich praktiziert haben, wird
noch zu untersuchen sein; jedenfalls war es ihr fester Vorsatz, sich nicht
noch einmal von einem "Phrasenhammer" dreschen und sich durch dessen "Schablonen" ihre Individualität verstümmeln zu lassen[625]. Wer immer sich als
der wahre 'Arzt' anpries, der die Kriegs- und Nachkriegsgeschädigten von
ihren vielfältigen Leiden mit den diversen Substraten des Allheilmittels
"Ismus" zu erlösen gedachte, wurde, mitunter auch höflich, aber bestimmt,
zurückgewiesen:

Es ist außerordentlich nett,
Daß Sie gekommen sind, meine Herren,
Aber ich habe es verhältnismäßig satt,
Mich von Ihnen zersägen zu lassen.
Legen Sie Ihre Messer ruhig beseite ...[626]

Die "Herren": der "Existenzialist" mit "Hautfalten" um die Mundwinkel; der
"Surrealist", der die "Sartristesse" anzubieten hat; der klassische "Idea-
list" im "himbeerfarbenen Kittel", der in 'oratorischem Hochschwung' so
lange für die Idee der Humanität wirbt, bis sie ihm "zur rhetorischen
Floskel" verkommt[627]. Sie alle werden dem 'totalen Ideologieverdacht'[628]
ausgesetzt und daher weggeschickt:

Wissen Sie was, meine Herren?
Lassen Sie mich jetzt mal eine Weile allein.
Ich muß mal, sagen wir: ein paar Jahre
Meine richtige Ruhe haben,
Um zum Nachdenken zu kommen. 629)

Daß viele diese "Ruhe" mit Untätigkeit und – selbstgenügsamer – Privatheit verwechselt, sich also gleich 'richtig' zur Ruhe gesetzt haben, konnte gezeigt werden (Kap. II). Hier aber, dafür bürgen auch andere Texte des Autors, ist mit Ruhe jener Entscheidungsfreiraum gemeint, der   e i g e n e   Antworten auf alle mit dem Bau des neuen Hauses verbundenen Fragen ermöglichen sollte. Dabei war denjenigen, die es nicht dem Zufall und Schicksal überlassen wollten, welche Zukunft der "Geistermorgen"630) bringen würde, klar, daß eine 'Fehlgeburt' des zukunftschwangeren Zeitalters nur dann verhindert werden konnte, wenn jenen 'Elementen' aus dem "alten Schutt" das Handwerk gelegt würde, die sich durch die verschiedenen Schattierungen des 'Braun'-Tons, durch offene und versteckte Geschäftigkeit und dadurch auszeichneten, daß sie großenteils bekannt waren und, wie im vorigen Abschnitt belegt, auch wirklich erkannt wurden: als die, die selber die ganze Zerstörung zu verantworten hatten.

Allein ihr Vorhandensein und die Selbstverständlichkeit, mit der sie sich schon wieder zur Verfügung stellten, riefen Angst und Schrecken, aber auch Wut und Widerstand hervor und sorgten so dafür, daß nicht alle während der dringend benötigten "Ruhe" schläfrig wurden.

1. Verzweiflung – Warnung – Widerstand

"Zunkunft – ein schwarzes Loch –
Gähnt uns an. Sag, wie lange,
glaubst du, fahren wir noch?"631)

Es sind ziellos umherirrende Flüchtlinge, die so düster in die Zukunft blicken; doch ihre Situation erschien vielen als symptomatisch für den Nachkriegsmenschen. Sie hörten in dem Wimmern der "knochenharfe" zugleich die "saiten der hoffnung" zerspringen, sie sahen "die wange des mädchens verwest", "des birnbaums früchte verdorben", überhaupt "die ähren des lebens verbrannt" und daher "die gemächer der zukunft verschlossen"632). Auch die von Kaschnitz beschworene Hoffnung kommt gegen die verriegelten Tore zunächst nicht an (während ihr die Soldaten in einem Gedicht von Krolow gleich

gar keine Chance geben: "Und sie speien die Hoffnung wie Tabak, im Munde
gekaut, / In den Schlamm vor die Füße und hinken vorbei ..."[633]:

Und Hoffnung ward
Hinausgesandt
Und ging und fand
Die Wege nicht
Und kam zurück
Und schlief.[634]

Sie mußte deshalb umkehren, weil "die gemächer der zukunft" bereits besetzt waren - von der Gefahr eines neuen Krieges, dessen Konturen sich in
der Finsternis deutlich abzuzeichnen begannen und ihre Schatten auf den
Nachkriegsalltag warfen, der sich eben anschickte, einen geregelten Ablauf
zu nehmen:

Es wird doch schon wieder das Lot
Gerichtet und Steine getragen,
Uhren gehen und schlagen,
Wir essen das tägliche Brot.
Warum, warum habt ihr Angst?

Wir fürchten uns nicht, nur
Daß der Krieg wiederkommt, nur

Daß sie uns, eh wir's gedacht,
Wieder verdingen,
Daß durch die stille Nacht
Die Flammen springen,
Daß uns die Saat verdirbt,
die kaum gesäte,
Daß das Land erstirbt,
Das kaum erspähte,
Der zage Schimmer
hinter dem Tann.
Und dann,
Dann
für immer.[635]

Wenn nach dem eben erst beendeten totalen Krieg schon wieder die Angst vor
einem neuen um sich greift, liegt es nahe, diese Angst als Ausdruck der so
gearteten 'Grundbefindlichkeit' des Menschen zu deuten, als die sie sich
in den Wirren des Nachkriegs besonders erweisen konnte, oder sie auf ein
Trauma zurückzuführen: das Trauma vom Krieg als einem Ritual der Geschichte,
das sich in immer kürzeren Abständen und größeren Dimensionen wiederholt -
21 Jahre nur lagen zwischen den Weltkriegen - , bis es schließlich der Geschichte und auch sich selbst ein Ende machen wird, "Und dann / Dann / für
immer."

Diese psychologischen Erklärungen reichen ebensowenig aus, um diese Angst
zu erfassen, wie jene, die hinter ihr die Folgewirkungen der Prophezeiungen
vom Untergang des Abendlandes und vom schicksalhaften katastrophischen
Ende der Weltgeschichte vermuten. Die Informationen aus dem zitierten Gedicht lassen einen anderen, plausibleren Schluß zu: die Angst vor einem
neuen Krieg ist unmittelbarer Ausdruck einer weiteren Angst, nämlich "Daß
sie uns, eh wir's gedacht, / Wieder verdingen". Diese Angst ist nicht Produkt einer verstörten Seele, sondern Reaktion einer wachsamen Beobachterin
auf geschichtlich nachprüfbare Vorgänge; eine - erste - Antwort darauf,
daß "sie" schon "wieder" in Erscheinung getreten   s i n d   (nicht: treten
könnten). - Die Autorin muß, wenn sie "sie" wiedererkennt, wissen, von wem
sie spricht (auch wenn sie sich hierin dem Leser nicht näher mitteilt): von
denen, die den vergangenen Krieg fanatisch gewollt, systematisch vorbereitet, verantwortlich mit beigetragen oder zustimmend mitgemacht haben, und
von denen sich viele gleich nach Kriegsende wiederfanden, bald zu Amt und
Ehren oder doch glimpflich davonkamen - trotz Entnazifizierungskampagne
und Kriegsverbrecherprozeß in Nürnberg (November 1945).

In diesen wurden große Hoffnung gesetzt. Nürnberg, so Reger, sei "in unserem
düsteren zwanzigsten Jahrhundert ... ein Lichtblick", eine "Oase wirklichen
Fortschritts inmitten der makabren Einöde einer vom technischen Wahn be-
herrschten Pseudosozialisation", weil endlich die "Urheber" einmal gefaßt
seien[636]. Weyrauch läßt in dem Gedicht 'Nürnberg'[637] "Ankläger aus aller
Welt" - ein "tschechisches Kind aus Lidice", "die inbrünstigen Russen /
leidenschaftliche Serben, / die strotzenden Holländer" - in diese Stadt der
Vergeltung und der Verheißung pilgern: "J'accuse, / I am accusing, / ich,
Indianer aus Minnesota, / ich, Eskimo aus Kanada, / ich, Hottentott aus
Südafrika, / wir alle klagen an ... / und klagen an / und bitten die
Richter, / daß sie richten, / gleich den Richtern / des Alten Testaments."
Ob es in deren Sinne, biblische Weisheit war, daß die neuzeitlichen Richter
des internationalen Militärgerichtshofes gerade 24 Personen zu Hauptkriegs-
verbrechern erklärten? - Mit diesem Prozeß sollte das Übel an der Wurzel
gepackt, ein Exempel statuiert, ein Zeichen gesetzt werden: "Er soll zum
erstenmal und für alle Zukunft den Krieg zum Verbrechen erklären und daraus
die Konsequenz ziehen", meinte Jaspers[638] und mußte später eingestehen,
daß es "wohl sehr naiv" gewesen sei, mit Nürnberg die "ewige Sehnsucht des
Menschen" auf dem "Weg der Erfüllung" vermutet zu haben[639]; naiv u.a. deshalb, weil die Verbrechen der richtenden Siegermächte nicht zur Diskussion
gestanden hätten[640].
Das war sicherlich ein Grund, der schon damals viele Zeitgenossen davon ab-
hielt, sich vom Nürnberger Prozeß einen "Weltzustand mit einem Weltrecht"
zu erhoffen[641]. Der andere, wichtigere: die exemplarische Bestrafung Weniger konnte die weitergehende und wiederauflebende Aktivität, jedenfalls
das geistige und politische Überleben der Vielen, die mühelos - z.T. in
schnell gefertigten Gewändern der Unschuld - auch das grobmaschige Netz
der Entnazifizierung zu passieren wußten, nicht verhindern.

" ... wir können nicht mehr tun als gut sein", schreibt Borchert in seinem
'Manifest'[642] und macht in einem wenige Tage vor seinem Tod verfaßten Aufruf unmißverständlich klar, daß zu diesem 'Gutsein' die militante Verweigerung gehört, wenn "sie" wieder das Sagen haben:

"Du. Mann an der Maschine und Mann in der Werkstatt. Wenn sie dir morgen
befehlen, du sollst keine Wasserrohre und keine Kochtöpfe mehr machen -
sondern Stahlhelme und Maschinengewehre, dann gibt es nur eins:
Sag NEIN!
Du. Mädchen hinterm Ladentisch und Mädchen im Büro. Wenn sie dir morgen befehlen, du sollst Granaten füllen und Zielfernrohre für Scharfschützenge-
wehre montieren, dann gibt es nur eins:
Sag NEIN!"[643]

Auf "sie" zu zeigen und vor ihnen zu warnen, weil mit ihrem Wiederkommen
sich die Gewißheit verband, daß auch "der Krieg wiederkommt"; Aufforderung
zum Widerstand und - über Borcherts Position eines militanten Pazifismus
hinaus - zur aktiven Gegenwehr notfalls mit allen Mitteln, um das neu zu
errichtende Haus nicht auf (braunen) Sand zu bauen, ist auch zentrales
Anliegen einer Anzahl von Gedichten, die im Berliner 'Ulenspiegel' und im
'Münchner Simpl' erschienen sind.

                    Bei Bier und Zigarren
Frieren die Mörder und treten verlegen im Kreis,
Kauen Erbrochenes im Mund hinter Zähnen und harren
Des Gerichts, das sie ausläßt, und singen ganz leis ...[644]

Allerdings hat einer von ihnen, was bislang nie seine Art war, offensichtlich zu früh kapituliert, er hat nicht mit der Großzügigkeit "des Gerichts"
und auch nicht damit gerechnet, daß er schon wieder das schon immer Gekau-
te wiederkäuen und die bekannten Melodien - worauf er sich in allen Tonla-
gen glänzend verstand - weitersingen dürfe. "Ein Kölner" fühlt sich verpflichtet, dem "kleinen Doktor" wenigstens nachträglich seine verpaßten
Chancen vor Augen zu führen:

Doktor Goebbels, bald wird es drei Jahre,
Daß Sie sich mit Weib und Kind gekillt.
Noch begreif' ich nicht das Sonderbare,
Dem mein Nachruf in die Grube gilt.
...
Doktor Goebbels, warum überhastet
So schnell Schluß gemacht mit scharfem Gift?
Wo man Sie inzwischen längst entlastet
Mittels Zeugen und durch Wort und Schrift.
...
Doktor Goebbels, hätten Sie gewartet,
Statt zu folgen Ihrem Temprament,
Wären Sie inzwischen längst gestartet,

Teils als Fachmann, teils als Referent.

Doktor Goebbels, es ist unverzeihlich,
Daß Sie uns so Ihrer Kraft beraubt.
Warum waren Sie so furchtbar eilig?
Jupp, wat haste denn von uns jejlaubt?! ... [645)

Der Kölner übertreibt, denn sein "Jupp" hätte den Nürnberger Prozeß sicherlich nicht überstanden, und auch sein Selbstmord war nicht "unverzeihlich",
kamen doch seine ehemaligen Bündnispartner mit der Pflege der alten 'Melo-
die' auch ohne seine Kraft ganz gut zurecht - mit neuen Partnern, denn

Die Herren von Kohle und von Stahl
sind wahrhaft international -:
Statt mit Germania halten sie's
mit Marianne in Paris ...
...
Sie sehen ihre neue Chance
und rufen munter: Vive la France! [646)

Doch das ausgeblutete Frankreich kann mit den verlockenden Angeboten aus
dem "goldenen Westen" nicht konkurrieren, wo "Gott Dollar selbst die
Kurbel dreht"[647). Auch dieser Gott hat überall, auch in Berlin, seine
Missionare, bereit, die flinken Konvertiten aufzunehmen:

Denn geht's nicht mit Hitler, dann gehn sie mit Clay,
Und wechselt die Firma - auch dann ist's okay.
...
Jetzt wittern sie wieder mal Morgenluft,
jetzt geht's ihnen wieder zum besten.
Da steigen sie aus ihrer dunklen Kluft ...
Sie haben gehört, wie der Dollar ruft,
und nach alter ehrlicher Landsknechtsweis'
verkaufen sie sich nur zum höchsten Preis ... [648)

- weil sie wissen, was sie wert sind, für den Gott aus dem goldenen Westen
nämlich, den sie dringend brauchen, der sie aber ebenso dringend braucht,
um in dem sich zuspitzenden Konflikt mit seinem Rivalen aus dem roten
Osten eine ökonomisch solide Gemeinde im Frontgebiet zu wissen. Dabei bedarf die erfolgreiche Wahrnehmung dieser schwierigen Aufgabe neben der ökonomischen auch der ideologischen Stärke. Auch hierin zeigt sich der zum
Bündnispartner erhobene Verlierer - vom großen Herrn bis zum kleinen Mann -
recht verständig; er versteht z.B. sehr wohl, daß man, um für das Kommende
bereit zu sein, das Vergangene gründlich vergessen können muß, so überzeugend gründlich, daß man später sogar im Lexikon unter der Überschrift
'Was war ein PG?'[649) wird lesen können:

Sie hielten die Vernichtungslager
für komfortable Kurhotels -
das Wessellied für einen Schlager -
die Bunker nur für Karussells.
Sie hielten aus Gedächtnisschwäche
das Hakenkreuz für Teegebäck,
das Braunhemd für Gesundheitswäsche,
die Dolche für ein Eßbesteck.
Sie kannten die Partei nur immer
als Münchner Ruderklub e.V.,
die Reichskanzlei als Kinderzimmer
und IHN nur aus der Wochenschau.
Und diesem zahmen Damenkränzchen
gehörten sie als - Gegner an,
als völlig ahnungslose Gänschen,
die man doch nur bedauern kann ...

Wer es einmal so weit gebracht hat, wegen Parteizugehörigkeit - oder, falls
kein "PG" - wegen aktivem Mitläufertum auch noch bedauert zu werden, kann
sich entweder mithilfe des 'Spießers Stoßgebet' den veränderten Verhältnissen anpassen - "Ab heute bin ich Demokrat, / Schenk deine Gnade mir! /
... Und entnazifiziere mich / Fürs neue Vaterland!"[650] oder sich gefahrlos
der flinken Masche der "Stehaufmännchen unserer Zeit" bedienen:

Nach den bewährtesten Methoden,
Schon oft kopiert, doch nie erreicht,
Gehn sie zunächst bis neun zu Boden,
Und scheinen etwas aufgeweicht.
Doch plötzlich, als sei nichts geschehn,
Sieht man sie wieder vor sich stehn.
Denn sie gehören zu der Innung,
Die die Beständigkeit nicht schätzt,
Und die das Fehlen der Gesinnung
Durch die Behendigkeit ersetzt.[651]

Darüber hätten sich die Amerikaner eigentlich freuen müssen, denn der Erfolg ihres Bemühens, den Deutschen auf dem Wege (des Dollars und) der Umerziehung 'democracy' beizubringen, hing entscheidend von der Deutschen Bereitschaft und Fähigkeit zum schnellen Gesinnungswechsel ab. Doch nicht
alle "Stehaufmännchen" waren so gesinnungslos, ihre alte Gesinnung, sofern
sie eine hatten, so hurtig und gründlich aufzugeben. Sie standen zwar auch
behende auf - aber gegen die "'neuen Bonzen'", die ihnen die alte Gesinnung,
richtete sie sich feindlich gen Osten, durchaus zubilligten und sie darin
noch bestärkten, die aber mit ihren vielfältigen Interessen und 'ihrer' Demokratie der erhofften 'Wiederkehr' im Wege standen:

Das sind nämlich die, die weiter nichts taten,
Als Stimmen zu stellen, das 'Ja' und Soldaten ...

Das sind nämlich die, die auf Wiederkehr hoffen.
Sie waren zwar gar nichts, doch auch machtbesoffen.[652]

Zwar

(Sie) hatten doch alle die Schnauze voll
und wollten nichts mehr wissen,
und hatten allmählich erkannt, daß man sie
nur ausgenutzt und beschissen ...

Doch heut, wo fern schon die Trommel dröhnt,
um Landsknechte zu werben,
da wissen sie nichts mehr von Stalingrad,
von Bomben und vom Sterben.[653]

"Faschismus und Krieg haben mehr Hirne als Häuser zerstört, und diese von
Hirne werden ... Schlupfwinkel und Verstecke für alle möglichen Arten von
Wahnideen bleiben."[654] Doch bei den 'Ideen' bleibt es nicht, bis ins
Massengrab dröhnt die "Trommel", zu "Schulze dreizehn", der einen ahnungslosen Mitinsassen belehrt: "Du scheinst dich nicht an Hand von Zeitungen
zu informieren, / Daß die sich da oben schon wieder massakrieren. / Sie
setzen ihr beliebtes Steinzeitverfahren ruhig fort."[655] – Vermutlich hat
"Schulze dreizehn" in den Zeitungen über das Scheitern der Vier-Mächte-Ver-
handlungen gelesen, über den mit "gedruckten Handgranaten" geführten
"Schützengrabenkrieg der vier Sektoren"[656], über die Berlin-Krise, über
die Pläne und die Bereitschaft einiger neudeutscher Politiker zur Wiederbewaffnung[657], vielleicht auch über kriegerische Auseinandersetzungen
außerhalb Deutschlands[658]. Bestimmt aber hat er erfahren, daß die "da
oben" mit dem 6. August 1945 einen Markstein in der Weiterentwicklung
des beliebten 'Steinzeitverfahrens' gesetzt haben. Die brutale Selbstverständlichkeit, mit der die Amerikaner das barbarisch verfeinerte Massen-
tötungsverfahren an Hiroshima und Nagasaki erprobt haben, gibt den Toten
Grund genug zu der Annahme, vorläufig "völlig umsonst gestorben" zu sein
und "vielleicht noch Zugänge" zu erhalten.[659]

Mit der erfolgreich getesteten Atombombe ist neben der Reintegration vieler Nazis in die westdeutsche Gesellschaft und dem sich verschärfenden
Ost-West-Konflikt ein weiterer entscheidender Hintergrund der Angst, "Daß
der Krieg wiederkommt" (Kaschnitz) genannt. Doch unter dem Eindruck von
Hiroshima und Nagasaki scheint diese Angst zur Gewißheit, der lautlos ge-
führte Krieg mit dem unverkennbaren Zeichen - "Schreckhaft wächst ein
schwarzer pilz herauf" - zum "Schicksal" geworden zu sein: "Immer näher
kommt es, schritt für schritt."[660] - Und keine Möglichkeit, diese, wie
Eich dies "ekle Signal" charakterisiert, "Klapper des Aussätzigen" zum

Schweigen oder sich vor ihr in Sicherheit zu bringen?[661]

... Wenn du die Klapper des Aussätzigen hörst,
kannst du das Fenster schließen, aber es hilft dir nicht.
Verschließe es nur gut und dichte die Ritzen ab,
halt dir die Ohren zu und ziehe dir nachts die Decke über den Kopf:
Die Klapper des Aussätzigen hörst du immer.
Weil er nicht geht, mußt du gehen.
...
Geh weit, daß deine Ohren nicht mehr das ekle Signal vernehmen.
Aber richte dich nirgends auf langes Verweilen ein.
Es erreicht dich an allen Orten, wo du Zuflucht suchst.
...
Vom Rande des Festlandes fährst du hinaus ins offene Meer –
ersehnte Wüste, nach welcher du dich verzehrst, oh Einsamkeit!
Aber horch nur genau! Hörst du sie nicht, die Klapper des Aussätzigen?
Du nahmst sie selber mit.
Horch, wie das Trommelfell klopft
vom eigenen Herzschlag!

Eich zeichnet in diesem Gedicht die Anatomie einer Flucht. Wie auf einem
Reißbrett entwirft er die verschiedenen Wege – als Irrwege, auf die er seine vor der Atomgefahr fliehende Versuchsfigur setzt, um auch noch die
letzten Reste der so immer wieder provozierten Hoffnung zu zerstören; ein
Verfahren, dem makabren Spiel, mit dem die Katze die gefangene Maus für ihr
beschlossenes Ende präpariert, nicht unähnlich. Das tödliche Netz ist
lückenlos konstruiert, der Fluchtweg in seiner Abfolge genau vorausberech-
net: die letzte Station in diesem Labyrinth ist das weite Meer, dessen Einsamkeit die ersehnte Rettung endlich zu versprechen scheint. Doch gerade
hier wird der nochmals geschürten Hoffnung ein jähes Ende gesetzt mit der
schrecklichen Enthüllung, daß der Fliehende selber schon vom Aussatz befallen, die tödliche Klapper immer auch sein eigener Herzschlag, jeglicher
Abwehr- und Fluchtversuch daher sinnlos gewesen ist.
Die Unerbittlichkeit, mit dem dem Menschen Zug um Zug das geschlossene
System der Ausweglosigkeit, damit seine eigene Ohnmacht gegenüber der zur
unsichtbaren Entsetzen dämonisierten Atomgefahr demonstriert wird, steht
in Kontrast zu den Erwartungen, die allein schon durch die Struktur der
Syntax geweckt und wachgehalten werden: das "Wenn du die Klapper des Aussätzigen hörst", dreifach zu Beginn gesetzt, ist gleichsam in jeder Zeile
präsent - was dem Gedicht den Charakter eines in der Schwebe gehaltenen
Konditionalsatzes gibt - und konzentriert den Blick auf das erlösende
'dann', das, dem Gewicht des 'wenn' zufolge, wirkliche Lösungen anzubieten
scheint. Tatsächlich gibt Eich konkrete Handlungsanweisungen für den
(Ernst-) Fall, daß ... So groß ist die Gefahr, daß das Ich sogar aus den

geliebten Monologen zurückkehrt[662] und er auch den Platz der Langzeile
braucht, um eindringlich auf das Drohende aufmerksam und ausführlich seine
Gegen- und Abwehrmaßnahmen bekannt zu machen. Doch die verheißungsvollen
Imperative werden nur deshalb angeführt, um sie ihrer Sinnlosigkeit zu
überführen - d a z u braucht er die Langzeile, um den Beweis des totalen Ausgeliefertseins überzeugend führen und die fatalistische Pointe
im Schlußvers wirkungsvoll vorbereiten zu können. So droht der Schock, den
Eich denjenigen versetzen will, die die Gefahr angesichts der mit dem "Ent-
setzlichen" gefüllten Luft nicht sehen oder bagatellisieren oder auf
Schlupfwinkel spekulieren, aufgesogen zu werden von dem eigenen Gebanntsein
von ihr, ja, von einer gewissen hintergründigen Koketterie mit der eigenen
Ohnmacht - der Wachsamkeit eines 'vorgeschobenen Postens'[663] nicht gerade
förderlich.

Neben den bisher vorgestellten Gedichten, in denen die verschiedensten
Hintergründe für die Sicht der Zukunft als "schwarzes Loch" dargelegt wurden, gibt es andere, die sich nicht damit begnügen, mit dem Zeigefinger auf
gefährliche Tendenzen in der politischen und geistigen Entwicklung der
Nachkriegszeit lediglich zu z e i g e n und sie bloßzulegen, sondern
zu a k t i v e n G e g e n m a ß n a h m e n aufrufen, um dem nicht
enden wollenden Singsang der 'plattesten Platte' - "Kriege wird es immer
geben, / Kriege sind von Gott gewollt, / Denn der Krieg gehört zum Leben /
Wie der Trunken zu dem Bold"[664] - endlich den Garaus zu machen.
"Die neuen Kriegshetzer", die "Ex-Schlachtfeld-Hyäne(n)", die "Kriegs-
philosophen", die "Herren Atombombenflüsterer" und das ganze Gesindel um
sie herum, sie alle müssen bekämpft werden: "Wir gegen sie!" ruft Karl
Schnog seinen Mitstreitern zu[665] - und die wissen, was sie zu tun haben:

Schlagt die Faschisten drum zu Boden
wann, wie und wo ihr sie auch trefft![666]

Doch sollte jetzt noch einer unter ihnen auferstehn
und krähn, das mit der Schuld ging ihm zu weit:
stoßt ihm die Faust ins Maul ...[667]

Dies mag im einen oder anderen Fall den gewünschten Erfolg haben,

Doch besser wär's, wenn sie an den Laternen hingen
Am besten: Gleich in Uniform und Frack.[668]

Oder, so sinniert Heinz Hartwig, der sich als "im Ganzen friedlich" ein-
schätzt:

Auf d i e paar Kugeln käm's nicht an![669]

Auch der Heidelberger Emil Belzner will sich im Kampf gegen die lebenden
und toten Nationalsozialisten nicht erst auf Halbheiten einlassen, wenn
er fordert:

Versenkt in Beton sie, versenkt sie in Zement,
Schmeißt sie ins letzte Meer, das keine Schiffahrt kennt ...[670]

"Die Welt des deutschen Gedichts ist gewiß eine stillere als die der
Pflichten und Taten", urteilt ein Zeigenosse[671]; sie ist dies "gewiß"
nicht nur, im Gegenteil werden Taten in vielen Gedichten zur Pflicht gemacht, die Imperative nicht, wie in Eichs Gedicht, zur wirkungsvollen Demonstration der eigenen Wehrlosigkeit, sondern in der Absicht genutzt, die
gefährlichen Gegner wehrlos und sich selber immer wieder Mut zu machen:

Kommt her, der deutschen Reaktion
Wird nun der Rest gegeben,
Wir dulden länger nicht den Hohn,
Wir bauen, trauen, weben
Mit Mut, Geduld und Hoffen.
Der Morgen steht uns offen,
Aktion braucht neues Leben.[672]

Sich Mut machen heißt, unter Anfeuerungsrufen die Front des Widerstands
solidarisch verstärken, den Gegner als besiegbar oder als schon fast besiegt erklären; heißt aber auch, sich rüsten für das, was   n a c h   der
selbstgeschaffenen 'tabula-rasa'-Situation, dann also, wenn der "Reaktion"
tatsächlich der "Rest" gegeben sein wird, kommen wird. Dann erst steht
der "Morgen" offen - für ein "neues Leben".

2. Für eine 'neue Welt'

Die bislang gegebenen Antworten auf die Fragen nach Ort, Plan, Aussehen,
Material und Erbauern des neu zu errichtenden 'Hauses' vermitteln ein noch
recht undeutliches Bild dessen, was nun werden sollte: Lernet-Holenia wird
in dieser Frage schlechthin unverständlich, in Krolows Gedicht 'Heimsuchung' vermag sich zwar letztlich die groß geschriebene 'Hoffnung' gegen
die Angst durchzusetzen, doch worauf sich diese Hoffnung gründet, bleibt
ebenso im Dunkel wie die Zukunftsvorstellungen von Drews, der sich in Namen der jungen Generation gegen "Ismen", aber nicht für etwas ausspricht;
ebenso sind die besorgten Fragen "Wer nimmt uns an der Hand, wer wird uns
leiten?"[673] und "Wer baut ... aus diesem Chaos eine neue Welt?"[674] nicht

schon damit beantwortet, daß die alten und neuen Nazis bekämpft und von
jeder Beteiligung am Aufbau der neuen Welt ausgeschlossen werden sollen.

Adäquater Ausdruck dieser Schwierigkeit, über etwas zu sprechen, das man
noch nicht kennt, aber umso sehnlicher herbeiwünscht, ist der Rückgriff
auf die Natursymbolik. "Und dennoch blühen Rosen", so beginnt ein Gedicht
eines unbekannten Gefangenen[675]. "Dennoch", das bedeutet, die Trümmer
können das ans Licht drängende Leben nicht aufhalten - im Gegenteil: "Auf
dem Schutte unsrer Dielen / blühen Blumen bunt und wild"[676] - und den
Glauben daran nicht zerstören:

Ich glaube noch,
daß aus dem toten Garten
ein neues Samenkorn
des Wunders blüht.[677]

Die Natur ist im Aufbruch begriffen. "Zweige", "Knospen", "Samen",
"Saaten, "Morgenröte", die Anfangsstadien naturhafter Reifeprozesse, in
denen Neues organisch sich entfaltet, kündigen den "Frühling" an - "Unser
Frühling", ein geschichtlich gesellschaftlicher ist es jedoch, den Karl
Schnog hinter dem Trümmerfeld herannahen sieht:

Noch scheint das Trümmerfeld ein Jammertal.

Allein, so scheint's nur Flauen und Banausen;
Scheint's Nichtsnutznießern, denen Winter frommt.
Der Frühling naht! Wir hören schon sein Brausen.
Und mit der Blüte auch die Reife kommt.

Es raschelt noch einmal in dürren Zweigen,
Weil das Vergangne mit der Zukunft ringt.
Das Neue setzt sich durch. Es wird sich zeigen.
Zaust uns der Wind auch noch - hört, wie er singt.[678]

Mag das Neue sein Kommen auch in untrüglichen Anzeichen anmelden - durchsetzen kann es sich, im Unterschied zum Natur-Frühling, nicht ohne die tä-
tige Mithilfe der Menschen. Wenn ein Soldat den Tod bittet, "Laß mich noch
einmal wissen, / wie der Frühling aussieht"[679], dann weiß er, daß er, auch
wenn "Bruder Tod" von ihm abläßt und stattdessen zu denen geht, die ihn
'herbeisehnen', lediglich eine Voraussetzung für die Erfüllung dieses
'Frühlings'-Wunsches schaffen kann; verwirklichen kann ihn der Soldat nur
selber in kreativer Aktivität, auf deren Einsetzen alles und alle bereits
warten:

... tausend Kinder schlafen in unseren Lenden,
tausend Gedanken warten, daß wir sie wissen,

tausend Frauen träumen von unseren Küssen,
Holz, Stein, Eisen warten, daß wir sie prägen, 680)
Hammer und Pflüge warten, Bohrer und Sägen ...

Wer zögert noch, da die Geschichte den Aufbau doch bestens vorbereitet
hat? - Also

Vorwärts! ...
Lasset uns bauen!
Laßt uns für die Lebenden bauen
ein menschliches Land! 681)

Kinder und Geist, Liebe und Frauen, Baumaterial und Werkzeuge, Aufforderung und Anfeuerung zur kollektiven Anstrenung für menschliche Verhältnisse, das sind einige Elemente jener 'Aufbaulyrik', deren Charakter und
Entwicklung bevorzugt am Beispiel Wolfgang W e y r a u c h (1907)
untersucht werden soll, einem Autor, der sich hierzu besonders eignet:
1945 aus der Gefangenschaft zurückgekehrt, entfaltet er in fünf Jahren
Berlin - er war Redakteur beim 'Ulenspiegel' von der ersten Stunde an -
eine ungebremste Aktivität. In seinen (weit über hundert, z.T. mehrseiti-
gen) Gedichten, in Erzählungen, Kritiken, Briefen, Vor- und Nachworten zu
den von ihm herausgegebenen Anthologien 682) erweist er sich als einer der
engagiertesten literarischen Vertreter der politischen Aufbruchsbewegung,
für deren Aufstieg und Fall seine Lyrik ein zuverlässiges Barometer abgibt. - Der Aufstieg:

Deutschland,
wir lieben dich.
Freunde, das ist ein Satz,
der feststeht,
wie die Sonne im Osten aufgeht.

Dieser Satz ist ein Grundsatz,
er ist schlüssig wie Mathematik,
er ist selbstverständlich.
Jedoch,
es ist auch ein fragwürdiger Satz,
dem Irrtümer innewohnen können.
Freunde, ich will daher folgende drei Fragen fragen:
Was ist Deutschland?
Wer sind wir?
Und: worin besteht unsre Liebe?
Wenn ich frage, was Deutschland ist,
so möchte ich zuerst damit antworten,
was es nicht ist.
Es ist nicht das Land des Karabiners 98k,
nicht das Land der He 111 und der V1.
Es ist nicht - mit einem einzigen brennenden Wort -
das Land der Waffen.

Es ist vielmehr, Freunde,
das Land Goethes, Kleists und Hebbels ...,
es ist das Land Robert Kochs, des ungemeinen Arztes.
Es ist - mit einem einzigen glühenden Wort -
das Land des Geistes,
das sich der Waffen entschlagen hat,
nicht nur, weil man ihm die Waffen nahm,
sondern, was viel mehr ist,
weil es sich auch in seinem Inwendigsten der Waffen entledigte.
Freunde, Deutschland ist aus einem Land der Willkür
ein Land der Freiheit geworden ...
Freunde, Deutschland ist aber noch etwas andres,
etwas, was war, ist und sein wird,
das Land, beispielsweise, wo mein Vater
und meine Mutter geboren sind,
wo meine süße, junge Frau lebt,
ihr winziges Kind in den Armen -
wo der Hunsrück sich ausbreitet, die Schwalm ...,
und wo, schließlich, das große fleißige, schöpferische Berlin
arbeitet und arbeitet und arbeitet.
Freunde, damit ist auch schon das Stichwort dafür gefallen,
wer wir sind.
Wir sind Arbeiter,
alle sind wir Arbeiter,
wir, die wir in den Steinbrüchen arbeiten,
wir, die wir in den Fertigfabriken arbeiten,
wir auf den Feldern, in den Schlossereien,
wir in den Kontoren, Universitäten, Schauspielhäusern,
Schulen, Kinderheimen, Küchen der Wohnungen -
denn unsre Frauen sind nichts andres als wir selbst ...
Und wenn ich schließlich frage, Freunde,
worin denn unsre Liebe zu Deutschland besteht,
so sage ich ... sie besteht
eben in jener unsrer Arbeit,
in jener unsrer Gesinnung,
die unerbittlich ist gegen uns selbst,
die das Gute dem Schlechten vorzieht,
die den armseligen Gegner,
der immer noch glaubt, sein Mütchen zu kühlen,
zu überzeugen versucht.
Einer Gesinnung wollen wir rundherum huldigen,
die eben deutsch ist,
und das ist zugleich unsre Liebe zu Deutschland.
Noch aber, Freunde, sind wir - mit einem einzigen bewegenden Wort -
in der Not.
Doch wir wissen, daß uns die Not verlassen wird.
Denn wir vertrauen auf zweierlei:
erstens auf unsre eigene Kraft, Freunde,
auf unsre eigene Würde,
auf eine Zumessung an Glück,
die von Gott für jedes Volk bereit gehalten wird -
Und Unglück haben wir ja genug gehabt.
Und zweitens vertrauen wir auf die Menschlichkeit,
ja, Brüderlichkeit der andern, Freunde.

Denn wir sind ja nichts andres als sie auch,
ob sie nun weiß, braun, schwarz oder rot sind.
Wir sind alle Menschen,
die Engländer, Russen, Amerikaner, Deutschen,
die Indianer, Australneger, Tibetaner,
und Menschen lassen Menschen nie allein ...
Noch aber ist Deutschland,
das wir lieben - mit einem einzigen erschütternden Wort - ,
nur in unsern Träumen da.
Freunde, wir müssen uns erst aus dem Zustand der Träume
in den andern - erhabenen und, ach, so schwierigen -
Zustand der Wirklichkeit verändern.
Freunde, und das ist erst geschehen,
wenn unsre Frauen zu uns sagen:
Ihr habt eure Sache gut gemacht;
wenn unsre Kinder sagen:
bravo, Alter!
Freunde, und dann erst dürfen wir uns
recht eigentlich Deutsche nennen,
Deutsche, Europäer und Menschen.
Vorher ist alles,
so bedeutend es auch scheinen mag,
nur Wort, nur Vorschuß.
Also, Freunde, laßt uns sein,
wie die jungen Mütter sind,
ehe sie ihre Kinder gebären:
gelassen,
gläubig,
bewußt der jetzigen und kommenden Schmerzen,
und mitten in der unaufhörlichen Vorbereitung
auf die Sorgen im zukünftigen Zustand.

Der Gipfel ist, kaum hat der Aufstieg begonnen, mit dem glühenden Anruf in
den ersten beiden Zeilen des Einleitungsgedichtes des ersten Lyrikbandes
schon erreicht. Im Nachhinein dann, auf sechs ausführlichen Seiten im seinerzeit geschätzten lyrischen Prosastil[683], werden in Form einer systematischen Analyse von Angerufenem und Anrufer und der sie verbindenden Liebe Substanz und Qualität der 'Höhen' sowie die Bedingungen und bewegenden
Kräfte des Aufstiegs beschrieben. So gibt dieses Gedicht die vollständige
politische und poetische Programmatik Weyrauchs und gleichzeitig die we-
sentlichsten Überzeugungen, Hoffnungen und Widersprüchlichkeiten der Nach-
kriegsbewegung wieder, die ich, ohne mich streng an die Argumentations-
abfolge zu halten, anhand dieser Vorlage zusammenfassend und durch weitere
Textbeispiele - nicht nur von Weyrauch - ergänzen werde.

a) Deutschland: Land des Geistes und der Freiheit

Es ist schon beeindruckend, mit welcher aufdringlichen Selbstverständlichkeit Weyrauch einen 'fragwürdigen' zu einem 'selbstverständlichen' Satz de-
klariert, gleich gar zu einem "Grundsatz", den er seinem lyrischen Werk
voranstellt. Auf die von ihm erkannte Fragwürdigkeit braucht er nicht näher
einzugehen, scheint es doch so kurz nach dem Ende der nationalsozialistischen Deutschland-Euphorie, der Zeit unzähliger Hymnen und Schwüre auf
Deutschland, alles andere als selbstverständlich, dieses Land schon wieder
in Liebe und Hingebung zu besingen und "rundherum" einer Gesinnung zu
huldigen, "die eben deutsch ist". Für einen Moment scheint der Autor, das
verrät dieses "eben", etwas ungeduldig und unwillig über seine eigene Geduld geworden zu sein, in der er das für ihn so Selbstverständliche in
langen Erklärungen vor Fehlinterpretationen glaubt schützen zu müssen - als
ob nicht klar wäre, daß seine Liebe eine andere, daß vor allem das von ihm
geliebte Deutschland ein anderes ist als das Deutschland der Waffen: das
Land des Geistes und der Freiheit, das trotz oder gerade wegen der fanatisch
pervertierten Deutschlandliebe der vergangenen Jahre nicht nur geliebt werden darf, sondern nun erst recht geliebt werden muß[684].

Weyrauchs Bild vom neuen Deutschland ist ohne die breite Bewegung zur Re-
habilitierung des wahren, klassischen deutschen Geistes, deren überzeugter
Anhänger er war, nicht denkbar. Doch wenn er in seinem 'Berliner Brief'
schreibt "Wir dürfen uns, Gott sei Dank, dem Geist und nur dem Geist ergeben"[685], dann spricht daraus nicht, wie für so viele der 'Geistes-Anhän-
ger', die Erleichterung über ein endlich gefundenes Ruhekissen für den epi-
gonalen Nachkriegsschlaf, sondern die Freude über die "ungeheure Chance",
die er sich für Deutschland mit der Aktualisierung des geistigen Erbes verspricht: der Erde die "Inbrunst, die Vernunft einer entfesselten, flammenden Humanität" zu geben[686]. Mit anderen Worten: Sein Rückgriff in die Geschichte ist nicht Ausdruck resignativer Phantasielosigkeit und des Wun-
sches, sich in schon Gedachtem behaglich einzurichten, sondern im Gegenteil:
was hervorragende Repräsentanten des deutschen Geistes g e d a c h t
haben und noch denken - größtes Vorbild ist Lessing, auf den er einen Eid
leistet[687], doch auch Brecht und Johannes R. Becher sind eingereiht - ,
soll endlich p r a k t i s c h werden; Vernunft, Humanität, Freiheit,
Toleranz, Wahrheit sollen nun nicht mehr schöne Worte der hohen Literatur

bleiben, nicht mehr ein bloß g e i s t i g e s Deutschland neben bzw.
hoch über dem politischen bilden, sondern die bestimmenden Prinzipien der
gesamten Lebenspraxis im neuen Deutschland des G e i s t e s werden,

damit das Glück den Alltag ergreife,
durchsäure,
bis das Glück und der Alltag ein und dasselbe wären,
eine einzige Harmonie,
gleichend den Harmonien des Johann Sebastian Bachs,
den ewigen Strophen des Psalters.[688]

Eben deswegen, weil die "Harmonien des Johann Sebastian Bachs" bisher nur
für einige wenige den Feierabend verschönt, aber noch nicht den Alltag
aller 'durchsäuert' haben, kann Weyrauch das "Zukünftige, das Meteorische"
- "nichts wiegt mehr!" - auch in den "Überlieferungen", in den noch nicht
eingelösten Glücksversprechen aus den "großen Traditionen"[689] aufspüren,
Vergangenes somit ganz in den Dienst des Gegenwärtigen und Kommenden
stellen.

Diese beschworene Identität von Glück und Alltag ist nur realisierbar in
einer

b) G e s e l l s c h a f t d e r G l e i c h e n ,

in der sich alle, ob in "Steinbrüchen" oder "Universitäten", als "Arbeiter"
begreifen, als "Brückenarbeiter", die alle mit dem gebotenen Ernst, aber
auch mit Lust und Liebe aus den verbliebenen Fetzen der Notbrücken trag-
fähige Brücken bauen, damit das "unaufhörliche, fließende, erquickende Hin
und Her / der Gemeinschaft der Menschen" beginnen könne[690]. Denn, so
pflichtet ihm einer seiner 'Freunde' bei,

Es ist nicht zu spät, Leute ...,
du Lokomotivführer, Maurer, Bergmann, Fischer ...,
du Redakteur, Dichter, Buchhändler, Arzt, Ingenieur ...,
ein Du zu finden, zu sagen:
Nachbar, Kamerad, Genosse, wir alle
haben nichts, weder Geld, weder Land, keinen Thron.
Aber wir haben ein hämmerndes Herz, einen
warmen Blutstrom im dürren Leib, ... ein brennendes Hirn ...,
Das haben wir immer noch, immer!
Diese Voraussetzung eines bevorstehenden Ereignisses:
der Entdeckung des Menschen.[691]

Nichts und niemand wird in der Nachkriegszeit mehr beschworen als der
"Mensch" (das Menschliche, die Menschlichkeit), auf den selbst Krolow seine

einzige "HOFFNUNG" setzt[692]. Dies ist einmal als Reaktion auf den nationalsozialistischen 'Unmenschen', den viele mit Entsetzen in sich selbst
entdeckt haben, zum andern als Versuch zu werten, der fortschreitenden Zerstörung des Menschen durch die Mechanik, die den "Menschen zur Marke
(stanzt)", entgegenzutreten[693]. Der gewichtigere Grund ist jedoch in
einem emphatischen Gleichheitsgefühl zu sehen, dessen objektive Basis der
Glaube abgab, wie Adam und Eva von vorn beginnen zu können, zwar nicht im
"puren Paradies", das auch Martin Walser bei Kriegsende "direkt vor Augen
sah"[694], doch mit dem Vorzug derer, die nichts mehr haben außer: "ein
hämmerndes Herz", "einen warmen Blutstrom", "ein brennendes Hirn". - Nun
sitzen sie alle in einem Boot; der Besitz, zuverlässiger Garant für die
stabile Ungleichheit der Menschen, für Haß, Neid, Mißgunst, Abhängigkeit
liegt wertlos und machtlos versunken in den Trümmern, die Klassengegensätze sind aufgehoben, und wo sie noch bestehen und wo sich ein paar Un-
verwüstlich daranmachen, deren fossile Struktur auch nur zu erhalten, besteht auch die Zuversicht, ihrem Treiben ein Ende zu machen, steht das 'Ereignis' doch unmittelbar bevor: die "Entdeckung des Menschen", d.h. die
gesellschaftliche Organisation der Menschen eben nach dem "Gesetz des
Menschen"[695], nach dem Prinzip eines brüderlichen von Du zu Du[696]. Die
Mauern zwischen den Menschen sind eingerissen, die Fesseln der Klassen und
Funktionen - erst Mensch, dann Maurer und Dichter! - abgestreift, Brücken
werden gebaut von einem zum andern solange, bis jeder die Möglichkeiten
und Fähigkeiten zur Begegnung mit jedem hat, mit all den Nachbarn, Kameraden, Genossen und Freunden - in Deutschland, Europa und der ganzen Welt.
Denn die "Entdeckung des Menschen" macht an den Grenzen nicht halt, sie
vollzieht sich im Gegenteil erst wirklich im Brückenschlag der Liebe und
Begegnung auch zwischen den Völkern. Daher gehören

c) *Internationale Solidarität*,

die Vorstellung von einer **E u r o p a** - und **W e l t g e m e i n d e**
zur Entdeckung des Menschen unbedingt dazu; ob "Australneger" oder
"Deutsche", ob "schwarz oder rot": "Menschen lassen Menschen nie allein",
sie verachten die "Nationen", besonders jene im "hallenden Europa", die
immer noch, "verschämt in Bettlermänteln", "Verwünschungen brütend" und
"Drohungen rollend", auseinanderstehen, und wenden sich an die "Völker":

O ihr natürlichen Völker der Welt, werft ab eure Mäntel,
die zerschundenen, abgetragenen des ergrauten Nationalismus,
tretet hervor, ihr Menschen ...,
Tretet zusammen, ihr Völker, entwerft die Ordnung der neuen
Welt, verlaßt die Nationen ...697)

"Der Nationalrausch war verraucht, nun sollte Europa sein."698) - Für

manch einen sollte Europa deshalb sein, weil es für ihn im Toben des Na-

tionalrausches bereits   w a r   - ein Licht "in der Nacht des Verlorenen"

nämlich, "unsere Heimstatt", "unser aller Mutterland",

Du warst es, du schenktest mir Aufrichtung im sinnlosen Tag
des Krieges, Europa.

In dieser Nacht sage ich Lebwohl meiner Verzweiflung und
entzünde meine Hoffnung an deiner Unsterblichkeit, Europa.699)

Wie kommt ein Soldat dazu, im europäischen Schlachtengetümmel ausgerechnet

in "Europa" sein Heil zu suchen und zu finden? Wie kommt H.W. Richter dazu,

ausgerechnet Soldaten, Gefangene, Heimkehrer allesamt, nach dem Titel die-

ser Europa-Hymne, zu Söhnen Europas zu erklären? - "Einst zu Hause", in

Bauers Zimmer, hing eine Landkarte Europas. In mancher schlaflosen Nacht

überschritt er in Gedanken die Gebirge und 'erkannte' die Länder. Während

des Krieges, gejagt von einem Kampfplatz zum andern, hat er sie dann wirk-

lich kennengelernt, die Länder und die Menschen: "Sacre Coeur an einem

Herbsttage", die "grüne Ebene der Normandie", ein "Gespräch mit einem ita-

lienischen Arzt in einem kleinen Dorf", "liebe herz- / liche Stimmen, /

Stimmen von Franzosen, Griechen, Italienern".

Sofern der Krieg sie zuließ, hat diese Erfahrung der Schönheit anderer

Länder und der Herzlichkeit der Menschen das Zusammengehörigkeitsgefühl

sicher verstärkt; sie wog jedoch wenig gegen die "Erkenntnis" aus einer

einzigen "Nacht im Graben":

Wir gruben unsre Hände in den Sand
und preßten unsre Münder schreigeformt
auf frischer Gräber Schollen. Nah dem Rand
des Wahnsinns unbekannter Angst, genormt
nicht mehr als Nummern einer Liste, bloß
noch Mensch. So wie der 'drüben' qualverkrallt
- auch Mensch, nicht Feind - sich barg im Erdenschoß ...
Wir fühlten, daß die Menschen einen Ur-
sprung hätten, daß gemeinsam Blut, das pocht
und wallt in unsern Adern, letztlich nur
aus einem Quelle entsprang: der Erde, der
wir alle gleichgeliebte Kinder sind!700)

Es gehört offensichtlich zu den Widersinnigkeiten des 2. Weltkrieges, daß
es seines eigenen Widersinns bedurfte, um aus Menschen Nummern, aus Nummern
Menschen, aus Feinden Brüder - den 'Rotarmisten' mit eingeschlossen[701] -
und ihnen allen ihren "einen Ur-/sprung" bewußt zu machen; und das gerade
in jenen Phasen des Krieges, da sie sich am unerbittlichsten bekämpften
und, vor Angst dem Wahnsinn nahe, voreinander im "Erdenschoß" ihre letzte
Zuflucht suchen. Und sie dort auch finden, denn "Des Bodens Duft / strömt
aus den Äckern" und weckt die versunkene Erinnerung an "der dunklen Stunde
Macht, / da euch die Erde ganz verbunden."[702]

Der Aufbruch in eine neue Welt der Brüder, Freunde und natürlichen Völker
hat, das läßt sich aus vielen Gedichten ehemaliger Soldaten ablesen, entscheidende Impulse von Solidarisierungserfahrungen auf den Schlachtfeldern
erhalten. Das gemeinsame Leiden unter dem Krieg schloß viele zusammen zu
dem gemeinsamen Kampf gegen den Krieg und verhalf zu der Erkenntnis, daß
der 'daneben und da drüben' ungeachtet aller Unterschiede doch eigentlich
der gleiche Mensch wie man selber sei. Außerdem haben sich in der Zwangsge-
meinschaft von Soldaten Verhaltensformen ausgebildet - Zusammenhalten, Für-
einandereinstehen, das kameradschaftliche von Du zu Du - , die ebenfalls mit
in die Solidaritätseuphorie der Nachkriegsjahre eingingen, freilich auch
und vor allem, wenn sie als s o l d a t i s c h e Verhaltensmuster bewahrt wurden, die Basis für die Verherrlichung von Krieg und Soldatentum
abgaben und, wie ein Gedichtband von Werner Urban aus dem Jahre 1973 in
frappierender Deutlichkeit belegt, immer noch abgeben.[703]

Die Glaubwürdigkeit der Vorstellung von einer Welt des Friedens mit dem
Herzstück Europa mußte entscheidend davon abhängen, ob die Praxis des
wechselseitigen Brückenschlagens auch zwischen Ost und West funktionieren
würde. Die Emphase, mit der die Energie des geistigen Deutschland, vor
allem aber das

d) S c h ö p f e r i s c h e   B e r l i n   a l s   Z e n t r u m
    d e r   B e w e g u n g

und Modell der neuen Welt beschworen wurde, hatte nicht zuletzt seinen
Grund in dem Bewußtsein, Deutschland mit Berlin als seinem Vorreiter sei,
der wiederentdeckten humanen Qualitäten und der geographischen und politischen Lage wegen, als Mittler bei der Erfüllung dieser historischen Auf-

gabe geradezu prädestiniert. Allein Weyrauch widmet daher dem 'großen, fleißigen, schöpferischen Berlin', dem "Marseille des Geistes"[704], der "Stadt des Morgens, wenn die Hähne krähen", drei große Gedichte voll Überschwenglichkeit und Andacht:

Schäumende Harmonie, bildest dich hier,
im Berlin des Jahres 1946,
Berlin, unsre Stadt, Mitte des Schlangennests
warst du, innerstes Nest der Tauben
bist du jetzt. Süße Taube,
schwingst dich über uns, steigst, schwebst,
Gleichnis des Kommenden, der Vielfalt
in der Seligkeit des Unauflöslichen![705]

Vor so viel Größe muß ja alles "klein" werden, "dies taube und blinde Gedicht" ebenso wie der Verfasser:

Leute, ich wollte singen, von Berlin ...,
aber ich kanns nicht, ich bin klein,
doch die Stadt ist unermeßlich.
Setzt ihr, die ihr hier lest, das Lied fort,
singt schlüssig, seid Dolmetscher des Atems ..."[706]

Ein Gedicht zum Weitersingen, zum Weiterschreiben also. Diese Art der Literaturproduktion setzt auf Seiten des Lesers die Bereitschaft zum Mitmachen, auf Seiten des Autors die Fähigkeit oder doch das energische Bemühen voraus, den 'Leuten', an die er sich wendet, den "Atem", den er selber verspürt, so ins Gesicht zu blasen, daß auch sie ihn weiterleiten können; mit anderen Worten, er muß

e) *Eine gemeinsame Sprache aller*

sprechen, was, hier speziell auf die Lyrik bezogen, bedeutet,

daß sie verständlich sei
allen Völkern,
daß sie übersetzbar sei,
daß sie also das Haupthindernis der Übersetzung,
den Reim, gering schätze,
daß sie anwendbar sei
zu irgendeiner Minute
bei irgendeinem Leser
in irgendeinem Volk!

Das sind einige Sätze aus den 'Sätzen zur linearen Lyrik', die die Lyriker des 'Ulenspiegel' verfaßt haben[707] - ein recht ehrgeiziges, aber, auf dem Hintergrund des gesamten Aufbau-Programms, auch recht einleuchtendes Programm. Diese Autoren haben nämlich erkannt, daß die Brücken zwischen Menschen und Völkern ohne den gleichzeitigen Abbau der verschiedenen Barrieren (Nationen, Klassen, Funktionen) in der S p r a c h e kaum tragfähig sein dürften. Es ist daher nur konsequent, daß sie als eifrige Verfechter der neuen Welt von der 'vertikalen Lyrik' Abschied nehmen und zur Produktion von 'linearer Lyrik' aufrufen, einer Lyrik, "die hauptsächlich dem Kontakt unter den Menschen und unter den Völkern dient"[708].

Niemand hat sich die Postulate der linearen Lyrik so zu Herzen genommen und sich so bemüht, sie in 'flammendem Pragmatismus'[709] in die Praxis umzusetzen, wie, wieder einmal, Wolfgang Weyrauch. - Der Leser gilt im alles; er will ihn "freimachen", "in Schutz zu nehmen versuchen", dabei darf es ihm, dem Autor, selbst "nie gut gehen. Aber den anderen, meinen Lesern nämlich, die ich nie allein lassen darf, mit denen ich mich immer im Dialog befinde, soll es möglichst gut gehen ... Wozu wäre ich sonst auf der Welt? Wozu wäre ich sonst als Schriftsteller auf der Welt?"[710] - Der Ausgangstext[711] zeigt deutlich dieses Bemühen um einen Dauerkontakt mit dem Leser; 15mal spricht das Ich seine "Freunde" direkt an und tut auch sonst alles, damit sie sich gegenseitig folgen können. Nichts geschieht ohne den Leser. Jeder einzelne Gedanke wird gleichsam in seinem Beisein gedacht und vor seinen Augen niedergeschrieben und manchmal in teils wörtlichen, teils variierten Wiederholungen bekräftigt; jeder weitere Schritt als solcher kenntlich gemacht, d.h. mit dem vorhergehenden verbunden oder zu der anfangs gegebenen Kurzübersicht, die eine erste Orientierung bietet, in Beziehung gesetzt ("ich will daher ... so möchte ich zuerst ... ist auch schon das Stichwort gefallen ... Und wenn ich schließlich frage ... Also, Freunde ..."). Auch Wortwahl und Syntax in dieser ausführlichen und ausführlich kommentierten Analyse eines 'fragwürdigen Satzes' genügen der selbstgesetzten Forderung, "einfach für den Einfachen" zu schreiben[712], der daher keine schwierigen Metaphern zu entziffern hat und manchmal von einem, der sich dabei Zeit läßt, sogar eine "Geschichte" erzählt bekommt[713].

Zu dem Deutschland, das Weyrauch liebt, gehört auch seine "süße, junge Frau ..., / ihr winziges Kind in den Armen ...". Ein vergleichbares Bild findet sich im Schlußteil, wo sich der Autor noch einmal beschwörend an seine "Freunde" wendet mit dem Appell: "Also, Freunde, laßt uns sein, / wie die jungen Mütter sind, / ehe sie ihre Kinder gebären". - Warum die Freunde sich ausgerechnet am Verhalten junger Mütter kurz vor ihrer Niederkunft orientieren sollen, wird verständlich, wenn man die

f) G r o ß e B e d e u t u n g d e r F r a u e n , M ü t t e r ,
    K i n d e r

für die Aufbruchsstimmung der Nachkriegsjahre in Betracht zieht.

Schon die Untersuchung der Schuldfrage legte die Tendenz offen, das Subjekt
der Schuldigen ins Grenzenlose zu erweitern, weshalb es Mühe machte, aus
dem diffusen Kollektiv aller doch noch diejenigen mit der größeren oder
Hauptschuld auszusondern. Ähnliche und größere Schwierigkeiten ergeben sich
bei dem Versuch, die wahren Träger und Verfechter des Neuen - und das sind
auch zugleich die Widersacher gegen das fortschrittshemmende Alte[714] - zu
bestimmen. Denn nicht nur die heterogene Struktur dieser Bewegung, sondern
auch das von ihr verfochtene und in ihr selber wirksame Gleichheitsprinzip
und in seiner Folge die tendenzielle Einebnung aller Unterschiede und Gegensätze stehen einer sorgfältigen Differenzierung im Wege - in der Lyrik
besonders, sofern sie sich auch noch, wie die 'lineare', in den Dienst der
Menschen- und Völkerverständigung stellt. Dennoch fällt auf, daß sich die
oben genannte Gruppe aus dem kollektiven Aufbau-Subjekt der Freunde, Leute,
Genossen, Kameraden, Brüder, Lokomotivführer, Nachbarn, Buchhändler im In-
und Ausland insofern heraushebt, als sich mit ihr die Hoffnungen auf das
gesellschaftliche Praktischwerden der 'flammenden Humanität' in besonderem
Maße verbinden. - Warum? Warum gerade die Frauen, Mütter, Kinder?

Was die "süße, junge Frau" betrifft, vor der Weyrauch immer von neuem auf
die Knie fällt, so hat eine Frau, Ilse Langner, einsichtige Erklärungen
für die gesellschaftliche Aufwertung der Frau zur Hand:

Sie, die das Leid trug, die harte Not und das Elend,
Wurde nur fester im Widerstand roher Gewalten -
Schaut ihr ins Antlitz, ins klare Aug', auf den kühnen Mund.
Achtet den zielsich'ren Gang - und gestehen Sie ehrlich:
Fühlten Sie dann nicht trotz Nein und Nein
Stark das entschlossene Ja für die Zukunft Berlins?[715]

Mag den Alliierten der Sinn für solche Gefühle auch abgehen, die Männer jedenfalls, und nicht nur die in Berlin, sind dringend auf sie angewiesen,
denn, so wendet sich dieselbe Autorin in einem 'flammenden' Aufruf an ihre
Geschlechtsgenossinnen:

"Seht die Männer! Welche Traurigkeit in Gang und Haltung! Welche Verstört-
heit im Blick ... Seht eure Männer an, denen noch der Glaube und die Lust
am Leben mangeln ... Denn der Weg aller in dieser verwüsteten Stadt ist

schwer und friedlos, meine klugen Töchter – darum erwarte ich von euch, daß
ihr die Disteln mit einer köstlichen Freude ziert – daß ihr das Elend nicht
nur mit eurer Tapferkeit, eurer unermüdlichen Arbeitskraft eindämmt ... –
nein, ihr müßt das Übermenschliche, das Weibliche vollbringen: schön müßt
ihr sein und durch die dicke Kummerschicht hindurchstrahlen – ihr müßt
die trostlos und grau gewordenen Männer zum Leben verführen ... Eure bie-
dere Tapferkeit nützt da nicht mehr genug, eure Aufopferung kann zur Last
werden, eure Tapferkeit zum ständigen Vorwurf – nein, ihr müßt zu den
Quellen allen Lebens hinabsteigen und in ihnen die schöpferische Kraft
frisch beleben! Tut ein Äußerstes an ihnen, das diesmal nur das Natürliche
ist: Spendet ihnen Erotik! ... sie wärmt uns das Blut, ... das träge, ver-
schlafene Blut!"716)

Diese 'Trümmerfrau', wie sie in diesen beiden Texten bezeichnenderweise aus
der Sicht einer Frau gezeigt wird, hat zwar auch "Männerhosen" an, die sich
Ursula Herking allabendlich für das 'Marschlied 1945' überzog, sie kann
zwar auch "verbissen" zupacken717), aber sie kann auch zärtlich anfassen –
die Männer nämlich, die dies so dringend brauchen (sie selbst natürlich
ebenso, die Erotik wärmt ja "uns" das Blut). Mit dem sicheren Blick für
das Notwendige hat sie erkannt, daß die Frau – und ihre Stärke macht eben
aus, daß sie   b e i d e s   kann – nicht nur 'Mann' sein darf, um die
Häuser wieder aufzurichten, sondern daß sie auch 'Frau' sein muß, um die
Männer wieder aufzurichten; sie, die kaputt, enttäuscht, verstört aus Gefangenschaft und Krieg in die zerstörten Städte und Wohnungen zurückkehren
und, auch wenn sie es nicht immer zugeben, sich nach Liebe sehnen, die sie
noch nicht oder kaum noch kennen.
Wenn Borchert sein Manifest ein 'Manifest der Liebe' nennt718), Lohmeyer
und Weyrauch und viele andere Lyriker, besonders die jungen Heimkehrer, von
Liebe sprechen, dann meinen sie nicht so sehr: Liebe als eine erhabene Idee,
sondern zunächst einmal: Erotik, die Liebe einer Frau.

Es scheint mir bedeutsam (und daher die Ausführlichkeit): der inflatorischen
Verwendung der Wortfamilie 'Liebe', in der Lyrik der Nachkriegszeit liegt
nicht nur die Reaktion auf die 'Haß'-Jahre des Faschismus, nicht nur die
Aktualisierung der Prinzipien klassischer Humanität, sondern das ganz besonders 'aktuelle' sinnliche Bedürfnis nach erotischer Liebe bzw. die Freude,
sie nach langen Entbehrungen wieder erfahren zu dürfen, zugrunde. Ich
zweifle, und das ist kein platter Psychologismus, ob Weyrauch seine 'Liebe
zu Deutschland', ob er den Entwurf einer Gesellschaft, in der die Freien
und Gleichen eigentlich nur noch in Liebe verkehren, in seinem unüber-
troffenen Enthusiasmus, der freilich kaum Zeit für künstlerische Gestaltung
zuließ, hätte vortragen können   o h n e   die Liebe zu "Ulrike", der lange

gesuchten, endlich gefundenen, stürmisch besungenen und andächtig verehrten. Hätte er ohne sie die Liebe - jene Liebe in den kalten Betten und zugigen Zimmern - zu einem europäischen Ereignis (v)erklären können?[719] - Sicher nicht, und Weyrauch hat es auch gesagt, daß er die ersten Nachkriegsjahre zunächst einmal als "Jahre der Erotik" erlebte[720]; er und die vielen anderen, die, um für das "Gesetz des Menschen" kämpfen zu können, selber erst wieder lebendige Menschen werden mußten, ernährt gleichsam aus den "Quellen allen Lebens", mit der Kraft und der Liebe der Frauen.

Und wenn die Frauen dann auch noch M ü t t e r sind bzw. dabei sind, es zu werden, scheint der Lebensquell schier unerschöpflich zu sprudeln . - " ... ob sie nun achtzehn oder achtundsechzig sind - (denn) die Mütter sollen uns die Kraft geben für dies Deutschland im Schutt."[721] Woher die heimgekehrten Söhne, für die Borchert spricht, diese Zuversicht und die Mütter diese Kraft nehmen, macht Karl Mundstock in einer achtseitigen Hymne auf die "Mütter" (über)deutlich[722]; was hätten die Söhne auf den fernen Schlachtfeldern denn ohne die Mütter gemacht?!

Mutter du,
schwach und krank,
gilt all dein liebes Sorgen,
dein Erwachen am Morgen
dem Sohne irgendwo
inmitten der sinnlosen Schlacht.

Ihm, oder aber der 'leise keimenden Frucht' im eigenen Leib:

Mutter du, im Aug den feuchten Schimmer.
Fiebernd in wilder Begierde die Frucht zu retten,
rasend inmitten des rasenden Todes rings.

Der Schmerz, der "unvergessen / tropft aus den Tiefen / fruchtbaren Werdens", das ungeheure Leid - "Wer wohl leidet mehr als ihr, Millionen Mütter?" - darüber, das von ihnen geborene und werdende Leben vom Krieg zerstört oder bedroht zu sehen, haben in den Müttern ungeahnte Kräfte freigesetzt. Das jedenfalls glaubt Mundstock, der sie "furchtbar" als "Rachegöttinnen, / jäh in der Ekstase gewandelt", für die "heilige Sache der Menschlichkeit" kämpfen sieht, ein

Volk von Brüdern, Volk von Müttern,
zur Klasse erwacht in Stahlgewittern.

Doch mehr ein Volk von Müttern, denn diese brauchen nur zu atmen, um die "Fundamente der Zuchthausordnung zu erschüttern", die sie schließlich ganz

dem Erdboden gleichmachen - um dann ihre wahre historische Mission überhaupt erst anzutreten:

Und nachdem ihr nach eurem Gesetz gerichtet,
nachdem all das Faule und Gemeine vernichtet,
führt ihr, Mütter, unser Volk, die Menschheit.
Euer wieder die liebliche Anmut, die schöne Würde.
Eure Lenden fruchtbar, kostbare Bürde
dem fröhlichen Frieden darzubieten hingerissen.
Und ein Volk,
freiheitstrunken
in die Knie gesunken,
eure zukunftsträchtigen Lenden zu küssen.

In Situationen völliger Rat- und Orientierungslosigkeit hat schon manch
Erwachsener zu seiner Mutter zurückgefunden, um bei ihre letzte Zuflucht
zu suchen. - Psychoanalytische Deutungen wären nötig, um diese Vergötterung
der in Stahlgewittern gestählten und zugleich mit Anmut gesegneten Mütter
ganz verstehen zu können. Jedenfalls reicht der Verweis auf die auf fernen
Schlachtfeldern gemachten tröstlichen Erfahrungen mit der Mutterliebe[723]
und auf die durch die Kriegsnot erzwungenen Kraftanstrengungen vieler
Mütter nicht aus, um deren Krönung zu den neuen Führern von Volk und Menschheit einsichtig machen zu können. Zur Wahrnehmung dieses Amtes, das zeigt
unmißverständlich die in den letzten Versen beschriebene Demutsgeste des
Volkes, bedarf es noch anderer Fähigkeiten, die einzig den Müttern vorbehalten sind: über 'zukunftsträchtige Lenden' zu verfügen, was bedeutet,
über die Zukunft selber und selbst da noch zu verfügen, wo sie ausgelöscht
scheint: "inmitten Tod und Verderben der Zeit", selbst da sieht man die
Mütter "zukunftsträchtig schreiten", "den Keim der Zukunft fröhlich tra-
gend".

Die Begeisterung für die Mütter ist vor allem die Begeisterung für ihre
Schöße; die Menschheit führen heißt hier, die Menschheit vermehren; das Gesetz der Mütter ist vor allem das Gesetz der Erde ("Und seh euch immer
fruchtbar wie die friedvolle Erde"). Wie die Rosen mit ihrem Blühen, so
setzen die Mütter mit ihren Lenden dem Chaos und dem scheinbaren Still-
stand von Geschichte ihr unbeirrbares, weil naturgesetzliches 'Dennoch'
entgegen[724] - und, im Widerstand und Befreiungskampf, das 'Dennoch' geschichtlichen Handelns gleich mit. Eben diesem Umstand, daß sie die Prinzipien von Natur u n d Geschichte in sich verkörpern, scheinen die
Mütter ihre Berufung in das würdige und schwierige Amt zu verdanken.

Gleichwohl gilt die Anbetung der Mütter weniger diesen selbst und auch nicht so sehr ihren Lenden, sondern dem, was diese tragen. Die Mütter schaffen lediglich die Voraussetzungen für die Zukunft, sind lediglich "zukunftsträchtig", aber nicht die Zukunft selbst. Sie zu verkörpern ist ein Privileg der K i n d e r , denen deswegen weit mehr Beachtung geschenkt wird, jedenfalls in der Lyrik. In ihr nämlich, dieser Bezug drängt sich bei einer entsprechenden Durchsicht der Lyrikbände auf, wird die heißgeführte Diskussion über die J u g e n d hauptsächlich als Diskussion über die K i n d e r fortgesetzt. Der dort aufgetretene scheinbare Widerspruch zwischen euphorischer Erwartung und finsterer Prognose kehrt auch bei der Einschätzung der Kinder wieder: eben weil man all sein Hoffen und Vertrauen in die kommende Generation setzt[725], registriert man umso ängstlicher alle Anzeichen, die das Ende dieser Hoffnungen anzukündigen scheinen; so, wenn Kinder sich für die herrlichen Kriegswaffen zu begeistern beginnen.

Mutti, sag doch dem Panzersoldat,
daß er mich mal im Panzer fährt!
Mutti, ist's wirklich wahr, was er sagt,
daß der Panzer mal mir gehört?[726]

Diese 'Wahrheit' darf auf keinen Fall Wirklichkeit werden. Daher die Forderung:

Mütter! sperrt eure Kinder ein!
Sonst werden sie euch gestohlen!
Erst lockt die Parade, dann lockt die Idee,
dann locken die neuen Pistolen.

Und die locken so verführerisch, daß ein Spielverbot auf der Straße allein noch keine Gewähr dafür bietet, daß sie nicht doch bald "irgendwo für irgendwas / dann wieder (zu) krepieren". Daher müssen die Kinder hinter den verschlossenen Türen zu überzeugten Kriegsgegnern erzogen werden: "Wer zum Kriege steht, / wer die Blutsaat sät, / den sollst du verraten, / mit Worten, mit Taten."[727]

Einigen Kindern gelten solche Ermahnungen ihrer Mütter so viel mehr als die Versprechungen der Soldaten, daß sie sofort daran gehen, sie zu befolgen; Gelegenheiten für solche 'Worte' und "Taten" bieten sich ihnen wahrlich genug:

Wer schreitet so spät, fünf Minuten vor zwölf?
(Daß Gott doch allen Kranken helf!)
Es ist der Deutsche in Nacht und Harm
Mit seiner Demokratie im Arm.

Mein Vater, mein Vater, ich spür' es genau,
Den Nazis geht's gut und mir ist so flau!
Sei ruhig, mein Kind, es bedeutet nicht viel
Dein bißchen Hungerschwächegefühl!

Mein Vater, mein Vater, und scheint nicht auch dir,
daß die Nazis sich sammeln in Haufen schier?
Das verstehst du nicht, Kind, du bist noch zu jung,
Sie gehen zur chemischen Reinigung!

...

Dem Vater grausets, er reitet geschwind.
Laßt uns hoffen, daß er nach Hause find't.
Ach ja! Es helf' ihm gnädig zu gutem End'
Der liebe Gott und das government!
                              Amen.[728)]

Das Kind hat einen sehr genauen Blick für die wirklichen Vorgänge in der
Welt der Erwachsenen. Es durchschaut die Beschwichtigungsversuche seines
Vaters - wie viele, viele Väter hat dieses kleine Ding so trefflich bloßgestellt! - , der den neuen Erlkönig nicht wahrhaben will, obwohl er doch,
im Gegensatz zu jenem zu Goethes Zeiten, für jedermann sichtbar ist. Doch
obwohl es dem Vater das Grausen beibringt und auch nicht daran denkt, den
Verführungskünsten des Erlkönigs auch nur Beachtung zu schenken - vertreiben kann es ihn nicht. Und daß die beiden höchsten Regierungsstellen
im Himmel und in Berlin dies vermöchten, bleibt frommer Wunsch.

Wolfgang Weyrauch gibt sich mit einem solchen "Amen" nicht zufrieden;
zwar besitzt auch er ein gesundes Maß an Gottvertrauen - er weiß, "daß wir
trächtig sind / des Gottes in den vollen Stunden"[729)] - , doch mehr noch
setzt er auf die Kinder (die, rechnet man ein paar wenige Ersatzwörter
wie "Kerlchen", "Knäblein" etc hinzu, allein in seinen ersten beiden Gedichtbänden über hundert mal (!) wörtlich genannt werden). Sein Vertrauen
in diese "liebsten Enkel(n) des vermaledeiten Jahrhunderts" ist grenzenlos.
Warum? - Weil sie in der "Unschuld der Engel" sind; weil sie "bebend und
trächtig und ungeheuer" sind; weil allein sie zu der so dringlichen Grenz-
ziehung zwischen "Himmel und Hölle" fähig sind; weil sie als "Volkes Gericht" das "Scheusal aus Stroh und Mist" (Verkörperung des Bösen und der
Schuld) verbrannt haben; weil sie "mit den holden Füßen / tausend Panzerwagen jubelnd in den Schlund (treten), / wo die Mörder enden und die Morde
büßen."

Derartig hervorragende Eigenschaften und Leistungen machen die Kinder - die
unbefleckte Generation, die noch nicht verbrauchte Jugend - zu den maßgeblichen Bewegern von Geschichte; ja, für Weyrauch bedeutet es sogar "der
Wende Zeichen, / wenn einer aus den Brüsten trinkt"[730] und, "ich weiß es, /
mit der Milch den Frieden und den Entschluß, / friedlich zu sein und vom
Frieden nicht mehr zu lassen.[731]"

Er ahnt es nicht nur, er   w e i ß   es! Doch weiß er auch, daß diese
Welt seiner entfesselten Zuversicht noch nicht 'die Welt' bedeutet'? Weiß
er, daß, wer so heftig auf die Stärke anderer vertraut, auch einiges über
die eigene Stärke verrät? Er ahnt es, und seine Ahnungen verdichten sich
in dem Maße zur düsteren Gewißheit, wie das 'neue Deutschland' und die
'neue Welt' historisch an Profil gewinnen.

Der Gang des letzten Kapitels ist somit vorgegeben. Denn bisher habe ich
das Schwanken zwischen Resignation und Euphorie, zwischen Verzweiflung und
Hoffnung als durchgängige Konstante betrachtet, die ich auf positive Zukunft hin lediglich   s y s t e m a t i s c h   zerlegt habe, gemäß der
seinerzeit geforderten Abfolge der als notwendig erkannten Tätigkeiten:
erst weg mit dem Ballast der Vergangenheit, weg mit Schutt und Schuldigen,
dann erst sind Aufbau und hoffnungsvolle Zukunft möglich. Ein abschließen-
der   L ä n g s s c h n i t t , wiederum mit Schwerpunkt auf Weyrauchs
Lyrik, kann Aufschluß darüber geben, ob sich, in der Entwicklung der Lyrik
von 1945-1950, die Schwankungen nach obigem Muster entfaltet, d.h. auf
positive Zukunft hin verlagert haben, und - diese Frage liegt der ersteren
zugrunde - ob und in welcher Weise die Logik der Geschichte auch auf dem
Felde der Lyrik ihre Stärke gegen die Logik derer geltend machen konnte,
die mit großem Elan sie zu verbessern angetreten waren; außerhalb der Lyrik, das konnte im Einleitungskapitel gezeigt werden, sind die Entscheidungen jedenfalls eindeutig ausgefallen. - Neben der Prüfung der Frage, ob
die Restauration auch in der Lyrik stattgefunden oder Folgen gehabt hat,
kommt dieser entwicklungsgeschichtlichen Analyse eine weitere Aufgabe zu:
sie kann zeigen, daß wichtige Strukturmerkmale der politischen Lyrik - sie
werden deswegen schon zu Beginn des letzten Kapitels aufgeführt - zugleich
die Merkmale ihrer   E n t w i c k l u n g   sind.

IV Die Stärke der 'alten Welt'

An Lehmanns Gedichten 'Deutsche Zeit 1947' und 'Das Wagnis'[732] habe ich
gezeigt, wie das Wagnis, sich intensiv mit den Problemen der 'deutschen
Zeit" zu befassen, kaum hatte es begonnen, auch schon umgangen wurde, indem sich das Ich gerade auch noch zur rechten Zeit aus der bedrückenden
'deutschen Zeit' absetzte und diesen Weggang selber zum Wagnis erklärte.
Der Weg des Ich zeichnet zugleich die A u f b a u s t r u k t u r der
Gedichte: sie beginnen mit einer 'Darstellung' von gesellschaftlicher Wirklichkeit und enden mit einer Absetzbewegung gegen sie bzw. mit ihrer Aufhebung . - In Krolows Gedicht 'Gegenwart' ist es der "Bremsenton", der, aus
"faulender Grube" sich erhebend, eine ähnliche Bewegung vollzieht[733],
während das Ich in 'An Deutschland' dem "Leichenacker"-Land insofern den
Rücken kehrt, als es sich, ohnmächtig vor Wut und Trauer, diesem "Gespenst",
um 'verzehrt' zu werden, vor die Füße wirft[734]. Dieses Kompositionsmuster
findet sich nicht nur im Umkreis des ins Politische erweiterten Naturgedichts, das sich schon aus gattungspoetischen Zwängen nicht zu tief in den
Wirren der geschichtlichen Zeit verstricken lassen kann. So wird z.B. in
Kaschnitz' Gedicht 'Große Wanderschaft' die zunächst beschriebene 'Wanderung' der Flüchtlingsströme in der letzten Strophe zur inneren Wandlung
aller umgedeutet - "... Und hören nicht auf zu wandern / Bis wir verwandelt sind"[735] - , während, ähnlich, in Holthusens 'Trilogie des Krieges'
die Heimkehr der Soldaten aus dem Krieg plötzlich zur Heimkehr in die
"Quartiere im Unsichtbaren" erklärt wird[736].

Heimat als Heimat im Unsichtbaren: auch die 'Entmaterialisierung' der in
der Lyrik gebräuchlichsten politischen Abstrakta - in der Reihenfolge ihrer
Häufigkeit sind es 'Friede', 'Freiheit', 'Heimat', 'Vaterland'[737] - ist
eine Form dieser Bewegung des 'Über-die-Wirklichkeit-hinaus', einer Bewegung, die keine Gelegenheit auszulassen scheint, ihre allgegenwärtige
Präsenz zu demonstrieren: sei es als ungestümes Verlangen, eins mit der
Erde, mit Europa oder mit einem kaum mehr faßbaren Kollektiv der Menschen

zu werden - im äußersten Fall verflüchtigt sich dieses Kollektiv zum
'Mensch an sich' -; sei es als grenzenlose Bereitschaft, auf die Kinder zu
bauen oder sich wie Kinder den Müttern hinzugeben (und sich dabei selbst
aufzugeben); sei es als Prinzip, das sich durch Wörter, Teile und Aufbaustruktur des einzelnen Gedichts hindurch fortsetzt und auch die Aufbaustruktur zahlreicher Gedichtbände bestimmt[738].

Mit diesem Sich-Wegbewegen-wollen, d.h. mit der Tendenz, die ins einzelne
Gedicht oder in den Gedichtband insgesamt aufgenommene   W i r k l i c h -
k e i t   immer auch als   A b s t o ß p l a t z   zu benutzen, scheint
ein Merkmal gefunden, das der politischen Lyrik aus fünf wechselvollen
Jahren Vor- und Frühgeschichte der Bundesrepublik ihren unverwechselbaren
Charakter gibt. Auf die Wirklichkeit zu bzw. in sie zurück, und zugleich
von ihr weg bzw. über sie hinaus: diese gegenläufige Bewegung[739], gepaart
und sich überlagernd mit jenem Schwanken zwischen Angst und Hoffnung,
Apathie und Euphorie, bildet ein bewegtes und bewegendes Spannungsfeld;
daher das Hektische, Rastlose, das Sich-Behaupten- und Sich-Aufgebenwollen,
auch Aufgehenwollen in einem größeren Ganzen. Aufbruch in die neue Welt
als Ausbruch aus der alten, gewiß; oft aber auch: Ausbruch aus der Welt
überhaupt.

Nun ist es auch möglich, an die Überlegungen des Abschnitts über die Be-
griffsbestimmung politischer Lyrik anzuschließen und die Skala mit den
Endpunkten Subjektpol und Objektpol[740] den lyrischen Verhältnissen der
ersten Nachkriegsjahre anzupassen bzw. sie durch eine solche zu ersetzen,
die jeweils den Grad der 'Absetzbewegung' anzeigt: Ist der Ausbruch aus
der geschichtlichen Welt, d.h. der Rückzug in Innerlichkeit, Natur, Religion, Mythos oder sprachliche Eigenwelt so stark, daß die (politische)
Wirklichkeit, während sie 'bewältigt' wird, kaum oder gar nicht mehr vorkommt, oder hat er schon stattgefunden und ruht das Ich nach gelungener
Anstrengung weltabgewandt in den "Geisblattlauben"[741], ist der Bereich
politischer Lyrik verlassen, denn hier - das gilt jedoch nur für einen
Teil der nicht-politischen Lyrik - ist "keine Überwindung, nur Ausflucht -
in eine Welt nämlich, die schon gereimt ist"[742]. Voller Ungereimtheiten
ist dagegen die Welt des politischen Gedichts, in denen die Ausbruchs- und
Fluchtbewegungen - geglückte und mißlungene - in   A u s e i n a n d e r -
s e t z u n g   mit der, daher im Gedicht sichtbaren, (politischen) Welt
stattfinden, die, wie immer sie auch geführt und beendet werden mag, das
Generalthema des politischen Gedichts ausmacht.

Den Verlauf einer längeren 'Absetzbewegung' nach der erstgenannten Weise
kann man gut an den Bewegungen des lyrischen Ich bei F.G. Jünger verfolgen[743]. Die Darstellung der Entwicklung von Weyrauchs Lyrik wird die
widerspruchsvolle Bewegtheit des 'Darüberhinaus' nach dem zweiten Muster
offenlegen.

Die politische Lyrik 1945-1950 trägt den Namen 'Trümmerlyrik' zu Recht,
nicht nur, weil sie in den 'Trümmerjahren' entstanden ist, sondern weil
sie alle wichtigen Fragen und Probleme behandelt, denen sich die Zeitgenossen angesichts der Trümmer gegenüber sahen: welche Entwicklungen und
Ereignisse zu den Trümmern geführt haben; wer sie zu verantworten hat;
Art und Ausmaß der Zerstörung; was der Krieg aus den Menschen gemacht hat
und wie die Menschen in den Trümmern leben; wer die Trümmer beseitigt und
wie man mit jenen verfährt, die man als die wahren Schuldigen erkannt zu
haben glaubte; wie die neu aufzubauende Welt aussehen und wie man jenen
Entwicklungen begegnen soll, die die Welt schon wieder oder noch mehr in
Trümmer zu legen drohen. Die widersprüchliche Vielfalt der 'Lösungsversuche' läßt auf die Schwierigkeiten der anstehenden Fragen, auf die Hilf-
losigkeit und Unsicherheit derer, die sie angehen, aber auch auf deren
Bereitschaft schließen, sich vielfältig mit den drängenden Problemen auseinanderzusetzen. Mag manche Auseinandersetzung auch so geführt sien, daß
sie, indem man z.B. die Geschichte der Menschen zu einem von den Menschen
unbeeinflußbaren Geschick und sich dabei selbst für Geschehenes entlastet
und für Kommendes unzuständig erklärt, gar nicht erst zustande kommt, so
gibt es Gegenbeispiele genug, in denen radikale Aufklärung betrieben, Träger und Verbündete der faschistischen Gewaltherrschaft entlarvt und Anstrengungen zum Aufbau einer Gesellschaft bzw. einer Welt sichtbar werden,
in der Glück, Freiheit, Friede, Gleichheit die bestimmenden Prinzipien
sein sollten.

Im Formalen ergibt sich ein ähnliches Bild einer kaum zu vereinheitlichen-
den Vielfalt: Kurzzeiler und lyrische Epen, Sonette und wild zerklüftete
Prosalyrik, Kabarettpoesie und lyrische Liturgie, Hymnen und Parodien,
Elegisches und Agitpropmuster, Pathetisches und Lakonisches, Gereimtes und
Ungereimtes, gewichtige Metaphorik und die ambitionslose Sprache des Alltags - ohne spürbaren Drang zum zeitraubenden kontrollierten Experiment
bedient sich das politische Gedicht aller verfügbaren Formen und Darstellungsmittel, um seine Anliegen möglichst rasch und wirkungsvoll vorbringen zu können.

Dabei ließen sich, wollte man mit gängien Klassifizierungen operieren,
sowohl 'öffentliche' Gedichte im Sinne Krolows[744), 'Warngedichte' und
'Protestgedichte', als auch, nach einem Vorschlag von Girschner-Woldt zur
Systematisierung der politischen Lyrik insgesamt, 'affirmative', 'expli-
kative' und 'initiative' Typen ausmachen[745). Solche Bezeichnungen können,
indem sie das intentionale Feld markieren, eine wertvolle Hilfe zur
ersten Orientierung sein, doch über die historische Eigentümlichkeit der
politischen Lyrik 1945-1950 ist mit einem solchen Zuordnungsverfahren
wenig ausgesagt. Sie wird erst in jener beschriebenen Bewegung und Unruhe
evident - diese zeigt sich, wie jetzt ergänzt werden kann, auch in der Unsicherheit und Widersprüchlichkeit der für die dringlichen Fragen vorge-
schlagenen 'Lösungsversuche' und in der, wie es scheint, wahllosen 'Inbe-
triebnahme' vorgegebener Darstellungsmuster - , die nicht nur als Cha-
rakteristikum politischer Lyrik zu gelten hat, sondern deren verschiedene
Werte auch zur Abgrenzung politischer Lyrik nach außen und zur Gliederung
nach innen dienen könnten. Denkbar wäre eine Sortierung sowohl nach der
Richtung der 'Absetzbewegung' - in Natur, Religion etc. - als auch nach
ihrem Intensitätsgrad, der in den Gedichten z.B. aus dem Abschnitt 'Diffe-
renzierungen' oder bei den darauffolgenden Widerstandsgedichten wesentlich geringer ist als z.B. bei den politischen Naturgedichten.
Praktikabel ist eine solche Typisierung jedoch ebenso wenig wie jene nach
Girschner-Woldt: die politische Lyrik der Nachkriegsjahre ist zu heterogen
und zu widersprüchlich, als daß sie sich - insgesamt- anders als nach the-
matischen Gesichtspunkten, wie dies hier versucht wurde, systematisieren
ließe. Eben weil sie sich gegen eindeutige Festlegungen sperrt, ist auch
das genannte Spezifikum 'Absetzbewegung', 'Rückzug', 'Ausbruch' etc. entsprechend vorsichtig einzuschätzen: es markiert lediglich eine   T e n -
d e n z   in der politischen Lyrik insgesamt - auch entwicklungsgeschicht-
lich, wie noch zu zeigen ist - und läßt sich nicht bei jedem einzelnen
Gedicht nachweisen.

Wie sehr sich der euphorische Aufbruchsgeist auch der Lyrik bemächtigt hat,
konnte vor allem an Weyrauchs Gedicht 'Anruf' gezeigt werden[746), in dem
ein Deutschland vorgestellt wird, dem man seine Herkunft aus der Klassengesellschaft und aus dem Schrecken des faschistischen Terrors und des
Krieges nicht mehr ansieht: sogar "in seinem Inwendigsten" hat es sich der

Waffen entledigt, und die noch verbliebenen "armseligen Gegner" werden
von der Gemeinschaft solidarischer Arbeiter, auf die sich die neue Gesellschaft gründet, in Überzeugungsarbeit zu den ihren gemacht. Doch
h a t sich Deutschland schon der Waffen entledigt? Ist die neue Gesellschaft schon Wirklichkeit g e w o r d e n ? - Weyrauch ist nicht so
naiv, den im Gedicht skizzierten Entwurf einer idealen Gesellschaft mit
der Nachkriegs w i r k l i c h k e i t zu verwechseln: ein langer
Schlußteil gilt dieser Unterscheidung, wenn, was in der bisherigen Interpretation des Gedichts unberücksichtigt blieb, mehrfach betont wird,
daß sie, die "Freunde", noch "in der Not" seien, daß das neue Deutschland
erst in ihren "Träumen" vorhanden sei und daß sie sich erst aus dem "Zustand der Träume" in den "Zustand der Wirklichkeit" verändern müßten:

Vorher ist alles,
so bedeutend es auch scheinen mag,
nur Wort, nur Vorschuß.

Man kann für "Wort" auch Literatur sagen, denn dadurch ist Literatur ja
definiert: das "Vorreiterische" zu sein; "die Dichter müssen vorneweg
sein, Seher müssen sie sein, oder sie sind keine Dichter."[747]
Weyrauch ist aber so sehr "vorneweg", daß sich die Vorbehalte der Wirklichkeit keine Geltung mehr verschaffen können. Das im Schlußteil gesetzte
"Noch" des unfertigen Gegenwärtigen ist dem feurigen Ansturm des 'Vorrei-
terischen' nicht gewachsen, es wird von ihm förmlich überspült, die gerade
getroffene Unterscheidung (Traum - Wirklichkeit) wird, das bezeugen auch
verschiedene Leseerfahrungen, durch das erdrückende Übergewicht des Wünsch-
baren wieder aufgehoben[748]. Der Siegeszug des Zukünftigen über das Wirkliche macht dieses Gedicht zu einem weiteren und, wie ich meine, recht ge-
eigneten Demonstrationsobjekt, um den typischen 'Ausbruchswillen' des
politischen Gedichts kenntlich zu machen.[749] Gleichzeitig aber, deswegen
wurde es an dieser Stelle angeführt, ist in diesem Einleitungsgedicht des
ersten Gedichtbandes (1947) die weitere Entwicklung bis hin zur traurigen
Bilanz, die im Schlußgedicht[750] des letzten Bandes (1950) gezogen wird,
gleichsam vorprogrammiert: die übersprungene Wirklichkeit gibt sich mit
ihrem Los nicht zufrieden, sie richtet sich auf, sie fordert ihr Recht
und bekommt es auch in dem Bekenntnis des 'törichten Mannes'. Das Verhältnis hat sich umgekehrt, 'armselig' ist nun nicht mehr der ehemalige Gegner, sondern der, der ih einst so bezeichnet hat. Dazwischen, diese Lücke
wird im folgenden ausgefüllt, liegt die Geschichte einer - wie soll man

sagen: erstaunlichen, erschütternden, schmerzlichen, lebhaften, kämpferischen, traurigen? - lyrischen Entwicklung, die entscheidend von der Geschichte geprägt wurde.

Im letzten Gedicht von Weyrauchs erstem Gedichtband 'Von des Glücks Barmherzigkeit' (1947) ist von einer "Lerche" die Rede, ein Verweis auf den
Titel des zweiten Gedichtbandes 'Lerche und Sperber' (1948). Dessen Einleitungsgedicht wiederum schließt an den Titel des ersten Bandes an, wenn
es von dem "Glück" als seinem einzigen Gegenstand handelt. Solche Beobachtungen lassen Komposition vermuten. Doch in welcher Absicht? Ist der
Autor mit solchen Markierungen lediglich um formale Einheitlichkeit seines Werkes besorgt, oder hat er, hier im Hinblick auf das 'Glück', etwas
nachzutragen oder zu korrigieren, wenn er das Anfangsgedicht für das
Thema des vorigen Bandes reserviert?

Drei Dinge hab ich armer Mann,
die schäumen mir ins Herz hinein,
wer sie hat, der ist nicht allein,
er hat des Glücks Gefieder an.751)

Da hat der arme Mann zunächst von seinem "Kind den Flaum", dann seines
"Weibes Herz", und

Dann hab ich unterm Schuh das Gras,
mein Vaterland, dein Gras ist schön,
dein Friede auf den lichten Höhn,
oh, schenk mir von dem Licht etwas!
Drei Dinge hab ich reicher Mann ...

Kind, Weib, Vaterland: diese drei Weyrauch'schen 'Glücksbringer' sind aus
dem ersten Band zur Genüge bekannt, das Überschwengliche, das im 'Schäumen' sichtbar wird, ebenso. Und doch, welch ein Unterschied zum Einleitungsgedicht 'Anruf' oder zu 'Die Brücke', wo das Glück als gesellschaftliche Kategorie begriffen und nur im solidarischen Zusammenhalt und in der
gemeinsamen Anstrengung aller erfahren wird. - Ein Jahr später (1948) ist
das freudige Kollektiv derer, die noch um die Identität von Glück und gesellschaftlicher Arbeit gewußt haben, zusammengeschrumpft auf das private
Ich eines armen Mannes, der sich in einer poetischen Anstrengung über
fünf Strophen erst beweisen - oder vormachen - muß, wie 'reich' er ist.
Reich und glücklich kann er aber nur sein, weil er seine Glückserwartung
von vornherein beschnitten hat. Die Tendenz wird sichtbar, die positiven,
stärkenden Erfahrungen in der Familie nicht mehr als Energiequelle, sondern

als Ersatz für gesellschaftliche Tätigkeit zu begreifen. Zwar bedarf es,
um glücklich zu sein, auch des Vaterlandes, aber das ist nicht mehr das
Deutschland unerschöpflich waltender und wirkender Menschen, sondern ist
lediglich dazu da, dem zurückgezogenen Ich eine Art Heimatgefühl (vater-
ländisches Gras unterm Schuh) und von seinen unerreichbaren Höhen herab
dem Dagebliebenen auf inständiges Bitten hin etwas von seinem Friedens-
licht zu spenden, das nun offenbar in außermenschlichen Regionen zu
leuchten scheint. - Das Verhältnis zwischen einem solidarischen 'Wir' und
dem 'Vaterland', einst geprägt durch aktives Miteinander und Füreinander,
hat sich merklich gewandelt; ein vereinzeltes Ich steht nun dem Vaterland
gegenüber, in bloßer Kontemplation und in einem diffusen Gefühl von An-
hänglichkeit und Verehrung. Kein Wunder, das Vaterland hat sich auf die
Höhen begeben, es hat sich erhöht und sich dabei immer mehr seines geschichtlichen Kerns entleert.

Die beobachteten Veränderungen verraten, daß eine semantische Umwertung
von favorisierten Mustern und Motiven in Gang gekommen ist - ein deutliches
Signal dafür, daß tatsächlich etwas in Gang gekommen sein muß, das den engagierten Autor angeht. Warum erscheint B e r l i n , "das Sinnbild
der übrigen / Städte unter dem Firmament", nun in einer "Legende"[752]?
Was muß passiert sein, daß der Autor in eben dieser Stadt einen Tanz
'Von den toten Männern'[753] inszeniert, bei dem auch F r a u e n   mit-
wirken "mit Schößen, / worin faulende Grillen nisten"? Ausgerechnet in
den Schößen, in deren "Tiefe" er eben noch "ohne Ende, // ja, ohne Ende,
ohne Maß im Glück" verweilen mochte[754]? - Das kann nicht ohne negative
Folgen für die K i n d e r   bleiben, obwohl es zunächst ganz anders
aussieht, wenn 'Der Vater'[755] sagen kann:

Ich zeuge meinen Zukunftssohn,
in einem Jahr ist er ein Kind,
dann braust um ihn der Zukunftswind,
er trinkt die Milch vom Zukunftsrind,
dann geh ich grauen Haars davon

und setze mich auf einen Berg
und lächle ins Gestirn hinein,
ich hör dich weinen, seh dich schrein,
ich ruh mich aus, ich bin allein,
du bist der Riese, ich bin Zwerg,

du bist der Mann, du bist die Stadt
du singst das schäumende Gedicht,
du pflanzt den Baum, du Brand, du Licht,
du, Zukunftsgegenwartgericht.
Oh, glücklich der, der Söhne hat!

Glücklich? - Aber nur, weil der Glücksanspruch wiederum verringert, von
vormals drei dazu nötigen Dingen auf eines reduziert worden ist. Zwar hat
Weyrauch schon immer die größte Hoffnung auf das Kind gesetzt, aber doch
nicht die einzige. Nun soll der Sohn die Stadt, an deren Wiederaufbau eben
noch jede erdenkliche Hand mitgeholfen, alleine bauen, während sich der
Vater nun auch aus der Familie und in die Berge zurückzieht. Mag der Sohn
als Garant von Zukunft auch zum Riesen angewachsen sein - es ist ein Riese,
der weint und schreit. Und einem Zwerg mit grauen Haaren nimmt man die
Freude, alles von einem Riesen verwaltet zu sehen, schon gar nicht ab.

Zukunft wird aufgebläht, das "schäumende Gedicht" entpuppt sich immer mehr
als Schaum, der die trüb gewordene Gegenwart überdecken soll. - "Komm,
Vater, Väterchen, / ich trage dich, / denn du bist ein Kind geworden .."[756)

Was ist das für eine Gegenwart, die, hilflos geworden, weil auf ein früheres
Entwicklungsstadium zurückgeworfen, sich von der Zukunft tragen lassen muß?
Was ist das für eine Zukunft, die im - 'faulenden' - Schoße einer solchen
Gegenwart ausgetragen wird? - Tatsächlich haben die Kinder keine rosigen
Wangen mehr, die eine rosige Zukunft versprechen. Was im ersten Gedichtband
undenkbar gewesen wäre: 'verflucht' wird die Geburt eines Kindes, "welches
mit dem Bein, statt mit dem Kopf, / in die Grausamkeit rutschen wollte", ja,
"Ich bereute, / daß wir es nicht getötet hatten, / als es noch im Leib
war."[757) Ein böses Omen, und wirklich, nun spielen auch bei Weyrauch die
Kinder, obwohl sie eingesperrt, die Türen "gekleistert", die Fenster 'zuge-
hängt' waren, "das Spiel von den Panzern / und das andre Spiel von den Flug-
zeugen, / bis die Flugzeuge über ihnen waren / und einen Haufen Schmutz aus
ihnen / und aus den Eltern machten ..."[758)

So seiner letzten und einzigen Hoffnung beraubt,kehrt nun auch das Weyrauch'sche Ich der geschichtlichen Welt endgültig den Rücken - von den Bergen aus, auf die es ja bereits gewandert ist, dem Frieden des Vaterlandes
nach, den es dort oben hat scheinen sehen. Erstrahlt er noch in dem Glanze,
den er dem Ich - noch in der "Tiefe" - zugeworfen hat? Oder entpuppt sich
der Glanz als pures Blendwerk und war also der Weg 'nach oben' umsonst? -
Vor der Beantwortung dieser Fragen muß über die Erfahrungen des Ich auf
einer bislang nicht erwähnten Wegstrecke berichtet werden.

Linearität, Stetigkeit, allmählicher und ungestörter Wandel scheinen nach
dem bisher dazu Gesagten die Entwicklung der Weyrauch'schen Lyrik zu bestimmen - was allem widerspricht, was (über das Nachkriegsbewußtsein und)

über die Lyrik im allgemeinen und Weyrauch im besonderen angeführt worden
ist. Tatsächlich haben diese Merkmale eher mit Notwendigkeiten der Darstellung als mit der Charakterisierung von Weyrauchs Lyrik zu tun, denn die
Geschichte des Auszugs des lyrischen Ich aus der Geschichte ist zugleich
die Geschichte des W i d e r s t a n d s gegen diesen Auszug. Zurück
bleibt ein Weg voller Unebenheiten und Widersprüche, den es nun nach der
gegenläufigen Bewegung hin zu untersuchen gilt.

Sich in der Welt behaupten wollen, kann für Weyrauch zunächst nur heißen,
von seinem ursprünglichen Programm retten, was zu retten ist. Das Einleitungsgedicht des letzten Bandes (1950) leitet diesen Versuch ein. Es beschwört noch einmal die Kraft der Solidarität, diesmal zwischen 'Weichenreiniger und Dichter'[759], eine gemeinsame Sprache, die Einheit von Arbeit
und Gedanke, von körperlicher und geistiger Arbeit: der "Weichenreiniger
Anton B." beschwert sich beim "Dichter Wolfgang W." (!), daß er kürzlich
ein Gedicht von Goethe - "der ja wohl euer Depotvorstand ist" - gelesen
und trotz allen Bemühens nicht verstanden habe und meint: "... was ich
nicht begreife, ist nicht für mich geschrieben, / was nicht für die Weichenreiniger geschrieben ist, / ist für nichts geschrieben, es ist nicht
da."
Der Dichter "Wolfgang W." weiß seit je um diesen wichtigen und wunden Punkt:
Sieh, Weichenreiniger, die Sprache ist unsre Sprache,
ach, wir verzehren uns danach, die Sprache der Weichenreiniger
zu sprechen, aber es glückt uns nicht, glückt uns nicht ...
Und trotzdem versucht er, auf eineinhalb Seiten, Anton B. das Goethe-Ge-
dicht nahe zu bringen. Soll die Hoffnung, daß der "Schlamm in den Weichen /
und der süße oder jubilierende Schrei in den Gedichten" einmal zusammenfin-
den, wirklich schon ganz zerstört sein? - [760]
Viel Zeit, für diese Vereinheitlichung etwas zu tun, bleibt "Wolfgang W.",
der sich in einem rapiden Verfallsprozeß befindet, nicht mehr: außer den
grauen Haaren hat er, "über Nacht", "schwarze Zähne" bekommen, die ihm im
"Maul" faulen und die ihm keiner ausschlagen kann, denn: "das Alter ist zu
mir gekommen."[761] Nun tritt er die Flucht nach vorne an. Am "1. Juli 1948",
ein Tag nach der Geburt seiner "zweite(n) Tochter Babette", wendet er sich
direkt an die regierenden "Minister" und "Generale", um sie inständig zu
bitten, Pfirsich, Biene und Pferd sie selber sein zu lassen und sie nicht
"zum Mittel Ihrer Zwecke / oder der Zwecke Ihrer Brotherrn" herabzumindern,
"Wobei ich hoffe, / daß Sie mich verstanden haben, / mich, einen x-beliebi-

gen Mann von 43 Jahren, / der gern deutlicher zu Ihnen geredet hätte, /
wenn er nicht fürchtete, unhöflich zu sein."[762]

Die "Herren dieser Erde" sind offenbar zu mächtig, als daß der einzelne
eine Bitte oder gar eine 'Beschwerde'[763] anders als in der Pose des "Hof-
narren"[764] - in Andeutungen und listig berechneter Höflichkeit - glaubt
vorbringen zu können. Ob die Generale und Minister ihn trotzdem verstanden
haben? - Wäre er deutlicher geworden, er hätte nicht von 'Pfirsichen', sondern von Kindern, nicht vom "Mittel", sondern vom Soldaten, zu dem das eben
Geborene gemacht werden soll, nicht vom 'Zweck', sondern vom Krieg reden
müssen, den die neuen Herren allerorten schon wieder ins Auge fassen.

Die neue Kriegsgefahr, die besonders im Zusammenhang mit der Berlin-Krise
bedrohlich zunimmt - für einen Berliner besonders - , ist die wahre Ursache
für das Anwachsen von Weyrauchs Widerstandswille. In dem Gedicht 'Der Fragensteller'[765] zieht dieser durch Berlin und erzählt die "Geschichte" von
der Verhinderung eines Krieges durch die "kleinen Leute, die schlichten
Menschen" - "Bauern in Rußland, Matrosen in England" - , die ihre Arbeits-
plätze verlassen und "zu den Häusern der Regierenden in der ganzen Welt"
ziehen, um mit diesen zu sprechen. Die "Gewalt der Gewaltlosigkeit, Gewalt
des Mahatma Gandhi" sei die siegreichste Gewalt. Doch allein die Tatsache,
daß Weyrauch sein Widerstandsprogramm in einer zweifachen poetischen Bre-
chung vorstellt, indem er es in eine "Geschichte" innerhalb seines Gedichtes einbettet, kann als Hinweis dafür gelten, daß er seiner eigenen Zuversicht so recht nicht mehr trauen kann. "Wenn meine Geschichte Geschichte
geworden ist ..." - und die kleinen Leute fragen den Fragensteller verwundert, wie der wohl "die beiden" zusammenkriege; worauf er seine Vorstellung
von der gewaltlosen Solidarität aller Einfachen und Gutwilligen nur wiederholen kann.

In seinem 'revolutionärsten' Gedicht 'Die Röcke und die Hemden'[766] macht
Weyrauch diesem Ritual ein Ende (und widerlegt damit schon früh das spätere
Urteil eines Kritikers, der dem "sektiererisch fanatischen Wanderprediger"
Weyrauch vorwirft, er spreche "seit dreißig Jahren von denselben Dingen"[767].
Er sieht, daß die Menschen in permanenter Vorbereitung auf den Tod leben,
den "Tod der Folter" und den "Tod der Ausschlachtung". Das soll nun vorbei
sein:

Wir aber können dem Tod,
welcher nicht der Tod des Hirschen
und der Amsel ist,
widerstehn,

indem wir die Röcke und die Hemden teilen,
die Gedanken und die Mitteilungen der Ehrfurcht,
die Meldungen der Liebe und der Bruderschaft.
Wozu aber notwendig ist,
daß wir die Oberen
aus den metallenen Sesseln kippen.

Die Identität von Mittel und Zweck ist aufgegeben, sein eherner Grundsatz
'Brüderlichkeit durch Brüderlichkeit' versagt offenbar dann, wenn es die
"Oberen" sind, die brüderlich zu Brüdern gemacht werden sollen. Noch einmal findet das Ich zurück ins Kollektiv ("wir") der Geduldigen, die mit
ihrer Gutgläubigkeit und Geduld am Ende sind. "Notwendig" erscheint jetzt
die direkte, revolutionäre Tat. Doch ist sie auch möglich? - Ganz beiläufig
kommt der 'Haupt'-Satz als Nebensatz im Schlußsatz daher; einen ästhetischen
Reiz macht diese spezifische Kombination von Absicht, Satztyp und Position
aus, gewiß. Gleichzeitig aber verblaßt der aktionistische Gestus, als hätte
der Autor Angst vor der eigenen Courage bekommen oder mit der Notwendigkeit
der beabsichtigten Tat versteckt auf ihre Aussichtslosigkeit hinweisen
wollen.

Tatsächlich hat Weyrauch schon längst - Ende des vorigen Bandes - seinen
Entschluß zur Selbstbehauptung in der Welt (und gegen sie) und seine eigenen,
sich verstärkenden Widerstandsappelle unterlaufen, wenn er diese, noch
flehentlicher, an die "Bäume" richtet:

Sykomore ,...
versammle die Bäume der Erde, unterrichte,
befiehl, daß sie dorren, falls der Mensch
nicht aufhört, eure Hölzer in Propeller zu schneiden,
in Verschalungen von Panzern ...768)

Sind sie zu schwach, den Anfängen zu wehren, sollen sie den Wind rufen, der
die Aeroplane abstürzen, die Sonne, die die Verschalungen und in ihnen die
"Missetäter" verbrennen lassen soll.

Sykomore,
Trauerweide, Platane, Föhre,
rettet die Erde, die gute.

Rettet sie vor den Menschen, den bösen! - so könnte man fortfahren. Und die
Natur hat verstanden. Denn "als der Krieg zum dritten Male kam"769), blieben Bäume, Wind und Sonne nicht alleine, ihn aufzuhalten: die Ameisen ver-
stopften die Eisenbahngeleise, die Hunde legten sich auf die Ausfallstraßen,
die Katzen auf die Sportplätze, die Pferde besetzten die Kasernenhöfe; tau-

send Bären, zehntausend Schlangen, hunderttausend Fische, eine Million
Aale kamen "von überallher" zusammen,

    und als die Aale in die Mündungen
    der Maschinengewehre hinein krochen,
    und als die Schlangen sich in die Mündungen
    der Granatwerfer begaben,
    als die Bären sich auf die
    Tragflächen der Flugzeuge hockten,

    da ging der Krieg zum letzten Male fort,
    da war der Krieg verdorben und verdorrt,
    oh, sing, Freund Dichter, von dem Schmetterling,
    von Bär und Aal, oh, von den Tieren sing.[770]

Wieviele Dichter, auch aus der Nachkriegszeit, haben die Natur besungen
zum Zeichen bebender Erwartung auf erfüllte Zukunft! Weyrauchs Lob der Natur hier ist dagegen ohne Hoffnungsschimmer, denn sein Gesang auf die Tiere
ist ein A b g e s a n g   a u f   d i e   M e n s c h e n . Die eben
wiederentdeckte und gepriesene Identität von Mensch und Menschlichkeit ist
einer neuen gewichen: jener von Tier und Menschlichkeit. Das "Gesetz des
Menschen", von den Menschen erneut mit Füßen getreten, wird von den Tieren
verwaltet. Sie sind es nun, die - das neue internationale Friedenskollek-
tiv - aus allen Gattungen und aus allen Teilen der Welt zusammenströmen,
um die Menschlichkeit vor menschlicher Barbarei zu schützen; was ihnen nach
dieser 'Legende' auch gelingt, denn der Krieg ist nach ihrer einträchtigen
Gegenwehr für immer "verdorrt".

Für sich betrachtet könnte man dieses Gedicht als Parabel für erfolgreichen
Widerstand gegen den Krieg bzw. für einen Triumph der Menschlichkeit über
die Barbarei gelten lassen. Doch im Kontext der aufgezeigten Entwicklung
der Weyrauch'schen Lyrik geht diese Deutung fehl: wer einmal den Menschen
so grenzenlos vertraut und dieses Vertrauen so oft ausgesprochen hat, der
kann, wenn er die Tiere zu den wahren Anwälten der Menschlichkeit erklärt,
nun nicht erst recht die Menschen meinen; der ist von ihnen enttäuscht und
nach verzweifeltem Widerstand- von der Bitte bis zur Aktion - gegen die
kriegsfreundliche Entwicklung der Welt auch gebrochen genug, um der Welt
Lebewohl zu sagen, sie nur noch von den Bergen anzusehen, sich aber endgültig von ihr abzuwenden, als er zusehen muß, wie auch die Kinder für den
Krieg leben und sterben müssen.

In dieser Situation hatte ich das Ich auf seinem Rückzug in die Berge vor-
übergehend verlassen[771], um seinen Weg des Widerstands gegen diesen Auszug
nachzuzeichnen. Und nun? Was hat das Ich zu tun und zu erwarten? Das neue

Vaterland der Berge und der Friede auf den "lichten Höhn" - werden sie ihr
Glücksversprechen halten?

Es naht das namenlose Greise,
ich lege mich zur Grille hin,
das Firmament ist mein Gehäuse,
das ist des Lebens Flammensinn.

Ach, Atem meines letzten Jahres,
ach, Ende meines toten Haares.

Ich krieche in die Grillenschöße
des Feuers und des Brots hinein,
ich fürcht mich nicht, die bloße Blöße,
das Feuer und das Brot sind mein.

Ach, Sohn, im Jahr der vollen Jahre,
ach, Enkel mit dem Grillenhaare.[772]

Endlich geborgen bei den wahren Menschen, den Tieren, und endlich Heimat
und Frieden gefunden? Der Schein trügt. Waren es nicht die Grillen, die,
faulend, die Schöße der Frauen zerstört haben[773]? Keine "Ode" mehr "ans
Gras"[774]! Die Natur selbst ist, auch an ihren verschwiegensten Orten,
von den Wandlungen in der Geschichte nicht verschont geblieben, ja, sie
greift, indem sie selbst zerfällt, in den Verfallsprozeß des Menschen,
der sich Zuflucht suchend an sie schmiegt, beschleunigend ein. Das 'letzte
Jahr' ist gekommen, die grauen Haare sind vollends abgestorben, die Haare
der Enkel von den Grillen bereits befallen. "Flammensinn"? - Es ist die
Worthülse, die sich aus den Zeiten 'flammender' Zuversicht erhalten hat.
Mag das Ich in die "Grillenschöße" oder ins einsame "Gehäuse" kriechen -
"ich ... schließe ab, verriegle, mach das Fenster dicht, / blas die Lampe
aus und zähle meine Läuse" - , siche eine "Decke über Aug und Ohr" stül-
pen und darunter "Schimmelbrot" verzehren[775] oder sich mit "Spinneweb"
eingarnen[776]: d e r   R ü c k z u g   a u s   d e r   W e l t   g e -
r ä t   z u r   I l l u s i o n ,   die Fluchtversuche scheitern; die
Wirklichkeit war schneller, sie hat die auserwählten Fluchtorte mit ihrem
Geist bereits durchsetzt.

In den letzten beiden Gedichten ist das Schwanken zwischen Euphorie und
Resignation und damit der widerspruchsvolle Weg des Ich vom einen zum
andern noch einmal abgesteckt. 'Ich und die Erdwölbung' heißt das eine Gedicht[777],

Ich und die Erdwölbung,
wir haben ein Verhältnis zusammen.
Ja, wir lieben uns.

Ein später Versuch, das zerstörte kollektive Subjekt in einer gigantischen
Einzelanstrengung im außergesellschaftlichen Bereich durch sich selbst zu
ersetzen, bläht sich das greise Ich noch einmal auf, wächst über sich hinaus
in kosmische Gefilde - ein Todkranker, der zum letzten Male momenthaft alles
Leben in sich einzusaugen versucht, um dann endgültig zusammenzufallen und
den 'Geist aufzugeben': jenen vorwärtsdrängenden, kämpferischen, brüderlichen Geist der 'Stunde Null':

Hab ich meine Gedichte
an die Wand geschrieben,
gegen die Wand geschrien,
an die Wand gepißt, ...
Hab ich es?
Ich hab es nicht.
Ich kann nicht einmal pissen.
Was kann ich denn?
Nichts kann ich,
ich bin zu nichts nutz.
Ich bin ein armer und alter
und törichter Mann.[778]

Inventur 1950. Nichts von alledem, was vor wenigen Jahren in einem grandiosen Entwurf bereits Wirklichkeit schien, hat sich erfüllt. Der 'Anruf'
ist verhallt, der Anrufer bleibt in Selbstmitleid und zynischer Selbstver-
achtung alleine zurück. Er ist stumm und alt geworden, doch mehr noch ist
er stumm und alt g e m a c h t worden. Mag das Ich auch behaupten, "Wer
weiß, was veursacht, / Wer weiß, was aus der Ursache folgt. / Ich jedenfalls weiß es nicht"[779]/ und damit vor den von ihm selbst formulierten
"wichtigsten gesellschaftlichen Fragen der Zeit" kapitulieren[780], so konnte
mit dem entwicklungsgeschichtlichen Schnitt durch Weyrauchs Lyrik zugleich
die "Ursache" für die dargestellten Entwicklungen freigelegt werden: der
Auszug des Ich aus der geschichtlichen Welt, die gleichzeitig betriebene
Rückkehr wie auch die anderen Bewegungen im Text (Umwertung von Motiven
etc.) lassen sich letztlich auf eine 'Bewegung' außerhalb des Textes zu-
rückführen, die gleichwohl nicht nur Hintergrund geblieben, sondern als
eigenes Thema wiederholt in den Text eingegangen ist: das Herannahen eines
neuen Krieges.

Weyrauch scheint diese Gefahr allerdings erst spät erkannt zu haben. Seinerzeit "zu unpolitisch im innenpolitischen Sinn"[781], fasziniert von der
Idee einer weltweiten Gesellschaft des Friedens und von der "große(n) Idee
des Kommunismus", wie er sie in Majakowskis Werk hat leuchten sehen[782],
hat er die gefährlichen Vorboten im westlichen Deutschland zwar gesehen,

ihre Gefährlichkeit aber offensichtlich unterschätzt. Und dabei sich und
die geschichtsbildende Kraft seiner "Freunde" überschätzt - die ideologische Befangenheit derer, die den Ideologieverdacht zu ihrem Programm erhoben.

Die Behauptung, Weyrauchs Lyrik enthalte nicht nur die wichtigsten Postulate, sondern sei zugleich auch Barometer der politischen Bewegung, konnte
im vorigen und in diesem Kapitel belegt werden. Sowohl die negative Besetzung zentraler Motive wie auch das Schicksal des lyrischen Subjekts -
dem raschen Aufblühen des im gesellschaftlichen Kollektiv tätigen jugendlichen Ich folgt der unaufhaltsame und trotz Fluchtversuchen und heftiger
Gegenwehr rapide Abstieg ins einsame und glücklose Alter - geben ein ge-
treues, auch zeitlich übereinstimmendes Abbild vom Schicksal des politischen Frühlings der Nachkriegsjahre[783]. Dabei werden mehr oder weniger
deutlich auch die 'Schicksalskräfte', d.h. einige Ursachen für sein Ende
genannt[784]. Die objektiv wichtigste, die Politik der B e s a t z u n g s-
m ä c h t e , ist angedeutet mit "Minister", "Generale", "Oberen", die
als Repräsentanten der siegreichen Restauration schon wieder mit dem Krieg
liebäugeln. Ebenso kommen subjektive Fehler und Versagen der Bewegung zum
Vorschein, so in der Kindesverehrung die F e t i s c h i s i e r u n g
d e r J u g e n d zum Subjekt der Geschichte. Die H e t e r o g e -
n i t ä t der Bewegung ist zwar nicht explizit zum Thema gemacht, kann
aber an den beschwörenden Appellen zum Zusammenhalt und, über Weyrauch
hinaus, an einem Vergleich seiner mit der Position anderer 'Aufbau- und
Aufbruchslyriker' erkannt werden[785]. Schließlich läßt sich sowohl die
S e l b s t ü b e r s c h ä t z u n g d e r I n t e l l i g e n z
als auch der Glaube an den mit der Niederlage auferstandenen Sozialismus
mit jener Neigung zum Überspringen der vorhandenen Wirklichkeit in Beziehung setzen - mit der Neigung zur Literatur also, die nach Weyrauch
durch diesen "Vorschuß", der bei ihm zum gewaltigen Überschuß geriet,
bestimmt ist. - Nach der Totalzerstörung dieses Krieges könne das Leben
"zunächst überhaupt nichts anderes als eine F i k t i o n " (hervorgeh.
G.Z.) sein, belehrt Reger die verwirrten Zeitgenossen, die mit dem Begriff
der Wirklichkeit nicht mehr zurecht kommen[786]. Eben dieses Ineinander
von 'Literatur' (Fiktion) und 'Leben' macht es Weyrauch möglich, die Bilanz seiner letzten fünf Jahre (Schlußgedicht) am Erfolg der Literatur,
seinen eigenen Zustand an ihrem Zustand abzulesen. Die Fiktion als Basis -

auch dies ein Grund, warum die Basis der politischen Bewegung so plötzlich
zerfallen ist.

Freiheit, Gleichheit, Brüderlichkeit, einst die Kampfrufe des aufstreben-
den Bürgertums - ohne deswegen ausschließlich bürgerliche Kampfrufe zu
sein - , finden sich in vielen Gedichten und besonders bei Weyrauch als
programmatische Postualte wieder. In einigen Gedichten sind sie revolutionäre Kampfrufe geblieben, doch sehr oft sind aus ihnen Rufe geworden,
flehende Rufe an eine breite, diffuse Basis, die sich nach einer nach diesen Prinzipien organisierten Gesellschaft zwar sehnte, der aber der lange
Atem zum Kampf für das Neue fehlte (bzw. die Einsicht, daß er überhaupt
nötig war). Die Kräfte waren verbraucht, noch vorhandene wurden anderwei-
tig zerrieben: das mit Kriegsende auf breiter Basis aufgekommene sozialistische Bewußtsein mußte sich gegen andere Kriegsfolgen zu behaupten
suchen, gegen Gefühle der Ohnmacht, der Schuld, der Verzweiflung und Verbitterung. Und außerdem, so Reger, sei die Demokratie in Deutschland nicht
eine

"Folge innerer Entwicklung, sondern äußerer Niederlagen gewesen. Sie erhob
sich nicht, weil sie kräftig, sondern weil ihr Gegner schwach war. So war
es nach 1918, so ist es auch jetzt. Wir möchten sagen: es ist noch mehr
als 1918 der Fall. Jetzt liegt jede, auch diese, Tradition ferner, als
1914 die von 1948 gelegen hatte. Beide Male, 1918 wie heute, steht die Ge-
burtsstunde der Demokratie ... unter keinem günstigen Stern. Für den, der
nicht denken kann (und wie viele können es?), heißt Demokratie infolge der
Umstände: Entbehrung. Und außerdem: Verlust der Souveränität. Dagegen an-
zukämpfen ist schwer."787)

Mit Begeisterung sah Hiller Deutschland in den "Vormärz ... hinein-
rutschen"788), doch der, wie auch Andersch meinte, "revolutionäre Charakter der deutschen Situation"789) konnte sich nicht entfalten. Zu stark
waren die Gegenkräfte - ökonomisch, politisch, moralisch, psychisch - ,
die sich schon mit der 'Stunde Null' formierten, um dem aus Hoffnung,
Verzweiflung, Notwendigkeit und Fehleinschätzung geborenen mächtigen Aufbruch ins ungewisse Neue die Gewißheit seiner Machtlosigkeit zu verschaffen.
Machtlos mußte eine Bewegung schließlich werden, wenn, dazu von einem bekannten Fürsprecher aus der 'Avantgarde' um die Zeitschrift 'Der Ruf',
die Meinung vertreten wird, daß die "dialektische Dynamik" des historischen
Prozesses nicht in "soziologischen Gesetzen", sondern ausschließlich "im
Menschen" selber begründet liege790). Tatsächlich ist im Verständnis ihrer
intellektuellen Verfechter eine Tendenz zu bemerken, die "große Revolution"791) als eine Revolution des Geistes zu begreifen, sie nach innen

zu verlagern, aus der Geschichte heraus, in der und zu deren Veränderung
sie sich doch entwickelt hat.

Eben diese Bewegungsrichtung läßt sich auch auf verschiedenen Ebenen jener ohnehin sehr bewegten Lyrik ausmachen, die sich thematisch und in
ihrer Wirkungsabsicht ebenfalls mitten in der Geschichte bewegt. Am Beispiel der Weyrauch'schen Lyrik ließ sich nachweisen, daß dieses Heraus-
drängen und Ausbrechen aus der Geschichte sichtbar zunimnt, je mehr der
Restaurationsprozeß die Hoffnungen auf eine 'neue Welt' zunichte macht:
zurück in die Familie, auf die Berge, zu den Tieren, in die Grillenschöße,
unters Firmament, ins verwobene Gehäuse der Innerlichkeit – das sind die
Orte, an denen das enttäuschte, gealterte Ich Zuflucht sucht und sie
kaum mehr findet.

Dieses Ausbrechen aus der geschichtlichen Wirklichkeit, das 'Überschie-
ßen' der eigenen Basis, hat auch mit dem Ausbruch der überschießenden
Lyrikproduktion nach 1945 zu tun – durch Schreiben über die trostlose
Wirklichkeit hinaus, sie überwinden, überspringen, bewältigen, vergessen-,
obwohl, zeitlich gesehen, der 'Überschuß' an Gedichten in dem Maße ab-
nimmt, wie der Drang, im Gedicht über gesellschaftliche Wirklichkeit so
'hinauszuschießen', daß sie dort kaum oder nicht mehr vorkommt, sich verstärkt.

So findet der 'lyrische Frühling' in zweifacher Hinsicht ein Ende: die
Zahl der veröffentlichten Gedichte geht ebenso zurück wie die Bereitschaft, sich in Gedichten weiterhin mit den "drei wichtigsten gesellschaftlichen Fragen der Zeit" auseinanderzusetzen; ein Ende, das, wie an Weyrauchs lyrischer Entwicklung gezeigt, in direktem Zusammenhang mit dem
gleichzeitigen Ende des 'politischen Frühlings' steht. Die Enttäuschung
über den – freilich von vielen längst vorhergesagten – politischen Um-
schwung und über die Wirkungslosigkeit des engagierten, mitunter sehr
emphatischen (lyrischen) Wortes einerseits, das Gefühl, sich fürs erste
die Nöte von der Seele geschrieben zu haben andererseits, ließen viele
ihre lyrischen Feder beiseite legen. Die Lyrik als spontanes Sich-Mittei-
len hatte ihre Dienste getan, man unterschätzte das nicht, doch nun gab
es Wichtigeres zu tun. Von der Währungsreform, obwohl sie die Armen noch
ärmer machte, erhoffte man sich – gerade wegen der 'entschlossenen' Maßnahmen nach all dem unsicheren Hin und Her – eine Gesundung von Grund auf,
von der Basis her. Die lyrische Mentalität wurde nach und nach von der

ökonomischen verdrängt, man konnte wieder kalkulieren, und man mußte
es auch, vor allem bei den Verlagen[792]. Der blinden Rationalität des
ökonomischen Kalküls fielen literarische Zeitschriften ebenso zum Opfer
wie die lyrischen Produkte der 'Vielzuvielen'.

Zwölf Jahre nationalsozialistische Herrschaft bedeuteten auch zwölf Jahre
Verbot und Verbannung für die bekanntesten deutschen Schriftsteller und
völliges Abgeschnittensein von der internationalen Literatur – ein weites und geeignetes Feld für verlegerische Neuorientierung. Mit der Öffnung
nach außen und, zeitlich gesehen, nach hinten öffnete und schärfte sich
auch der Blick für literarische Qualität. Wertmaßstäbe wurden gesetzt,
an denen sich auch die 'Trümmerlyrik' messen lassen mußte, dieses Dichten
aus Betroffenheit und Empörung, aus schlechtem Gewissen, Scham- und
Schuldgefühlen, aus Verzweiflung, Haß, Wut und Müdigkeit, aus dem Drang
zu helfen, einzureißen, mitzureißen, umzugestalten. G e s t a l t e n –
auf der Ebene der Sprache – hieß dagegen der Leitbegriff, mit dem auch
zwei, in Herkunft und Wesen recht verschiedene, innerliterarische Instan-
zen mit Erfolg an der Liquidierung des 'lyrischen Frühlings', des politischen Teils vor allem, mithalfen: Gottfried Benn und die Gruppe 47.

'Statische Gedichte' ist der Titel des Bandes, mit dem   B e n n   1948
nach Jahren staatlich verordneten Schweigens wieder an die Öffentlichkeit
trat und der ihm in der Folge eine größere Öffentlichkeit bescherte, als
ihm lieb sein konnte; denn

"wenn man wie ich die letzten fünfzehn Jahre lang von den Nazis als Schwein,
von den Kommunisten als Trottel, von den Demokraten als geistig Prosti-
tuierter, von den Emigranten als Renegat, von den Religiösen als patholo-
gischer Nihilist öffentlich bezeichnet wird, ist man nicht so scharf darauf, wieder in diese Öffentlichkeit einzudringen. Dies um so weniger,
wenn man sich dieser Öffentlichkeit innerlich nicht verbunden fühlt."[793]

Um so erstaunlicher, daß der von allen so Geächtete schon bald so geachtet
war, daß er, auf Jahre hinaus, unangefochten die Richtlinienkompetenz
für die bundesdeutsche Lyrik wahrnehmen konnte. Aber das war es ja, wonach
die verunsicherten Literaten verlangten: nach Richtlinien, die ihnen den
Weg aus der Sackgasse der orientierungslosen Vielfalt weisen konnten. Benn
hat noch vor der poetischen Pionierarbeit, die Weyrauch mit seinen 'Kahlschlag'-Thesen zu leisten gedachte[794], in Beispiel und Theorie diesen Weg
gewiesen – und mit seiner Auffassung, selbst die "Großen" hätten höchstens
"sechs bis acht vollendete Gedichte" hinterlassen, viele in ihre Grenzen
verwiesen[795].

'Statische Gedichte' ist ein einzigartiger Titel in der Lyrik jener Jahre.
Er enthält das Versprechen, die Aufgewühltheit und Ruhelosigkeit aufzu-
fangen, er verweist nicht schwerelos auf Wald und Wiese, nicht bedeutungs-
schwer auf 'Europa', 'Märtyrer', 'Heimsuchung',, sondern er verweist auf
das Gedicht selber und damit auf das, worauf es Benn einzig ankommt: auf
Form und Konstruktion. Mit diesem neuen lyrischen Credo kam er zweifellos
einem bislang vernachlässigten Bedürfnis entgegen - gerade rechtzeitig,
als sich nämlich die relative Wirkungslosigkeit des moralischen und politischen Protests, der sich nicht durch geduldige Kleinarbeit an der ästhetischen Gestalt aufhalten und abschwächen lassen wollte, abzuzeichnen begann. Benns Plädoyer für die ästhetische als der wahren Existenz des Menschen ist Ausdruck des Überdrusses gegenüber allem, was mit Öffentlichkeit zu tun hat - womit er sich, auch das eine wichtige Ursache für sein
gelungenes Comeback, mit den verschiedensten Geistern einig wußte: mit
denen, die noch nie etwas mit Politik zu tun haben wollten, mit denen,
die nach 1945 'nie wieder' und mit denen, die ein paar Jahre später resigniert 'nicht mehr' sagten. Gerade die letzteren aber, die ehrlich Bemühten, bekamen offen den Vorwurf zu hören, mit ihrem Engagement entscheidend am fortschreitenden Untergang des Abendlandes beteiligt zu sein,
denn, so der neue "Depotvorstand"[796], das Abendland gehe nicht an "totalitären Systemen oder den SS-Verbrechen ... , sondern an dem hündischen
Kriechen seiner Intelligenz vor den politischen Begriffen" zugrunde[797].

Daß einer, der vor den politischen Begriffen des Nationalsozialismus
'hündisch gekrochen', sich über die öffentliche Aufwertung politischer Begriffe wie "Demokratie und Humanität" aufregte, das regte offenbar niemand mehr auf. Allerdings wandte sich Benn weniger gegen die Humanität
und die Demokratie als vielmehr gegen das, was die Öffentlichkeit in ihrem
Namen veranstaltete und zu ihrem Schutz zu tun vorgab: "die Kulturphilo-
sophen, Kulturdeuter, Krisenphänomenologen strömen zusammen, denunzieren,
eliminieren, rotten aus", das Gerede von der Erneuerung des Abendlandes
könne nicht darüber hinwegtäuschen, daß "man sich doch nur erneuern lassen
will, was schon längst da ist"[798]. Daß alles beim alten geblieben ist -
war dies nicht auch gerade die bittere Erfahrung derer, die für das Neue
eintraten? - Benns totaler Geschichtspessimismus schien durch die aktuelle Entwicklung bestätigt, er selber erschien, auch das war das Faszinierende an ihm, als der radikalste Verfechter des 'totalen Ideologiever-

dachts', wenn er j e d e Öffentlichkeit der "Abtreibung und Keimzerstörung" des "Primären" bezichtigte[799].

Man wußte auch, welche Bedeutung Benn für die weitere Entwicklung der Lyrik zukam, daß, wer sich an ihn hielt, zugleich Anschluß an die lyrische Moderne hatte, die Benn von seinen expressionistischen Anfängen an repräsentierte. Von einer solchen Autorität – ihr konnte man den 'Irrtum' von 1933/4 nachsehen – gesagt zu bekommen, das moderne lyrische Ich sei "völlig ungeschichtlich", es fühle auch "keine sittliche Aufgabe, ... die Menschen besser zu machen oder die Jugend zu erziehen"[800], erleichterte den Entschluß, sich verstärkt dem 'Eigentlichen' der Kunst zuzuwenden, zumal andere deutsche Lyriker von Rang, die Benn den Rang als neuem Wortführer hätten streitig machen können (Brecht, Becher, Weinert), nach der Emigration im anderen Deutschland ihre neue Heimat suchten.

Gleichwohl ließ es sich Benns eigenes lyrisches Ich nicht nehmen, die "Jugend zu erziehen", die ihm vorwarf:

"Der dichtet wie vor hundert Jahren,
kein Krieg, kein Planck, kein USA,
was wir erlitten und erfahren,
das ist ihm Hekuba!"[801]

Wer es angesichts der drängenden Probleme der Zeit nach 1945 nicht fertig brachte, sein Glück als Lyriker in konstruierten Abenteuern mit der Form zu suchen, wurde obendrein von dem Meister verspottet, der "den jungen Leuten" in väterlicher Pose zurief:

Allons enfants, tut nicht so wichtig,
die Erde war schon vor euch da
und auch das Wasser war schon richtig –
Hipp, hipp, hurra!

Konnte nur derjenige ein 'guter' Lyriker bleiben oder werden, der sich am besten darauf verstand, sein politisches Gewissen, sofern vorhanden, zu vergessen, zu verdrängen oder es unerkannt in die ästhetische Gestalt aufzulösen? Es scheint so, und auch die Bildung (und weitere Entwicklung) der G r u p p e 4 7 ist Ausdruck und bewegendes Moment einer solchen Verschiebung von der 'Politik' weg hin zur 'Literatur'. Heinz Friedrich, von der ersten Tagung im bayrischen Bannwaldsee (Anfang September 1947) dabei, kommt in einem Rückblick auf diese "Mutation" zu sprechen:

"Aus den Politikern des RUF wurden literarische Vorkämpfer. Das Jahr 1947 brachte die Mutation. Oder war es der Beginn einer inneren Emigration mutiger Publizisten, einer Emigration in die Gefilde der Literatur, nachdem die politische Aktion gescheitert war? Unter diesem Gesichtspunkt die Geschichte der Gruppe 47 zu analysieren, wäre sehr lohnenswert."[802]

Fritz J. Raddatz hat diese Anregung aufgenommen, den 'Almanach' (eine re-
präsentative Auswahl der auf den Tagungen gelesenen Texte) auf seine politische Qualität hin untersucht und dabei "etwas Unerwartetes, fast
Nimbus-Zerstörendes" entdeckt: "die 'öffentlichen Dinge' erscheinen nicht
in der Schrift ... In dem ganzen Band kommen die Worte Hitler, KZ, Atombombe, SS, Nazi, Sibirien nicht vor - kommen die Themen nicht vor ...
Ein erschreckendes Phänomen, gelinde gesagt"803) - und eines, das durch
eine entsprechende Analyse von Tagungsberichten bestätigt und ergänzt
werden kann804).

Rückzüge, Rückschläge, Rücknahmen auf allen Ebenen: hat die politische
Lyrik der Nachkriegsjahre ihre bleibende Bedeutung einzig darin, im Ge-
genzug die Entpolitisierung der Lyrik beschleunigt zu haben? Ein - geziel-
ter Blick in die fünfziger Jahre beweist zwar nicht das Gegenteil, zeigt
aber, daß sich, zumindest was Warnungen und Widerstandsappelle angeht,
kritische Impulse erhalten haben bzw. in die "junge deutsche Literatur
der Moderne"805) aufgenommen wurden: die Metzger, Henker, Mörder, Würger,
Feldherrn, Generale finden sich wörtlich in Gedichten von Ingeborg Bach-
mann806) und Hans Magnus Enzensberger wieder807); vor der Atomgefahr und
dem fatalen Übermut der Mächtigen warnt in seinen 'Kassiber'-Botschaften
eindringlich Wolfdietrich Schnurre808).

Dagegen kann man nach positiven Zukunftserwartungen, nach Entwürfen einer
besseren Gesellschaft lange suchen - um dann doch nur einen versprengten
'Sohn Europas' aufzutreiben, der, heruntergekommen wie er da steht, in
nichts mehr an seine gläubig-aktiven Vorgänger erinnert:

Ich bin Europas verlorener Sohn.
Siehe die trübe Gestalt!
Ich komme und stelle zur Diskussion
Denken und Darminhalt.809)

Soweit zur literarischen Seite dessen, 'was weiter wurde' aus der politischen Lyrik. Und wie hat sich die Bundesrepublik politisch weiterent-
wickelt? -

Wenn in aller Welt die Kinder lachen,
Wenn die Mieten steigen und die Drachen,
Wenn die Ärzte nach Patienten schrein;
Wenn's von Häusern leuchtet: "Frisch gestrichen",
Wenn man Hüte ablegt, deren Band verblichen,
Wenn der U-Bahn-Nachbar flüstert "Sie verzeihn".
Dann wird endlich Frieden sein.

Wenn man Silos baut und Lagerschuppen,
Wenn ein Backfisch fragt: "Was ist das - Truppen" ...
Wenn das Zähnezieh'n die größte Pein;
Wenn die Zeitungen von Fettsucht melden,
Wenn nur Sportgewinner große Helden.
Dann wird endlich Friede sein.

Wenn die Mütter froh die Kinder schwenken,
Wenn die Onkels Neffen Uhren schenken,
Wenn man Wohnung wechselt ohne Schein;
Wenn, wer's Auto kauft, auch selber steuert,
Wenn man Hausrat, der nicht paßt, erneuert,
Wenn man Fleisch hat und lädt Freunde ein.
Aber, Enkelchen, wann wird das sein?[810)]

Ein Katalog von nicht immer ernstgemeinten Bedingungen für einen künftigen Frieden und ein weiser Vorausblick aus dem Jahre 1948 zugleich; denn
einige dieser Bedingungen, das wird dem aufmerksamen Leser und kritischen
Zeitgenossen nicht entgangen sein, hat die Bundesrepublik mittlerweile
eingelöst.

V Anmerkungen

1. Vormweg, Heinrich: Prosa in der Bundesrepublik seit 1945. In: Lattmann, Dieter (Hg.): Die Literatur der Bundesrepublik Deutschland. München 1973, S. 149
2. Friedrich, Heinz: Das Jahr 47. In: Richter, Hans Werner (Hg., in Zusammenarbeit mit Walter Mannzen): Almanch der Gruppe 47, 1947-1962. Reinbek 1962, S. 16
3. Vgl. Glaser, Hermann: Vor dreißig Jahren. Zum geistigen Profil der Trümmerzeit. In: Frankfurter Rundschau, 3. Mai 1975, S. III
4. Zeller, Bernhard (Hg.): Als der Krieg zu Ende war. Literarisch-politische Publizistik 1945-1950, Stuttgart 1973
5. In: H.B.: Erzählungen, Hörspiele, Aufsätze. Köln/Berlin 1961, S. 339-343
6. Vgl. Jochen Vogt (Keine Fragen und falsche Antworten. Böll im Lesebuch. Zu einem beispielhaften Fall unserer Literaturpädagogik. In: Frankfurter Rundschau, 29. Januar 1972, S. IX), der den "Kurzgeschichtenfetischismus" anhand der Böll-Rezeption in der Schule untersucht
7. Aspekte zeitgenössischer Lyrik. München 1963 (zuerst 1961), S. 12
8. Vgl. S. 38
9. Friedrich: Das Jahr 47, S. 15 f.
10. Vgl. dazu Trommler, Frank: Der zögernde Nachwuchs. Entwicklungsprobleme der Nachkriegsliteratur. In: Koebner, Thomas (Hg.): Tendenzen der deutschen Nachkriegsliteratur seit 1945. Stuttgart 1971, S. 3 ff.; Kantorowicz, Alfred: Deutschland-Ost und Deutschland-West. Kulturpolitische Einigungsversuche und geistige Spaltung in Deutschland seit 1945. Münsterdorf o.J. (Sylter Beiträge 2)
11. Manche der z.T. schon brüchigen 'Trümmerschriften' waren nur noch vereinzelt vorhanden, und eine umfassende Anthologie liegt nicht vor; die beiden wichtigsten Anthologien über politische Lyrik nach 1945 - Bingel, Horst (Hg.): Zeitgedichte. Deutsche politische Lyrik seit 1945. München 1963; Domin, Hilde (Hg.): Nachkrieg und Unfrieden. Gedichte als Index 1945-1970. Neuwied/Berlin 1970 - führen je sieben z.t. identische Gedichte aus dem Untersuchungszeitraum auf. (Die mit über 500 Seiten umfangreichste Anthologie - Voigtländer/Witt (Hg.): Denkzettel. Politische Lyrik aus der BRD und Westberlin. Frankfurt 1974 - legt den Schwerpunkt auf die 60er und 70er Jahre.)
12. Ein Textanhang hätte bei dieser Darstellungsart, auf die ich nicht verzichten wollte, nur unnötige Verdoppelungen zur Folge gehabt
13. Im Rahmen eines längeren Unterrichtsprojekts über Nachkriegsliteratur 1945-1950 habe ich eine Reihe von Gedichten behandelt (zusätzlich Parallelversuche mit einzelnen Gedichten in anderen Klassen) und dabei mit Beispielen von Krolow, Eich, Weyrauch die extreme Bewußtseinslage vom abgrundtiefen Pessimismus über das zögernde Wiederbeginnen bis zur Aufbruchseuphorie abgesteckt. Dieselben Gedichte habe ich im Rahmen eines PH-Seminars über Didatik politischer Lyrik behandelt

14. Poesie und Politik. In: H.M.E.: Einzelheiten. Frankfurt 1962, S. 350
15. Rede über Lyrik und Gesellschaft. In: Th.W.A.: Noten zur Literatur I. Frankfurt 1958, S. 73-105
16. Aspekte zeitgenössischer Lyrik, S. 77-108. Die Geschichte dieses Streits ist dokumentiert (ab 1800) von Peter Stein (Hg.) (Theorie der Politischen Dichtung. Neunzehn Aufsätze. München 1973), kommentiert von Bodo Lecke (Einleitung: Politische Lyrik in didaktischer Absicht. In: B.L. (Hg., in Verbindung mit dem Bremer Kollektiv): Projekt Deutschunterricht 8. Politische Lyrik. Stuttgart 1974, S. 1-47) und an Textbeispielen (von Chamisso bis Enzensberger) erläutert von Joachim Vieregge (Probleme politischer Lyrik. In: Politik und Soziologie. Zeitschrift zur Gestaltung des politischen Unterrichts. Jg. 1, 1970, Heft 2, S. 14-48
17. Knörrich, Otto: Die deutsche Lyrik der Gegenwart 1945-1970. Stuttgart 1971, S. 326
18. Enzensberger: Poesie und Politik, S. 345 f., 350 f.; Hervorhebungen von G.Z.
19. Ebda, S. 345
20. Ebda, S. 349
21. Ebda
22. Ebda, S. 136
23. Ebda
24. Adorno: Rede über Lyrik und Gesellschaft, S. 78
25. Ebda, S. 85
26. Enzensberger: Poesie und Politik, S. 132. Knörrich spricht in diesem Zusammenhang vom 'antipolitischen' Gedicht als dem eigentlichen politischen Gedicht bei Enzensberger. (Die deutsche Lyrik der Gegenwart, S. 327)
27. Enzensberger: Poesie und Politik, S. 130
28. Goethe: Faust I, Vers 2090 ff. Vgl. dazu auch Schöne, Albrecht: Über politische Lyrik im 20. Jahrhundert. Mit einem Textanhang. Göttingen 1969 (2. Auflage), S. 3; zur Praxis bürgerlicher Literaturwissenschaft vgl. Hoffmann, Detlev/Merkelbach, Valentin: Politische Dichtung und die Ästhetik ihrer spätbürgerlichen Verächter. In: Diskussion Deutsch. Jg. 3, 1972, Heft 9, S. 224-247
29. Vgl. Fingerhut, Karl-Heinz: Zum Begriff der politischen Lyrik. In: Fingerhut/Hopster (Hg.): Politische Lyrik. Arbeitsbuch (Begleitheft). Frankfurt 1973, S. 1 ff.
30. Vgl. z.B. Bezzel, Chris: dichtung und revolution. In: Text und Kritik 25, Konkrete Poesie I, 1971, S. 35-36: "... daß ein revolutionärer schriftsteller nicht der ist, der semantisch-poetische sätze erfindet, die die nötige revolution zum inhalt und ziel haben, sondern jemand, der mit poetischen mitteln dichtung als modell der revolution selbst revolutioniert"
31. "wer sich also der sprache der repression 'bedient', dient der repressivion selbst." (Ebda)
32. Stein, Peter: Einleitung: Die Theorie der Politischen Dichtung in der bürgerlichen Literaturwissenschaft. In: P.St. (Hg.): Theorie der Politischen Dichtung, S. 7
33. Ebda. Nach Stein erzeugte das bürgerliche Interesse an der Literatur als "Desinteresse an der Gesellschaft ... in dialektischer Weise neben dem Begriff der 'reinen' Dichtung den der 'politischen' Dichtung." (Ebda)
34. Lecke: Einleitung: Politische Lyrik in didaktischer Absicht, S. 20
35. Vgl. Fingerhut: Zum Begriff der politischen Lyrik, S. 8

36. Bienek, Horst: Am Ende eines lyrischen Jahrzehnts? In: Akzente. Jg. 13, 1966, Heft 5, S. 491. Vgl. ähnlich Jens, Walter: Deutsche Literatur der Gegenwart - Themen, Stille, Tendenzen. München 1961, S. 20
37. Ein Beispiel für die Divergenz von Autor- und Gedichtintension: vgl. Heises Text und Kommentar in Domin (Hg.): Nachkrieg und Unfrieden, S. 53
38. Manche Autoren haben außerdem einen "Widerwillen" gegen entsprechende Befragungen (Domin (Hg.): Nachkrieg und Unfrieden, S. 134), sie halten sie für überflüssig (ebda, S. 18, 93) oder, da Dichter "selten Inspirationsarchive angelegt" haben (ebda, S. 134, Beispiel S. 42), für kaum ergiebig
39. In: Fuhrmann/Hinrichsen u.a. (Hg.): agitprop. Lyrik, Thesen, Berichte. Hamburg o.J., S. 27 f. (Querverlag, 1. Aufl. 1969, 2. Auflage 1970)
40. Hinderer, Walter: Von den Grenzen moderner politischer Lyrik: Einige theoretische Überlegungen. In: Akzente, Jg. 18, 1971, Heft 6, S. 513
41. Nach dieser Definition ist politische Lyrik immer identisch mit 'intentional politischer Lyrik'. Dagegen läßt Ingrid Girschner-Woldt, von der dieser Namensvorschlag stammt, auch 'funktional politische Lyrik - das wären die nach den übrigen Gesichtspunkten sortierten und somit wiederum potentiell alle Gedichte - als politische Lyrik gelten (Theorie der modernen politischen Lyrik. Berlin 1971, S. 9 f.). Auch Walter Hinderer lehnt diese Zweiteilung, die heuristischen Zwecken dienen kann, ab (Probleme politischer Lyrik heute. In: Kuttenkeuler, Wolfgang (Hg.): Poesie und Politik. Zur Situation der Literatur in Deutschland. Stuttgart 1973, S. 98)
42. Nochmals verweise ich darauf, daß, wenn politische Lyrik abgegrenzt wird, der gesellschaftliche Charakter der übrigen Lyrik nicht geleugnet wird
43. Werner, Hans-Georg: Über politische Dichtung. In: Stein (Hg.): Theorie der Politischen Dichtung, S. 258
44. Vgl. Fingerhut: Zum Begriff der politischen Lyrik, S. 9. Zur Manipulation durch politische Lyrik selber - "Kann sich linker Agitprop seinen neuen massenwirksamen Stil bei der BILD-Zeitung leihen?" - vgl. Karsunke, Yaak: Abrißarbeiter im Überbau. Gedanken zum Gebrauchswert politischer Lyrik. In: Text und Kritik 9/9. Politische Lyrik, S. 15-23
45. Ein Ausspruch von Jeremias Gotthelf, den Max Picard in seinem Buch 'Hitler in uns selbst' zustimmend zitiert (Erlenbach/Zürich 1946, S. 202)
46. R., B. (verm. Reifenberg, Benno): Über die Liebe zum Vaterland. In: Die Gegenwart, Jg. 1, 1946, Nr. 6/7, S. 11-14
47. Ebda, S. 13
48. Ebda
49. Einen analytischen oder literaturgeschichtlichen Aufsatz über politische Lyrik habe ich ebensowenig entdeckt wie einen Gedichtband, der in Titel oder Untertitel 'politische Gedichte' o.ä. führen würde. Vermutlich mahnte nicht nur der Gedanke an das Politische, sondern auch jener an die 'Leistungen' der politischen Lyrik unterm Nationalsozialismus zur Vorsicht im Umgang mit diesem Begriff
50. Weyrauch, Wolfgang: Buchbesprechungen. In: Aufbau, Jg. 2, 1946, Heft 5, S. 543-546. Der Satz bezieht sich vor allem auf Bergengruens Gedichtband "Dies irae"
51. Nicht nur als Heutiger hat man Zuordnungsschwierigkeiten mit den damaligen Gedichten: derselbe Gedichtband, an dem Weyrauch seine Auffassung vom politischen Gedicht entwickelt (Bergengruens "Dies irae"), ist für einen anderen Rezensenten Anlaß zu folgenden Bemerkungen: "von solcher

Höhe und Weite der Schau zerfallen Begriffe wie 'reine Lyrik' oder
'Zeitlyrik' in nichts. Was heißt vor solchen Gebilden noch 'religiöse'
oder 'politische' Lyrik? Sie ist alles zusammen, weil einem sich tief
verantwortlich fühlenden Menschentum eine gleich große dichterische
Fähigkeit entspricht." (Günter, Herbert. In: Welt und Wort, Jg. 1, 1946,
S. 59). Dagegen haben nach Meinung von Hans-Peter Berglar-Schröer, der
die zeitgenössische Lyrik in die drei lyrischen Bezirke des Esoterischen
und Symbolistischen, des Konventionellen und des Aktuell-Politischen
aufgliedert, dieselben Gedichte Bergengruens mit politischen Gedichten
nichts gemein, sie gehören, da "jenseits der Anfälligkeit des Zeiten-
wechsels" angesiedelt, in den esoterischen Bezirk. Ohnehin mißlinge,
wie an der bekanntesten Erscheinung, Johannes R. Becher, abzulesen, politische Lyrik "in der Regel", weil die beiden "Seinsbereiche Politik
und künstlerische Schau" sich nicht vertrügen. (Kleines deutsches Lyrikum 1947. In: Frankfurter Hefte, Jg. 2, 1947, Heft 11, S. 1131-1140)

52. So subsumiert Wilhelm Lehmann in einer Rezension der Anthologie 'Die
Dichterbühne' ausdrücklich auch das Liebes- und Naturgedicht unter die
deutsche Zeitlyrik (Von deutscher Zeitlyrik. In: Deutsche Beiträge,
Jg. 4, 1950, S. 465-466). Wie man das gegen das ästhetische abgehobene
politische Gedicht inhaltlich ausweitet, indem man es zum Zeitgedicht
erklärt, das sich seinerseits dem Zeitgeist widersetzt, so daß man kaum
mehr weiß, was übrig bleibt, demonstriert der Rezensent von Rudolf Hagelstanges 'Venezianisches Credo': "Die Sonette sind im Gegensatz zum
Meister dieser Form, zu Rilke, keine ästhetischen, sondern politische
Gedichte. Sie sind im Grunde Zeitgedichte, ... doch obsiegt in ihnen
nicht der Zeitgeist, aber Wahrheit und Schönheit." (Hupka, Herbert.
In: Welt und Wort, Jg. 1, 1946, S. 59). Auch Hans Carossas Gedichte aus
'Stern über der Lichtung' werden in einer Rezension als Zeitgedichte
eingestuft (Seyffahrt, Ursula. In: Welt und Wort, Jg. 2, 1947, S. 298;
vgl. Carossa selber, in: Ungleiche Welten. Lebensbericht. Wiesbaden
1951, S. 220)

53. Hinderer: Probleme politischer Lyrik heute, S. 110. Das Medium (Sprache)
wird dann wichtiger, wenn die Darstellungsmittel anstatt zur Information
über den Gegenstand zum Aufbau einer 'sprachlichen Eigenwelt' eingesetzt
werden (ebda, S. 111). Im äußersten Fall sind Gegensätze "nicht mehr
Ziel, sondern bloß noch Anlaß von Wörtern." (Ebda, S. 110)

54. Hinderer: Von den Grenzen moderner politischer Lyrik, S. 512 ff. Brechts
Gedicht 'Die Lösung' wird als "Musterbeispiel für geglückte politische
Lyrik" angeführt, weil die "Sache" den Mittelpunkt bilde. In dem späteren Aufsatz 'Probleme politischer Lyrik heute' revidiert Hinderer
seine Position und führt auch ein Beispiel für 'subjektorientierte' politische Lyrik an ('Hymne' von F.C. Delius, S. 123), doch das sachliche
politische Gedicht scheint dennoch Favorit, Hinweise auf mögliche Vorzüge einer 'subjektiven' Darstellung der Wirklichkeit fehlen.

55. Hinderer: Probleme politischer Lyrik heute, S. 104

56. Vgl. S. 171 ff.

57. Freund, Michael: Deutsche Geschichte. Gütersloh 1967, S. 1517

58. Zit. nach: Huster/Kraiker/Scherer u.a.: Determinanten der westdeutschen
Restauration. Frankfurt 1972, S. 276

59. Ebda, S. 279

60. "... und das deutsche Volk fängt an, die furchtbaren Verbrechen zu
büßen, die unter der Leitung derer, welche es zur Zeit ihrer Erfolge
offen gebilligt hat und denen es blind gehorcht hat, begangen wurden."
(Huster: Determinanten, S. 276)

61. Ebda

62. Grosser, Alfred: Deutschlandbilanz. München 1972 (4. erw. Auflage), S. 41
63. "Als Inbegriff des Deutschen-Hasses auf alliierter Seite verschrien, strebte der Morgenthau-Plan in Wirklichkeit nichts grundsätzlich anderes an, als auch manche deutsche Konservative nach 1945 ihrem Land zuzumuten bereit waren, weil sie glaubten, auf diese Weise sowohl eine Restauration des Kapitalismus als auch eine Entwicklung zum Sozialismus verhindern zu können" (Huster: Determinanten, S. 27)
64. Vgl. Grosser: Deutschlandbilanz, S. 59 f.
65. "Es wäre lächerlich, die Hitlerclique mit dem deutschen Volk und mit dem deutschen Staat zu identifizieren. Die Geschichte zeigt, daß die Hitler kommen und gehen, während das deutsche Volk und der deutsche Staat bleiben" (Stalin, 1942, zit. nach: Grosser: Deutschlandbilanz, S. 39)
66. Frankfurter Hefte, Jg. 2, 1947, Heft 7, S. 641-656
67. Ebda, S. 642 f.
68. Ebda. Vgl. auch Freund: "Jeder hamsterte Leumundszeugnisse, Fleischermeister beschafften sich für ein Stück Wurst von ihren Kunden eine eidesstattliche Erklärung, daß sie immer glühende Gegner des Dritten Reiches gewesen seien." (Deutsche Geschichte, S. 1528)
69. Grosser: Deutschlandbilanz, S. 69
70. Kogon: Das Recht auf politischen Irrtum, S. 641. Ein anderes, weniger böses Wort, das die formalistische Säuberung auf die Schippe nahm: "'In Hamburg sind gerade drei Schiffe eingelaufen: eines mit Lebensmitteln, die anderen mit Fragebogen'" (Grosser: Deutschlandbilanz, S. 71)
71. Vgl. Schröder, Albrecht: La reaction du public allemand devant les oeuvres littéraires de caractère politique pendant la periode 1945-1950. Genf 1964. Grundlage dieser interessanten Studie über das politische Bewußtsein im Nachkriegsdeutschland ist eine reichhaltige Dokumentation dreier Rezeptionsebenen: Stellungnahmen in der Presse, öffentliche Diskussionen im Anschluß an die Aufführungen - im Theaterjahr 1948/49 waren es allein 2069 in 53 Theatern - , Briefe an den Autor
72. Flechtheim, Osipp K.: Gibt es einen dritten Weg? Alternativpläne der deutschen Parteien nach dem 2. Weltkrieg. Hessischer Rundfunk v. 17.4.73
73. "Wir bekennen uns zu einem wirtschaftlichen Sozialismus auf demokratischer Grundlage ... Wir erstreben die Überführung gewisser großer Umproduktionen, Großindustrien und Großbanken in Gemeineigentum. Wir wollen ferner, daß die Wirtschaft im großen einheitlich und planvoll gelenkt werde ... " (Ebda)
74. Es beginnt: "Das kapitalistische Wirtschaftssystem ist den staatlichen und sozialen Lebensinteressen des deutschen Volkes nicht gerecht geworden. Nach dem furchtbaren politischen, wirtschaftlichen und sozialen Zusammenbruch als Folge einer verbrecherischen Machtpolitik kann nur eine Neuordnung von Grund auf erfolgen. Inhalt und Ziel dieser sozialen und wirtschaftlichen Neuordnung kann nicht mehr das kapitalistische Gewinn- und Machtstreben, sondern nur das Wohlergehen unseres Volkes sein" (zit. nach: Stammen, Theo (Hg.): Einigkeit und Recht und Freiheit. Westdeutsche Innenpolitik 1945-1955, München 1965, S. 89
75. Zit. nach: Huster: Determinantne, S. 417
76. Dirks, Walter,: Rechts und links. In: Frankfurter Hefte, Jg. 1, 1946, Heft 6, S. 24

77. Ebda, S. 33
78. Ebda, S. 37
79. von Kempski, Jürgen: Sozialismen. In: Merkur, Jg. 1, 1947, S. 452-456
80. Selbst die KPD, auf ein Zusammengehen unter ihrer Führung mit der SPD
    bedacht, entwickelte noch 1946 die Theorie vom besonderen deutschen
    Weg zum Sozialismus - "ohne bewaffneten Aufstand, ohne proletarische
    Diktatur und Räteherrschaft", sondern "auf friedlichem Wege mittels
    der parlamentarischen Demokratie ..." (KPD-Sprecher Ackermann, zit.
    nach: Flechtheim: Gibt es einen dritten Weg?)
81. "Der Welt wollen wir zu unserem Teil beweisen, daß es auch einen euro-
    päischen Sozialismus gibt und daß in diesem europäischen Sozialismus
    der deutsche Sozialismus ein nicht wegzudenkender Bestandteil ist."
    (Kurt Schumacher: Aufgaben und Ziele der deutschen Sozialdemokratie,
    Referat, gehalten auf dem SPD-Parteitag in Hannover im Mai 1946, zit.
    nach: Huster: Determinanten, S. 369)
82. Abendroth, Wolfgang: Bilanz der sozialistischen Idee in der Bundesre-
    publik Deutschland. In: Richter, Hans Werner (Hg.): Bestandsaufnahme.
    Eine deutsche Bilanz 1962. München/Wien/Basel 1962, S. 248 f.
83. Zu den Unterschieden in den Verfassungen der Länder vgl. ebda, S. 250
84. 'Der Ruf' erschien 1945/6 als Zeitung der deutschen Kriegsgefangenen
    in den USA. Dort lernten sich u.a. Hans Werner Richter und Alfred
    Andersch kennen, die nach ihrer Rückkehr nach Deutschland den 'Ruf' neu
    herausbrachten, bis er 1947 von der amerikanischen Besatzungsmacht ver-
    boten wurde, was dann zur Gründung der literarischen 'Gruppe 47' geführt
    hat, ebenfalls unter Hans Werner Richter. (Näheres in: Friedrich: Das
    Jahr 47. Vgl. ebenso S. 34)
85. Das junge Europa formt sein Gesicht. In: Schwab-Felisch (Hg.): Der
    Ruf. Eine deutsche Nachkriegszeitschrift. München 1962, S. 22
86. Die Selbstentfremdung des Menschen. Ebda, S. 41
87. Deutschland - Brücke zwischen Ost und West. Ebda, S. 48 f.
88. Rede an die deutsche Jugend. Sämtliche Werke, Bd. 10, München/Wien/
    Basel 1957, S. 404 ff.
89. Brandenburg, Hans: Alte und junge Generation. In: Welt und Wort,
    Jg. 3, 1948, S. 214
90. Richter, H.W.: Die versäumte Evolution. In: Schwab-Felisch (Hg.):
    Der Ruf, S. 122 ff.
91. Vgl. Abendroth: Bilanz der sozialistischen Idee, S. 244. Er sieht den
    Grund für die damalige Attraktivität sozialistischen Denkens in der sei-
    nerzeit noch überall wachen Erinnerung daran," ... daß es in den ersten
    Jahren nach 1933 n u r die Sozialisten aller Richtungen waren, die
    in zäher ... illegaler Propaganda den Weg in Aufrüstung, Krieg, Bar-
    barei und Untergang vorausgesagt hatten."
92. Deutsche Jugend. Fünf Reden. Darmstadt 1947. Walter Dirks kann zwar
    auch bei der Jugend hie und da "Aktiva feststellen: nüchterne Arbeit-
    samkeit, ein offenes Ohr und ein offenes Herz ... Lernbereitschaft"
    etc. Aber diesen wenigen "steht die ungestaltete, unbekannte Masse
    der anderen gegenüber": "Die einen haben es, aus überzeugungslosen
    Familien stammend und im Wirbel des Nazi-Abenteuer jahrelang hin- und
    hergeworfen, nie zu eigentlichen Überzeugungen gebracht; die anderen
    haben ihre falschen Überzeugungen verloren, sind am Ende, glauben und
    wissen nichts und trauen niemandem; die dritten pflegen ihre falschen
    Überzeugungen heimlich weiter, Mutterschoß eines Neonationalismus ..."
    (Dirks, Walter: Nicht die Jugend, die Erwachsenen! In: Frankfurter
    Hefte, Jg. 1, 1946, Heft 3, S. 4).

Auch Erich Kästner kommt in einer Analyse der Reaktionen auf eine Ausstellung moderner Kunst zu dem trostlosen und von ihm für ganz Deutschland als gültig bewerteten Ergebnis, "daß die intolerantesten, die
dümmsten und niederträchtigsten Bemerkungen" - "'Diese Künstler besei-
tige man restlos. KZ.'" - "fast ohne Ausnahme von Schülern, Studenten,
Studentinnen und anderen jungen Menschen herrühren" (Die Augsburger
Diagnose. Kunst und deutsche Jugend. In: Der tägliche Kram. Chansons
und Prosa 1945-1948. Zürich 1949, S. 33 f.). Vgl. ebenso Clemens
Münster, der neben der "revolutionären" eine starke "reaktionäre" Oppo-
sition in der jungen Intelligenz am Werk sieht (Die Universität 1946.
In: Frankfurter Hefte, Jg. 1, 1946, Heft 1, S. 7)
93. Friedländer: Deutsche Jugend, S. 59
94. Ebda, S. 61
95. Warum schweigt die junge Generation? In: Schwab-Felisch (Hg.): Der Ruf,
S. 32
96. Vgl. Richter über die Väter der 'Gruppe 47': "Ihre Hoffnung war die
Wiederherstellung der deutschen Einheit und die Wiedervereinigung Europas, geführt von jenen 'Equipen', die in allen europäischen Ländern
nach dem Krieg entstanden waren." (Fünfzehn Jahre. In: H.W.R. (Hg.):
Almanach der Gruppe 47, S. 11). Und Alfred Andersch: "... jetzt aber
muß das Wunder geschehen, daß die ganze junge Nation zu einer einzigen
politischen Elite wird." (Zit. nach: Cwojdrak, Günther: Gruppe 47 anno
62. In: G.C.: 'Eine Prise Polemik'. Sieben Essays zur westdeutschen
Literatur. Halle 1968, S. 65)
97. Berglar-Schröer, Hans-Peter: Die Vertrauenskrise der Jugend. In: Frankfurter Hefte, Jg. 2, 1947, Heft 7, S. 496
98. Vgl. dazu aus dem Resumée eines Leiters einer mehrtägigen Diskussions-
veranstaltung zwischen Jugend- und Parteivertretern, 1948: "Festgefah-
rene Ideologien, hinter denen man die Wahrheit schon nicht mehr erkennt, können ... der Jugend nicht mehr tauglich erscheinen für eine
positive Lösung der uns bedrängenden Aufgaben. Daraus ergibt sich, daß
die ideologische Parteipolitik zunehmend an Ansehen verliert." (Böttcher,
Karl Wilhelm: Junge Generation und Parteien. In: Frankfurter Hefte,
Jg. 3, 1948, S. 757)
99. Nicht die Jugend, die Erwachsenen!, S. 4 f.
100. Vgl. Deppe/Freyberg/Kierenheim u.a.: Kritik der Mitbestimmung. Partnerschaft oder Klassenkampf? Frankfurt 1969, S. 61
101. Ebda
102. Dazu der amerikanische Historiker Almond: "Fast ausnahmslos wurden die
alliierten Truppen bei der Besetzung größerer Städte von Delegationen
linker Antifaschisten empfangen, die fertige Programme, Kandidaten
für die örtliche Verwaltung und Unterstützung bei der Durchführung der
Entnazifizierung bereithielten. Ihre Untergrundorganisationen hatten
die Grundlage für die rasche Rekrutierungskampagne der Massen vorbereitet" (zit. nach: Autorenkollektiv: Die Kämpfe der westdeutschen Arbeiterklasse - die restaurative Entwicklung der BRD. In: Alternative,
Jg. 16, Heft 90, S. 115)
103. Dazu Harold Zink, Historiker der amerikanischen Militärregierung: "Man
war der Ansicht, daß bei einer langsamen Reorganisation der Gewerkschaften in Deutschland das offenbare Risiko, daß diese Organisatonen
durch Kommunisten übernommen werden, wesentlich verringert, wenn nicht
ganz ausgeschaltet würde" (zit. nach: Schmidt, Ute/Fichter, Tilman: Der
erzwungene Kapitalismus. Klassenkämpfe in den Westzonen 1945-1948.
Berlin 1971, S. 8). Vgl. die "Ansicht" des britischen Militärgouverneurs
Montgomery (ebda)

104. Autorenkollektiv: Die Kämpfe der westdeutschen Arbeiterklasse, S. 117
105. Nach der Stillegung der US-Rüstungsindustrie entstand überschüssige Produktionskapazität, für die neue Absatz- und Investitionsgebiete geschaffen werden mußten
106. Böhme, Helmut: Prolegomena zu einer Sozial- und Wirtschaftsgeschichte Deutschlands im 19. und 20. Jahrhundert. Frankfurt 1968, S. 139
107. E. Matthias, zit. nach: Kühnl, Reinhard: Deutschland zwischen Demokratie und Faschismus. München 1973 (3. rev. Auflage), S. 78
108. Ebda, S. 79
109. Ebda
110. Vgl. Schmidt/Fichter: Der erzwungene Kapitalismus, S. 12 f.
111. Ebda. S. 32
112. Ein paar Sätze aus dieser interessanten Rede vom 16.5.47 können den Charakter der 'demokratischen' Mission der USA aufhellen helfen: "Streiks oder andere Umtriebe gegen die Politik der Militärregierung ... werden in Hessen nicht geduldet werden; dabei spielt es keine Rolle, ob ihr Zweck ein politischer oder ein anderer sein möge. Jede Person oder Gruppe von Personen, die so handelt, wird bestraft werden, und vergessen Sie nicht, daß nach den Gesetzen der Besatzungsarmeen und der Militärregierung die Schuldigen sogar mit der Todesstrafe belegt werden können ... Vermeiden Sie Streiks, meiden Sie Agitatoren, die Streiks anschüren, und lehnen Sie es ab, jenen zuzuhören, die aus politischen oder selbstsüchtigen Gründen die Besatzungspolitik unnötig kritisieren und zum Widerstand gegen die Gesetze und Forderungen der Militärregierung hetzen. Seien Sie fleißig! ... Außer den anderen Bußen und Strafen, die auferlegt werden können, habe ich die Vollmacht - und ich werde sie gebrauchen -, die Zuteilungsmenge derjenigen Arbeiterführer, die zu Streiks oder anderen Unruhen aufreizen, und ebenso die Zuteilungen der anderen, die solchen Anführern bei ihrem Unterfangen folgen, herabzusetzen. Diese Herabsetzungen werden drastisch sein und werden sich auf eine unbestimmte Zeitspanne erstrecken. Während es in gewissen Gegenden notwendig werden könnte, den Belagerungszustand zu erklären oder sogar den gesamten Staat unter völlige militärische Aufsicht zu stellen, falls die Haltung des Volkes sich nicht bessert ..." (ebda, S. 28 f.)
113. Zwar erklärte der britische Außenminister Bevin am 23.10.1946 vor dem britischen Unterhaus: "Wir wünschen, daß all diese Industrien in Zukunft in das Eigentum des deutschen Volkes übergehen und vom deutschen Volk selbst kontrolliert werden ... Wir wollen die deutschen Bestrebungen zur Sozialisierung der Schlüsselindustrien tatkräftig fördern", aber durch die Abhängigkeit Englands von der amerikanischen Finanzhilfe, durch die sich die US-Militärregierung direktes Mitspracherecht in allen wirtschaftlichen Unternehmungen sicherte, wurden "die britischen Sozialisierungsvorstellungen immer unrealistischer" (ebda, S. 35 f.). Außerdem war die im Potsdamer Abkommen vorgesehene Entflechtung von Konzernen etc. ohnehin nicht identisch mit deren Sozialisierung, denn "Entflechtung bedeutete keine Schwächung des kapitalistischen Systems, sondern eine Dezentralisierung der deutschen Konkurrenz und lag deshalb im Interesse des amerikanischen und britischen Kapitals" (ebda, S. 31). Nach dem Ende der kolonialen Behandlung Deutschlands, als die Westmächte an der ökonomischen Leistungsfähigkeit des deutschen Partners interessiert waren, wurden auch die Entflechtungsmaßnahmen "zugunsten einer neuen Konzentrationsbewegung annulliert" (Deppe: Kritik der Mitbestimmung, S. 84)

114. Deppe. Kritik der Mitbestimmung, S. 76
115. Ebda
     Auch Wolfgang Abendroth bescheinigt der CDU im Hinblick auf das Ahlener
     Programm eine geschickte Taktik: "Die Stimmung der arbeitenden Schichten
     Deutschlands in dieser Periode hätte eine   o f f e n e   antiosozialis-
     tische Wendung, die den potentiellen Wählern bekannt wurde, noch nicht
     gestattet." (Bilanz der sozialistischen Idee, S. 247)
116. Vgl. Deppe: Kritik der Mitbestimmung, S. 90. Die Vergabe von US-Kredi-
     ten war an die Bedingung gebunden, "die Sozialisierung der Schlüssel-
     industrien preiszugeben oder zumindest aufzuschieben" (Schmidt/Fichter:
     Der erzwungene Kapitalismus, S. 37)
117. Vgl. Deppe: Kritik der Mitbestimmung, S. 94
118. Der Abgrund als Basis. In: E.K.: Der tägliche Kram, S. 160
     "Der neuralgische und für jede Maßnahme archimedische Punkt ist die
     Geldwährung. Das Geld muß wieder einen Sinn erhalten. Eine Arbeit muß
     sich wieder lohnen. Ein Gewinn muß bleibenden Wert haben. Arbeit, Ware
     und Geld müssen vernünftige Relationen eingehen. Der Geldreform ist es
     vorbestimmt, auch die Moral zu reformieren" (ebda, S. 162)
119. v. Agartz, zit. nach: Deppe: Kritik der Mitbestimmung, S. 91
     Die Expropriation zeigte sich u.a. darin, daß die Sparguthaben der Be-
     völkerung liquidiert wurden, während die Produktionsmittelbesitzer
     ihren Besitz nicht nur sichern, sondern durch teuren Verkauf der gehor-
     teten Waren erheblich vermehren konnten. Außerdem sorgten die Aufhebung
     des Preisstops bei zunächst noch verordnetem Lohnstop und ein Überange-
     bot auf dem Arbeitsmarkt für einen raschen Akkumulationsprozeß des
     deutschen Kpitals (ebda, S. 91 ff.; vgl. dazu Kogon, Eugen: Politik
     um die Frage 1 DM = ? In: Frankfurter Hefte, Jg. 3, 1948, Heft 10,
     S. 873-876
120. "Sicherlich war rasches Handeln im ökonomischen Sektor geboten; aber das
     mußte nicht zu dem kurzatmigen Tempo auf anderen Gebieten führen, das
     dann angeschlagen worden ist. Das Teilgebiet der Wirtschaft über alles,
     über alles in der Welt zu stellen, war eine deutsche Konsequenz, ..."
     (Pross, Harry: Die Ideen von 1947. Reflexionen nach zwanzig Jahren.
     In: Offene Welt. 1967, Nr. 95/96, S. 16)
121. Abendroth: Bilanz der sozialistischen Idee, S. 250
122. Abendroth: Bilanz der sozialistischen Idee, S. 252
123. Was die Deutschen fürchten. Angst vor der Politik; Angst vor der Ge-
     schichte; Angst vor der Macht. Frankfurt/Berlin 1967, S. 42
124. Schnurre, Wolfdietrich: An die Harfner. In: Ulenspiegel. Literatur -
     Kunst - Satire. Hg. von Herbert Sandberg und Günter Weisenborn. Jg. 3,
     1948, Nr. 2, S. 4
125. Rühmkorf, Peter: Das lyrische Weltbild der Nachkriegsdeutschen. In:
     P.R.: Die Jahre, die Ihr kennt. Anfälle und Erinnerungen. Reinbek 1972,
     S. 89
126. Rhodische Hymne. In: Jünger: Der Westwind. Frankfurt 1946, S. 86. Ent-
     standen 1944
127. In: Jünger: Die Silberdistelklause. Hamburg 1947, S. 16. Zum Motiv der
     springenden Mädchen vgl. Jünger: Grüne Zweige. Ein Erinnerungsbuch.
     München 1951, S. 83 ff., 144, 156
128. Erwachen aus einer Träumerei. In: Carossa: Stern über der Lichtung.
     Hameln 1946, S. 20
129. Kleiner Bahnhof im Mai. In: Die Lieder des Georg von der Vring 1906-
     1956. München 1956, S. 169
130. In: Jünger: Das Weinberghaus. Hamburg 1947, S. 26

131. Die Wandlung: In: Der Westwind, S. 21
132. In: Die Silberdistelklause, S. 21
133. Klein, Ulrich: Lyrik nach 1945, München 1972, S. 96
134. Krolow, Karl: Die Lyrik in der Bundesrepublik seit 1945. In: Lattmann
     (Hg.): Die Literatur der Bundesrepublik Deutschland, S. 350
135. Vgl. Jünger: Vorrede zu: Die Silberdistelklause, S. 5
136. Wiesbaden 1946, S. 34, 6.-10. Tausend. Im April 1945 in einer Hand-
     presse bereits 155 Exemplare gedruckt
137. Holthusen, Hans Egon: Die Überwindung des Nullpunkts. In: H.E.H.: Der
     unbehauste Mensch. Motive und Probleme der modernen Literatur. München
     1951, S. 163. Jünger und Hagelstange haben sich tatsächlich an den
     Bodensee zurückgezogen. - Vgl. auch Wolfdietrich Schnurre über seine
     Zeit v o r dem 'Auszug aus dem Elfenbeinturm' (1949) (In.: W.Sch.:
     Schreibtisch unter freiem Himmel. Polemik und Bekenntnis. Freiburg 1964,
     S. 16-20): "Meine Mitmenschen hinderten mich an meinem geistigen Höhen-
     flug. Sie waren Banausen, Masse; ich haßte sie."
138. Carossa: Der Bote. In: Stern über der Lichtung, S. 36
139. Carossa: Stern über der Lichtung, S. 37
140. Jünger: Freies Leben. In: Der Westwind, S. 80
141. Jünger: Das Weinberghaus, S. 50
142. Vgl. Bollnow, Otto Friedrich: Friedrich Georg Jünger - Werner Bergen-
     gruen. Zwei Dichter der neuen Geborgenheit. In: O.F.B.: Unruhe und Ge-
     borgenheit im Weltbild neuerer Dichter. Acht Essays. Stuttgart 1968,
     3. durchges. Auflage, S. 110 ff.
143. In: Das Weinberghaus, S. 24
144. In: Jünger: Die Perlenschnur. Hamburg 1947, S. 32
145. In: Die Silberdistelklause, S. 26
146. Ebda, S. 29
147. In: Die Perlenschnur, S. 17 - Bollnow sieht in der zyklischen Zeiter-
     fahrung Jüngers eine "direkte Antwort" auf die Anschauungen der Exis-
     tenzphilosophie (Unruhe und Geborgenheit im Weltbild neuerer Dichter)
148. Jünger: In: Die Perlenschnur, S. 9
149. Vgl. die zit. Strophen S. 118
150. Warum ich nicht nach Deutschland zurückkehre. Zit. nach: Lattmann,
     Dieter: Stationen einer literarischen Republik. In: D.L. (Hg.): Die
     Literatur der Bundesrepublik Deutschland, S. 37. Diese vernichtende
     Kritik muß allerdings auf die Situation, in der sie formuliert wurde,
     bezogen werden: Thomas Mann hatte in mehreren Reden im britischen Rund-
     funk zur deutschen Situation, besonders zur Schuldfrage, Stellung ge-
     nommen, so vor allem in einer Rede am Tag des Waffenstillstandes, in
     der er sagte, "alles, was deutsch spricht, deutsch schreibt, auf deutsch
     gelebt hat, ist von diesen entehrenden Bloßstellungen mitbetroffen."
     (Zit. nach Lattmann, ebda, S. 35). Gegen diesen Vorwurf der Kollektiv-
     schuld, in die sich Thomas Mann als inzwischen amerikanischer Staats-
     bürger selbst miteinbezog, verwahrten sich etliche 'Daheimgebliebene',
     z.B. Frank Thieß, der den Emigranten Thomas Mann auf unmißverständliche
     und verletzende Weise angriff: "Auch ich bin oft gefragt worden, warum
     ich nicht emigriert sei, und konnte immer nur dasselbe antworten: falls
     es mir gelänge, diese schauerliche Epoche (über deren Dauer wir uns
     freilich alle getäuscht hatten) lebendig zu überstehen, würde ich der-
     art viel für meine geistige und menschliche Entwicklung gewonnen haben,
     daß ich reicher an Wissen und Leben daraus hervorginge, als wenn ich aus
     den Logen und Parterreplätzen des Auslands der deutschen Tragödie
     zuschaute." (Zit. nach Lattmann, ebda, S. 36)

- 203 -

151. Deutsche Literatur im Dritten Reich. Versuch einer Darstellung in polemisch-didaktischer Absicht. Olten/Freiburg 1961
152. Dieser Begriff wurde aller Wahrscheinlichkeit nach von Frank Thieß 1933 geprägt. (Vgl. Wiesner, Herbert: 'Innere Emigration'. Die innerdeutsche Literatur im Widerstand 1933-1945. In: Kunisch, Hermann (Hg.): Handbuch der Gegenwartsliteratur. München 1970 (2. verb. u. erw. Auflage), S. 384 ff.)
153. Schonauer: Deutsche Literatur im Dritten Reich, S. 127
154. Wiesner: 'Innere Emigration', S. 386
155. Näheres in: von Koenigswald, Harald: Die Gewaltlosen. Dichtung im Widerstand gegen den Nationalsozialismus. Herborn 1962, S. 48-68; derselbe: Vorwort zu: Reinhold Schneider: Die Sonette von Leben und Tod, dem Glauben und der Geschichte. Köln 1954
156. Die Gewaltlosen, S. 76. Über Bergengruen allgemein S. 69-94
157. In: Jünger: Gedichte. Frankfurt 1949, S. 33 ff.; zuerst 1934. Vgl. auch die Gedichte 'Weigerung', 'Ultima Ratio' (Gedichte), 'Gebet', 'Warnung' (Der Taurus, 1937)
158. Vgl. die redaktionelle Anmerkung zu: Kahler, Erich: Der Mensch und die Sachen. In: Deutsche Beiträge, Jg. 1, 1946/47, S. 51
159. Zu einzelnen Chiffriertechniken vgl. Wiesner: 'Innere Emigration'
160. Deutsche Literatur im Dritten Reich, S. 151
161. von Koenigswald: Die Gewaltlosen, S. 64
163. Ebda, S. 64
164. Schonauer: Deutsche Literatur im Dritten Reich, S. 129
165. von Koenigswald: Die Gewaltlosen, S. 68
166. Carossa: Ungleiche Welten, S. 81. Die "Gegenwelt": "Der Schriftsteller brauchte nur ein paar Seiten aus dem 'Wilhelm Meister' oder gewisse Stellen aus 'Iphigenie' und 'Faust' zu lesen, um zu erfahren, daß er Sitz und Stimme hatte in einem unsichtbaren aber mächtigen Imperium, in welchem alle Gauleiter und Obergebietsführer ihre Befehlsgewalt verloren" (S. 82) - er, Carossa, allerdings ausgenommen, über den das "Imperium" der politischen Macht sehr wohl "Befehlsgewalt" ausübte, wenn er als "unpolitischer Mann" in eine "Falle des totalitären Regimes" lief und sich 1941 zum Vorsitzenden des eben gegründeten "Europäischen Schriftstellerverbandes" ernennen ließ (ebda, S. 118 ff.). Mag er dieses Amt, wie er immer wieder betont, auch zur Hilfeleistung für bedrängte Schriftsteller benutzt haben: die Legitimationsfunktion für den NS-Staat - ein Preislied zu Hitlers 52. Geburtstag einbegriffen - , die der vielgelesene und umworbene Autor innehatte, konnte dadurch nicht wettgemacht werden.
Einen guten Einblick in die Taktiken und Drohungen des NS gegenüber den Literaten erhält man aus Oskar Loerkes "Tagebücher 1903-1939" (Hg. von Hermann Kasack. Heidelberg/Darmstadt 1955, vor allem S. 283, S. 349 ff.)
167. Just, Klaus Günter: Die deutsche Lyrik seit 1945. In: Universitas. Jg. 15, 1960, S. 517. Just will damit sagen, schon 1933 sei 'reiner Tisch' gemacht worden
168. Krolow: Die Lyrik in der Bundesrepublik, S. 351
169. Klein: Lyrik nach 1945, S. 95
170. Vgl. Muschg, Walter: Die Zerstörung der deutschen Literatur. Bern 1958 (3. Auflage), S. 12
171. Vorrede zu: R.A. Schröder: Vom Beruf des Dichters in der Zeit. In: Merkur. Jg. 1, 1947, Heft 6, S. 864
172. Schröder: Vom Beruf des Dichters in der Zeit. In: Merkur. Jg. 1, 1947, Heft 6, S. 864

173. Ebda, S. 865 ff.
174. Schröder: Vom Beruf des Dichters in der Zeit. In: Merkur. Jg. 1, 1947, Heft 6, S. 867
175. Ebda, S. 872. Vgl. auch Grenzmann, Wilhelm: Dichtung und Glaube. Probleme und Gestalten der deutschen Gegenwartsliteratur. Bonn 1952 (2. erg. Auflage)
176. Vgl. zu den beiden letzten Punkten: Ernst Kreuder (Zur literarischen Situation der Gegenwart. In: Akademie der Wissenschaften und der Literatur. Abhandlungen der Klasse der Literatur. Jg. 1951, Nr. 1, Wiesbaden 1951, S. 10): "Sein (des Dichters; G.Z.) Sinn ist nicht auf die Wechselfälle einer flüchtigen Gegenwart gerichtet, sondern auf das Geheimnis und die Tiefe der Welt: ihre G r u n d f i g u r versucht er anzublicken, durch das Medium der Sprache erklingen zu lassen. In seinen erhöhten, verlorenen oder selbstvergessenen Augenblicken befindet er sich nicht vis-à-vis de rien, sondern vis-à-vis der Unendlichkeit. Vielleicht darf man sagen, daß er das unaussprechliche Wort der Welt ausspricht, daß der Dichter der Schöpfung antwortet, er allein, indem er sie, unbegreiflich wie, noch einmal durch das Wort vollbringt"
177. Schneider, Hermann: Probleme des geistigen Schöpfertums. In: Universitas. Jg. 2, 1947, Heft 5, S. 559
178. Ebda, S. 558
179. Ebda, S. 561
180. Ebda, S. 560
181. Kreuder spricht von der " g e i s t i g e n Nation", die sich vor allem als Vermächtnis des "schöpferischen Abenteuer(s)" Kunst bilde (Zur literarischen Situation, S. 15); und in einer redaktionellen Anmerkung zum Abschluß des ersten Jahrgangs der 1946 gegründeten Zeitschrift 'Universitas' heißt es: "Im Vertrauen auf die einheitsstiftende Kraft und die Sendung der Universitas-Idee in den christlichen Jahrhunderten der abendländischen Geschichte gründeten wir im Frühjahr 1946 unsere Zeitschrift. Das Programm, mit dem wir begannen, konnte überhaupt erst in einer geistigen Situation aufgestellt werden, die nach dem Ende des zweiten Weltkrieges für das geistige Leben der Welt entstanden war ... Die Einheit des Geistes in seiner Gesamtheit trat mächtiger denn je hervor." (Maiwald, Serge: Zum zweiten Jahrgang. In: Universitas, Jg. 1, 1946, S. 2)
182. Adorno, Theodor W.: Auferstehung der Kultur in Deutschland. In: Frankfurter Hefte. Jg. 5, 1950, Heft 5, S. 470
183. Kogon, Eugen: Über die Situation. In: Frankfurter Hefte. Jg. 2, 1947, Heft 1, S. 34
184. Adorno: Auferstehung der Kultur, S. 470 f.
185. Rede in der Aula der Kölner Universität. In: Huster: Determinanten, S. 398
186. Die "erste Pflicht des heutigen deutschen Studenten", so der Rektor der Göttinger Universität, sei "die ehrliche Mitarbeit an der Wiedergewinnung des moralischen Prestiges in der Welt" (Rein, F.H.: Die gegenwärtige Situation der deutschen Universität. In: Universitas. Jg. 1, 1946, Heft 7, S. 900); die Universität solle das "Keimzentrum eines neuen, in der Welt wieder anerkannten, geistigen Deutschland werden" (ebda, S. 901), eine "hohe Schule der Menschenführung, die die Prinzipien des echten Menschentums lehrt", denn es seien "doch die Entscheidungen der Denker, die das Schicksal der Völker bestimmen", Entscheidungen auf der Grundlage einer "gemeinsamen humanitären und harmoni-. schen Weltanschauung" im "abendländischen Geiste" (Schmid, Josef: Wollen und Ziele der neuen Hochschule. In: Universitas, Jg. 1, 1946,

- 205 -

Heft 3, S. 364 ff.). Daß die Studenten diesen Erwartungen nachkamen, geht aus einer "Verpflichtungsformel" hervor, wie sie z.b. drei Heidelberger Studenten als Vertreter ihrer Kommilitonen anläßlich der Immatrikulationsfeier, "die Rechte auf das Gründungszepter der Universität aus dem Jahre 1386 gelegt", feierlich vortrugen: "Ich verpflichte mich, die Verfassung getreulich zu achten, Frieden zu wahren und die Ordnung zu schützen, allezeit mein Wissen nach besten Kräften zu mehren, dem Geiste der Wissenschaft zu huldigen, im Dienste der Wahrheit, zum Wohle der Menschheit und damit auch meinem Vaterlande am besten zu dienen." (Neue Wege: In: Universitas. Jg. 1, 1946, Heft 5, S. 631)

187. Dirks gibt zusammen mit Eugen Kogon die 'Frankfurter Hefte' heraus, eine der politisch aktivsten Zeitschriften nach dem Kriege

188. Mut zum Schönen. In: Frankfurter Hefte. Jg. 2, 1947, Heft 3, S. 235 f. Selbst der kämpferische Karl Schnog - von ihm wird öfters die Rede sein - meint, "Man muß sich auch mal etwas Gutes gönnen, / Sonst wird das Dasein Krampf und alles trist. // Man muß auch faul sein können, Sonne trinken / Und von dem Feinde denken: Laß den blöden Hund! / ... Das alles muß man mal" - allerdings nur für "kurze Zeit", denn der Kampf geht weiter (mal die Waffe senken können. In: Ulenspiegel. Jg. 2, 1947, Nr. 11, S. 3)

189. Kreuder, Ernst: Vom Einbruch des Amusischen. In: Welt und Wort. Jg. 2, 1947, S. 346 f. Mit 'Pseudorealisten', gegen die Kreuder so vehement zu Felde zieht, meint er eine, die in einer "Elends-Schau", einer "Revue des Gräßlichen" die vor allem durch den Krieg geschaffene Wirklichkeit wissenschaftlich genau, "'gefühlsfrei'" in ihrem ganzen Ekel und Entsetzen darstellen. Er empfiehlt diesen "Zerknirscher(n)", die das "Träumen mit der Wissenschaft verwechseln ..., die Schreie der Gebärenden durchs Mikrophon (zu) übertragen", oder aber, um den "blutigen Realismus" perfekt zu machen, "ihre Filme in den Schlachthäusern (zu) drehen". (Ebda)

190. Vgl. S. 41 ff.

191. Kogon: Über die Situation, S. 17

192. Dirks, Walter: Dichter. In: Frankfurter Hefte. Jg. 1, 1946, Heft 5, S. 5

193. Bach, Rudolf/Oda Schäfer/ Georg Schwarz: Bekenntnis zur Lyrik. In: Welt und Wort. Jg. 1, 1946, S. 9 ff.

194. Bach/Schäfer/Schwarz: Bekenntnis zur Lyrik, S. 9

195. Ebda

196. Ebda

197. Ebda. Vgl. auch Just, Klaus Günter: "... war das Gedicht oftmals eine Art von geistigem Substitut für nicht vorhandene reale Nahrung. Der Konsumcharakter entbehrte also nicht einer höheren Notwendigkeit." (Von der Gründerzeit bis zur Gegenwart. Geschichte der deutschen Literatur seit 1871. Bern/München 1973, S. 589)

198. Adorno: Auferstehung der Kultur, S. 470. (Hervorgehoben von G.Z.)

199. Schwarz: Bekenntnis zur Lyrik, S. 10

200. Meinecke, Friedrich: Die deutsche Katastrophe. Betrachtungen und Erinnerungen. Wiesbaden 1946, S. 173 ff. Auch R.A. Schröder hat seine Rede 'Vom Beruf des Dichters in der Zeit' (S. 62) in einem Kreis junger Dichter gehalten. Schröders "unrevolutionäre Weisheit" aber forderte manchen der Teilnehmer, von denen einige aus der verbotenen Zeitschrift 'Der Ruf' gekommen waren, zum Widerspruch heraus: der Entschluß, einen eigenen Gesprächskreis einzurichten - beständig und mit den "richtigen Leuten" - stand fest; es wurde die 'Gruppe 47'. (Vgl. Friedrich: Das Jahr 47, S. 18 f.)

201. Kleines deutsches Lyrikum 1947, S. 1138
202. Anlaß für Berglar-Schröers Kritik war die von Gunter Groll im Kurt
Desch Verlag 1946 herausgegebene, aber eben leider "von der Münze der
Tageskonjunktur" (ebda) beschwerte Sammlung 'De Profundis', im Untertitel: Deutsche Lyrik in dieser Zeit. Eine Anthologie aus 12 Jahren
203. Ebda
204. Zum historischen Stellenwert und Kontext der Jüngerschen 'Wirklichkeits-
theorie' vgl. S. 119 ff.
205. Die größten Lyriker, so Georg Schwarz in seinem 'Bekenntnis zur Lyrik'
vgl. S. 37, Anm. 193) seien immer auch "Lebenserwecker", sogar "Neu-
werter des Lebens, raumschaffende und Freiheit gebende Ichpersönlich-
keiten ... Urbilder des Menschen ... umformende Kulturbildner, gerade
weil sie mit der Saugwurzel ihres Wesens noch im Ungeformten, in der
Brunnenstube des Geheimnisses und im Sturm und Drang der Erdkräfte
stehen"
206. Lyrik nach 1945, S. 91 ff.
207. Ebda, S. 93
208. Berglar-Schröer: Kleines deutsches Lyrikum, S. 1136
209. Auferstehung der Kultur in Deutschland, S. 473
210. "Manchmal kommt einem das alles wahrhaft gespenstisch vor. Wir wollen
ein neues literarisches Leben beginnen und beginnen damit, daß man uns
stapelweise aus den Schubladen die Erzeugnisse der Schwarmgeister,
Dichterlinge und Versfabrikanten vorsetzt. Dabei fehlt das Papier für
die nötigsten Informationen. Wann werden wir es erleben, daß ein Verleger in der Schublade greiser Studienräte nach Hohenstaufendramen
sucht und sie uns mit allen fünf Akten und allen Jamben vorsetzt? Auf
dem kostbaren Papier!" (Irrwege deutscher Lyriker und Verleger. In:
H.M.: Deutsche Literatur und Weltliteratur. Berlin 1957, S. 655-660)
211. Rilke. In: Ulenspiegel. Jg. 3, 1948, Nr. 3, S. 2
212. Redaktionelle Vorbemerkung zu: Bach: Bekenntnis zur Lyrik, S. 9
213. Schnurre: Wahrheit. In: Ulenspiegel. Jg. 3, 1948, Nr. 11, S. 6
214. Zwischen Freiheit und Quarantäne. Eine Einführung. In: H.W.R. (Hg.):
Bestandsaufnahme, S. 21
215. Andersch: Das junge Europa formt sein Gesicht, S. 21
216. Kahler, Erich: Der Mensch und die Sachen. In: Deutsche Beiträge. Jg. 1,
1946/47, S. 52
217. Deutsche Tragödie. In: E.R.: Vom künftigen Deutschland. Aufsätze zur
Zeitgeschichte. Berlin 1947, S. 15. Reger ist Erzähler, Journalist,
seit 1946 Mitbegründer und Hg. der Berliner Zeitung 'Der Tagesspiegel'
218. Ebda, S. 35
219. Vgl. Reger: Deutsche Tragödie, ebda, S. 15
220. Reger: Furcht vor dem Frieden, ebda, S. 83
221. Reger: Deutsche Tragödie, S. 17 ff.
Vgl. ebenso Andersch: Deutsche Literatur in der Entscheidung. Ein Beitrag zur Analyse der literarischen Situation. Hamburg 1948, S. 30
222. "Hinter allem, was du Gott, Strom und Stern, Nacht, Spiegel oder Kosmos
und Hilde oder Evelyn nennst - hinter allem stehst immer du selbst. Ei-
sig einsam. Erbärmlich. Groß. Dein Gelächter. Deine Not. Deine Frage.
Deine Antwort. Hinter allem, uniformiert, nackt oder sonstwie kostü-
miert, schattenhaft verschwankt in fremder fast scheuer ungeahnt gran-
dioser Dimension: Du selbst. Deine Liebe. Deine Angst. Deine Hoffnung."
(In: Das Gesamtwerk. Mit einem biographischen Nachwort von Bernhard
Meyer-Marwitz. Hamburg 1949, S. 311)
223. Borchert: Der Kaffee ist undefinierbar, ebda, S. 198. Ähnlich das Gedicht 'Unter der Maske' von Herbert Breunig (In: Paul E.H. Lüth (Hg.):
Der Anfang. Anthologie junger Autoren. Wiesbaden 1947, S. 38

224. Publizist, Kritiker seit dem Frühexpressionismus
225. Geistige Grundlagen eines schöpferischen Deutschlands der Zukunft. Hamburg/Stuttgart 1947, S. 39
226. Ebda, S. 41. "Hauptschutt" für Hiller sind die "Parteiabzeichenlosen 'Objektiven' und 'Unpolitischen', jene gerissenen Lakaien mit Distanz, jene Schlangen und Aale rings um die Tyrannis, die vornehm-lautlos-'wissenschaftlich'-unauffällig sich hinwindenden, unter dem Aspekt des Geistes um so gefährlicheren Helfershelfer des Widergeistes." (Ebda)
227. Vgl. S. 40
228. Die deutsche Lyrik seit 1945, S. 518
229. Horkel, Wilhelm und (Hg.): Trost in Trümmern. Eine Auswahl deutscher Lyrik seit Goethe. Nürnberg 1948
230. In eigener Sache. In: Ulenspiegel. Jg. 1, 1946, Nr. 5, S. 9
231. Vgl. dazu Mayer: Irrwege deutscher Lyriker und Verleger; Holthusen: Exkurs über schlechte Gedichte. In: Merkur. Jg. 2, 1948, S. 604-608
232. "... jetzt, wo nur noch die Inhalte entscheidend sind, ist auch die Dichteraufgabe wesentlich vereinfacht, jeder kann Dichter werden. Durch ihr Verdienst ist wieder ein aristokratisches Privileg aufgehoben worden." (Leserbrief im 'Ulenspiegel' (Jg. 3, 1948, Nr. 7, S. 4) zur Diskussion über 'horizontale' und 'vertikale' Lyrik; vgl. S. 162)
233. Im Oktober 1946 verglich Richter die "Staatsschiffe der Gegenwart" mit den "Kauffahrteifahrern des 16. Jahrhunderts", die, weil "mit dem ganzen Ballast der Vergangenheit belastet", nur schwerfällig "navigieren" und Kursänderungen nur unter unendlichen Schwierigkeiten vornehmen könnten. Nur in Deutschland sei das anders, denn hier "ist alles zerschlagen" (Deutschland - Brücke zwischen Ost und West, S. 48). Drei Monate später in der gleichen Zeitschrift: "Es blieb alles beim alten." (Die versäumte Evolution, S. 124)
234. Reger: Um den ehrlichen Namen. In: E.R.: Vom künftigen Deutschland, S. 48
235. Vom ersten zum zweiten deutschen Schriftstellerkongreß. In: Frankfurter Hefte. Jg. 3, 1948, Nr. 8, S. 695
236. Neue Lyrik. In: Das Goldene Tor. Jg. 3, 1948, S. 808 (hervorgeh. v. G.Z.)
237. Bender, Hans: Ende - Übergang - Anfang. 15 Jahre Gegenwartsliteratur. In: Akzente. Jg. 8, 1961, Nr. 4, S. 375
238. Vorwort zu: W.Sch.: Man sollte dagegen sein. Geschichten. Olten/Freiburg 1960, S. 9
239. Hg. von H.W. Richter. München 1947
240. Friedrich, Heinz/ Wolfgang Lohmeyer/ Walter Hilsbecher. Karlsruhe 1948; im folgenden zitiert als 'Bänkelsang'
241. Friedrich: Im Scheine einer trauten Lampe. In: Bänkelsang, S. 16
242. Friedrich: Das Gesicht. Ebda. S. 20
243. W.W. in einem Gespräch
244. Lohmeyer: Die Heimkehr der Soldaten. In: Bänkelsang, S. 58
245. Ebda, S. 55
246. Rasche, Friedrich: Die Hungernden. In: Birkenfeld, Günter (Hg.): Deutsche Lyrik der Gegenwart. Berlin/Hannover 1950, S. 53
247. Vgl. Anmerkung 189, S. 36
248. Das ist unser Manifest, S. 310 ff.
249. Vgl. Heinz Friedrichs wütende Verse "An die Vielzuvielen" (In: Richter (Hg.): Deine Söhne, Europa, S. 27)
250. S. 6
251. Den in einzelnen Gedichtbänden gemachten Angaben zufolge schwankte die durchschnittliche Auflage zwischen drei- und fünftausend

252. Birkenfeld: Einführung zu: Deutsche Lyrik der Gegenwart, S. 6. Birkenfelds Anthologie ist für die Oberstufe bestimmt
253. Vgl. S. 15, Anmerkung 71
254. Arnold, Heinz Ludwig: Über die Vergangenheit der alten und die Notwendigkeit einer neuen Literaturkritik. In: H.L.A. (Hg.): Geschichte der deutschen Literatur aus Methoden. Westdeutsche Literatur von 1945-71, Bd. 1, S. XIII
255. Neue Lyrik. In: Aufbau. Jg. 2, 1946, Nr. 12, S. 1250
256. Hagelstange: Die Form als erste Entscheidung. In: Bender, Hans (Hg.): Mein Gedicht ist mein Messer. Lyriker zu ihren Gedichten. München 1961, S. 38
257. Warum Sonette? In: Welt und Wort. Jg. 2, 1947, S. 16
258. Münnich, Horst Richard: Die Krise der Literatur. In: Der Zwiebelfisch. Jg. 1, 1946, Heft 2, S. 22
259. Berglar-Schröer: Kleines deutsches Lyrikum, S. 1132
260. Schwarz: Warum Sonette, S. 16
261. Die deutsche Lyrik der Gegenwart, S. 19
262. Vgl. S. 44, Anm. 231
263. In einem Nachwort des Verlages zu der Anthologie 'Bänkelsang', aus der Holthusen öfter zitiert, wird eine Lesung der Autoren lobend erwähnt: "Die Lesung (vom 4.10.1946 in Darmstadt) wurde zum Ereignis. Die junge Generation, der man Schweigen vorgeworfen hatte, sprach - sprach unmittelbar aus dem Erlebnis unserer Zeit, packte das Publikum. Das war ein lebendiges Erlebnis. Hier waren Not, Angst, Tod und Auferstehung Wort geworden. Die Erkenntnis unserer Zeit klang, realistisch transparent; die Dichtung wurde, g a n z g l e i c h , o b s i e b i s i n s l e t z t e d u r c h g e f o r m t o d e r d u r c h g e r e i f t w a r (hervorgeh. v. G.Z.), ein Vorstoß in die Bereiche hinter die Materie. Sie schlug eine Bresche in die Wirklichkeit." (S. 72)
264. Holthusen: Exkurs über schlechte Gedichte
265. Lohmeyer: Nachkriegslied. In: Erste Gedichte. Baden-Baden 1947, S. 53
266. Borchert: Das ist unser Manifest, S. 313
267. Fliegeroffizier Hartmann in Zuckmayers 'Des Teufels General' (hier: Frankfurt 1972, S. 141)
268. Vgl. dazu Lohmeyer, S. 109 dieser Arbeit, ebenso Borchert: "Nein, dafür sind die Toten nicht tot: Daß die Überlebenden weiter in ihren guten Stuben leben und immer wieder neue und dieselben guten Stuben mit Rekrutenphotos und Hindenburgportraits. Nein, dafür nicht." (Das ist unser Manifest, S. 312). Auch Schnurre wehrt sich in dem Gedicht 'Der Phrasenhammer' dagegen, daß "tausendfache Not" und das "Elend auf den Trümmerstätten" ganz umsonst gewesen sein sollen (in: Richter (Hg.): Deine Söhne, Europa, S. 84)
269. Vgl. das oben zitierte 'Nachkriegslied' oder Vitalis' 'Deutsches Soldatenlied'(S. 110) mit dem Gedicht 'Sieger' von Willi Behrmann: "Wir sind auf hundert Straßen marschiert, / wir haben in Trichtern und Gräben quartiert, / wir haben gestürmt und haben gesungen / und haben um jedes Stück Erde gerungen. // Wir haben Tod und Verderben gebracht, / wir haben geweint und wir haben gelacht, / wir mußten die Nächte zu Tagen machen, / uns blieben nur Stunden bis zum Erwachen. //'" (In: Feuer der Nacht. Gedichte und Briefauszüge eines gefallenen Soldaten. Hg. von Fritz Meichner. Heidelberg/Berlin/Leipzig 1943, S. 41
270. Lohmeyer: Den Dichtern meiner Generation. In: Bänkelsang, S. 59 f.
271. Lohmeyer: Elegie auf den Dichter heute. In: Erste Gedichte, S. 8 f.

272. Wolfgang Stickel: Worte. In: Lüth (Hg.): Der Anfang, S. 45
273. So kahl war der Kahlschlag nicht. Rückschau nach zwanzig Jahren auf den Neubeginn deutscher Literatur nach 1945. In: Die Zeit, Nr. 48, 26.11.1965, S. XV
274. Ebda
275. Auferstehung der Kultur, S. 474
276. Exkurs über schlechte Gedichte, S. 605 ff.
277. In: Hier in der Zeit. Gedichte. München 1949, S. 9-18
278. Auch Darstellungen von Charakter und Begleitumständen des Krieges sind, in einem weiteren Sinne, als Beiträge zur Kriegsgeschichte zu rechnen. Hier ist die Fixierung von geographisch und/oder zeitlich verifizierbaren Handlungsabläufen oder Situationen im Zusammenhang mit dem konkreten Kriegsverlauf gemeint
279. Zum Begriff des Elegischen vgl. Holthusen: Vollkommen sinnliche Rede. In: Bender: Mein Gedicht ist mein Messer, S. 53
280. Ebda, S. 48 f.
281. Exkurs über schlechte Gedichte, S. 606
282. Ebda
283. 16. Vgl. ganz ähnlich die Philosophiererei des Fliegergenerals Harras aus Zuckmayers 'Des Teufels General': "Ein Panzerkreuzer ist schön. Und ein schwerer Bomber. Und eine Jagdmaschine - so schön wie ein Pferd im Sprung. Und eine Stahlbrücke über einen Fluß. Und ein alter wurmstichiger Bauernkasten. Ein Baum im Herbst. Und ein Gewitter. Und eine Sonnenblume." (S. 69)
284. Holthusen veröffentlichte 1940 'Aufzeichnungen aus dem polnischen Kriege', in denen sich bereits seine wichtigsten ideologischen und poetologischen Eigentümlichkeiten finden:
    - schwüle Pathetik inmitten einer dumpf empfundenen Geschichtlichkeit: " Der Atem der Geschichte blies, und es war ergreifend, in den durch und durch zeitgenössischen Anstalten einer motorisierten Armee die überzeitliche Bedeutung ihrer Bewegung zu entdecken. Der Sinn unseres Marsches war ein Jahrtausend alt. 'Nach Ostland wollen wir reiten', hatten die niederdeutschen Ordensritter und Siedler des ottonischen und staufischen Mittelalters gesungen, und heute war es dasselbe Lied, das uns geleitete" (Zit. nach: Schonauer: Deutsche Literatur im Dritten Reich, S. 137)
    - der Hang, Krieg als Spiel, als Schauspiel zu erleben und zu gestalten: "... das war das gewaltsam erbrochene Tor nach Polen. Dies also war die Verwirklichung, dies war die Antwort auf die Frage, die eine männliche Phantasie von Kindheit an beschäftigte: wie ist der Krieg in Wahrheit und allen Ernstes? Mit atemloser Spannung betrachteten wir das Schauspiel, dessen Mitspieler wir selber waren. Der Krieg war ein Geschehen auf der Straße, gleichsam, als handle es sich nur um ein blutig ernstes Verkehrsproblem" (Ebda, S. 138)
    - die Faszination durch Schönheit und Stärke der Kriegsmaschinerie (und das ideologische Motiv dieser Faszination): "In Stahl und Panzern schien der kategorische, der preußische Imperativ sich verkörpert zu haben, diese eherne Sachlichkeit, die zu den wesentlichen Tugenden unseres Volkes gehört." (Ebda)
285. Holthusen: Vollkommen sinnliche Rede, S. 49
286. Hamburg 1946
287. Deutliche Bezugnahme auf die Weisung vom 5. April 1942, in der als ein Hauptziel die Eroberung des Ölgebietes im Kaukasus genannt wird

288. In dem zusammen mit Joachim Maass verfaßten Aufsatz über 'Wesen und Aufgabe der Dichtung' (Hamburg 1948, Erstdruck 1934) sieht der Autor deren Funktion einzig darin, "ihrem Dichter eine Heimat zu bieten, die, im Gegensatz zur realen Welt, für ihn übersehbar, erquicklich und bewohnbar ist. Eine weitere Aufgabe ist mit dem Wesen der Dichtung nicht gegeben." (S. 14)

289. Vgl. Birkenfeld: Einführung zu: Birkenfeld (Hg.): Deutsche Lyrik der Gegenwart, S. 5. Birkenfeld ist der einzige (in den von mir durchgesehenen Texten), der dieses Gedicht erwähnt und auch eine Passage in seine Anthologie aufgenommen hat

290. Poesie und Politik

291. Just, Klaus Günter: Von der Gründerzeit bis zur Gegenwart. Geschichte der deutschen Literatur seit 1871. Bern/München 1973, S. 594

292. Trilogie des Krieges, S. 18

293. Hamburg 1947

294. S. 16. - Über die generelle Tendenz zur Enthistorisierung vgl. S. 171

295. Gegensätzlich ist auch die Kritik. Während Just an Holthusens Gedichten die Subtilität und theologische Präzision des Verfahrens lobt (Von der Reichsgründung bis zur Gegenwart, S. 594) und sie zu den "wichtigsten Beispielen lyrischer Zeitdichtung in der deutschen Nachkriegsliteratur" rechnet (Deutsche Lyrik nach 1945, S. 520), ist Knörrich der Ansicht, daß es "für uns heute ... unverständlich" sei, "daß man einmal das 'erregend Moderne der Sagewise und Thematik' in Holthusens Gedichten rühmte" (Die deutsche Lyrik der Gegenwart, S. 124). Auch einen zeitgenössischen Kritiker "(stimmt) die Lektüre der großen Elegien ... verdrießlich", die "Gedichte 'im Volkston'" findet er "fatal" (In: Frankfurter Hefte. Jg. 4, 1949, S. 894), während Grenzmann wiederum besonders die 'Trilogie des Krieges' über alle Maßen lobt (Dichtung und Glaube, S. 361 ff.)

296. Akzente. Jg. 12, 1965, Heft 2, S. 128-130; dazu: W.H.: Gedichte in den sechziger Jahren. Antwort auf Karl Krolows Essay. In: Akzente. Jg. 13, 1966, Heft 4, S. 375-383

297. Thesen zum langen Gedicht, S. 128

298. Am Ende eines lyrischen Jahrzehnts? S. 494

299. Wolf, Gerhard: Deutsche Lyrik nach 1945. Berlin 1965, S. 102

300. Wolf: Deutsche Lyrik nach 1945, S. 111

301. Hagelstange: Die Form als erste Entscheidung, S. 38 (bezogen auf 'Venezianisches Credo')

302. Maurer, Georg: Welt in der Lyrik. In: Sinn und Form. Jg. 20, 1968, Heft 1, S. 33

303. Günther, Helmut: Vor den Baracken. In: Richter (Hg.): Deine Söhne, Europa, S. 30

304. Lohmeyer: So war die Heimkehr nicht ... In: Bänkelsang, S. 55

305. Lohmeyer: Die Heimkehr der Soldaten. In: Bänkelsang, S. 56. Vgl. auch Carl Udo Quandt: "Fast sind wir versucht, wieder die Tür hinter uns zu schließen und uns loszulösen von einer Heimat, die wir nicht mehr verstehen ..." (Heimkehr. In: Der Zwiebelfisch. Jg. 1, 1946, Heft 3, S. 11-13)

306. Ebda, S. 54

307. Lohmeyer: Der Krieg. In: Erste Gedichte, S. 39

308. Lohmeyer: Die Heimkehr der Soldaten. In: Bänkelsang, S. 58. Vgl. auch Kästner: "Du suchst dein Kind. Man hat's begraben. / Du suchst die Frau. Die Frau ist fort. / Du kommst, und niemand will dich haben. / Du stehst im Nichts. Das Nirgends ist dein Ort." (Deutsches Ringelspiel 1947. In: Der tägliche Kram, S. 132)

309. Lohmeyer: Die Heimkehr der Soldaten. In: Bänkelsang, S. 57. Vgl. ähnlich Schnurre: "Furchtbar ist das mit mir. Immer habe ich das Gefühl, ich bin nur auf Urlaub zu Hause. Wenn es klingelt, bekomme ich Herzklopfen. Dauernd habe ich Angst, es könnte einer kommen, der mir die Abfahrt befiehlt oder mich verhaftet. ... Ich kann keinen Zug mehr sehen. Ich denke immer, ich sitze im Fronturlauber nach Lemberg." (Unterm Fallbeil der Freiheit (1946). In: W.Sch.: Schreibtisch unter freiem Himmel, S. 11)
310. In: Richter (Hg.): Deine Söhne, Europa, S. 52
311. Vgl. S. 16 ff.
312. Lohmeyer: So war die Heimkehr nicht. In: Bänkelsang, S. 54
313. "Ja - starrt nur immerzu, / immerzu hinaus, / ihr Laffen! / Unser blutendes Herz lacht - / lacht - / und bricht sich das Genick / vor euren Augen - / ihr Affen!" (Friedrich: Seiltanz des Herzens. In: Bänkelsang, S. 24)
314. Schnurre: Der Berufene. In: Richter (Hg.): Deine Söhne, Europa, S. 81
315. Schnurre: Mementote. Ebda, S. 86
316. Schnurre: Der Phrasenhammer. Ebda, S. 84
317. Lohmeyer: Das Herz. In: Bänkelsang, S. 43
318. Etwa Tibor Malte (geb. 1929) in dem Gedicht 'Zeitbild': "... wahnsinnsorgien, sinnenfeiern, / da zerbricht rasselnd und keuchend die zeit, / im bacchanal der schmerzen / heult es in hohen domen" (In: v. Radetzky, Robert/Erich Blaschker: Die Dichterbühne. Berlin 1950, S. 138)
319. Nick, Dagmar: Städte. In: Märtyrer. Gedichte. München 1947, S. 17
320. Vgl. auch S. 46
321. Die Lyrik der Bundesrepublik. In: Lattmann (Hg.): Die Literatur der Bundesrepublik Deutschland, S. 385
322. Loerke: Tagebücher 1903-1939, S. 320
323. Krolow: Kritische Analyse des zeitgenössischen deutschen Gedichts. In: Sprache im technischen Zeitalter. 1964. Heft 9/10 (Sonderheft: Maßstäbe und Möglichkeiten der Kritik, S. 779)
324. Ebda
325. Lehmann: Atemholen. In: Sämtliche Werke in drei Bänden. Gütersloh 1962. Bd. 3: Gedichte, S. 586 (aus: Noch nicht genug, 1950)
326. Lehmann: Atemholen. Bd. 3: Gedichte, S. 586 (aus: Noch nicht genug, 1950)
327. Signale. In: Sämtliche Werke, Bd. 3, S. 522 f. (Der grüne Gott, 1942)
328. Schlenstedt, Dieter: Emotion und Bild. Theoretische Aspekte ihrer Grundbeziehungen im bürgerlichen Gedicht nach 1945. Berlin 1967, S. 198 (Dissertation)
329. Lehmann: Deutsche Zeit 1947. In: Werke, Bd. 3, S. 579 (aus: Noch nicht genug)
330. Dichtung und Dichter heute. In: Werke, Bd. 1, S. 192 (aus: Dichtung als Dasein, 1956)
331. Zum Bilde Achim von Arnims. In: Werke, Bd. 1, S. 62 (aus: Bewegliche Ordnung, 1947)
332. In der Prosa vgl. die Texte von Andersch, Rinser, Roch, Zak, in: Weyrauch, Wolfgang (Hg.): Tausend Gramm. Sammlung neuer deutscher Gegeschichten. Hamburg/Stuttgart 1949
333. Lehmann: Die gefährliche Kunst. In: Werke, Bd. 1, S. 358 (aus: Dichtung als Dasein)
334. Zum geschichtlichen Gehalt der Frühlingsmetapher vgl. S. 152 ff.
335. Einfälle. In: Werke, Bd. 1, S. 251 (aus: Dichtung als Dasein)

336. Zu Lehmanns 'heiler Welt' vgl. Riha, Karl: Das Naturgedicht als Stereotyp der deutschen Nachkriegslyrik. In: Koebner (Hg.): Tendenzen der deutschen Literatur seit 1945, S. 161 f.
337. In: Werke, Bd. 3, S. 587 (aus: Noch nicht genug)
338. Schlenstedt: Emotion und Bild, S. 203
339. Vgl. S. 171 ff.
340. Lehmann: Gedicht als Tatsache. In: Werke, Bd. 1, S. 148 (aus: Bewegliche Ordnung)
341. Wirkungen der Literatur. In: Werke, Bd. 1, S. 231 (aus: Dichtung als Dasein)
342. Vgl. Krolow: Die Lyrik der Bundesrepublik, S. 616 f.
343. Gegenwart, S. 13
344. Rudolf Schmitt-Sulzthal. In: Welt und Wort. Jg. 2, 1947, S. 90
345. Das Gedicht in unserer Zeit. In: Rasche, Friedrich (Hg.): Das Gedicht in unserer Zeit. Hannover 1946, S. 5 ff.
346. Furie. In: Heimsuchung, S. 45
347. Gedicht als Tatsache. In: Werke, Bd. 1, S. 148 (aus: Bewegliche Ordnung)
348. Schnapstrinker. In: Heimsuchung, S. 18
349. Ebda, S. 19
350. Abgrund, Ebda, S. 20
351. Vgl. S. 80, Anm. 380
352. Der Tote. In: Gedichte, S. 37
353. Nachtstück. In: Heimsuchung, S. 29
354. Das Nachtessen. In: Heimsuchung, S. 29
355. Selbstbildnis 1945. In: Gedichte, S. 39
356. Zum 'Positiven' bei Krolow vgl. auch S. 140
357. Schlenstedt: Emotion und Bild, S. 64
358. Heute. In: Krolow: Gesammelte Gedichte. Frankfurt 1965, S. 43 (entst. 1949)
359. Das Gedicht in unserer Zeit, S. 7
360. Heimsuchung, S. 58-61
361. Furie. In: Heimsuchung, S. 45
362. In: Heimsuchung, S. 66
363. Auf Erden. Hamburg 1949
364. Das Gedicht in unserer Zeit, S. 5
365. Probleme der Lyrik. In: Gesammelte Werke, Bd. 1: Essays, Reden, Vorträge. Wiesbaden 1959, S. 513 f.
366. Werke, Bd. 3: Gedichte. Wiesbaden 1960, S. 208
367. Schwerte, Hans: Die deutsche Lyrik nach 1945. In: Der Deutschunterricht. 1962, Heft 3, S. 51. Zu diesen Veränderungen vgl. auch Friedrich, Hugo: Die Struktur der modernen Lyrik. Von der Mitte des neunzehnten bis zur Mitte des zwanzigsten Jahrhunderts. Hamburg 1967 (erw. Neuausgabe); Lohner, Edgar: Schiller und die moderne Lyrik. Göttingen 1964
368. Epilog und lyrisches Ich. In: Gesammelte Werke, Bd. 4: Autobiographische und vermischte Schriften. Wiesbaden 1961, S. 13. - Zu Benn mehr vgl. S. 188 ff.
369. Vaterland. In: Heimsuchung, S. 60
370. Vgl. S. 72
371. Zur Situation unserer Literatur. Strömungen und Möglichkeiten. In: Welt und Wort. Jg. 1, 1946, S. 107-110
372. Hartung: Zur Situation unserer Literatur, S. 108
373. Krolow spricht im Rückblick von einem "Aufgebot von ganz bestimmt ausgeprägten Talenten". (Die Lyrik in der Bundesrepublik, S. 381) Dazu

sind vor allem zu rechnen: Loerke, Lehmann, Langgässer, Kasack, die beiden letzteren auch mit den Romanen 'Das unauslöschliche Siegel' (1946) und 'Die Stadt hinter dem Strom' (1947)

374. Überhaupt werden, der Praxis des Autors vergleichbar, die politischen Gedichte des frühen Krolow von der Kritik kaum erwähnt, geschweige denn in Beispielen bekannt gemacht. Für den Lyriker Walter Helmut Fritz scheinen 'Zeitgeschichte' und 'Krolows Lyrik' Bereiche zu sein, die sich nie tangiert haben (Vgl. sein Beitrag 'Karl Krolow'. In: Weber, Dietrich (Hg.): Deutsche Literatur seit 1945. In Einzeldarstellungen. Stuttgart 1970 (2. überarb. u. erw. Auflage), S. 66-86). Nach Schwerte versuchte Krolow erst 1952 in dem Band 'Die Zeichen der Welt' "die Öffnung dieser jahrzehntealten Tradition (des Naturgedichts; G.Z.) ins Zeitgedicht" (Deutsche Lyrik nach 1945, S. 55. Gemeint ist die Naturlyrik Loerkes und Lehmanns). Knörrich stellt zwar fest, daß die erste Phase von Krolows "Selbstfindung" vom "Kriegs- und Nachkriegserlebnis" geprägt sei, was sich dann als "persönliche 'Heimsuchung'" niederschlagen habe (Die deutsche Lyrik der Gegenwart, S. 216); bei diesem dürftigen Hinweis auf die frühe politische Phase bleibt es dann aber auch - eine rhetorische Pflichtübung in der ansonsten ausführlichen Darstellung, um dann zum 'eigentlichen' Krolow überzugehen, dem gewandten Sprachexperten, dem Könner im spielerischen Umgang mit Hintergründigem und Luftigem. Paul Konrad Kurz sind die frühen politischen Gedichte von Krolow zwar bekannt, aber auch er geht einer Auseinandersetzung aus dem Wege, wenn er sie allesamt ohne Angabe von Gründen für mißlungen erklärt - "wenig Glück", "heute peinlich" - und ein paar Strophen lediglich zur Abschreckung zitiert (Vom Erhabenen zum Anti-Ikarus. Selbst und Weltbewußtsein des Menschen in der deutschen Lyrik nach 1945. In: Stimmen der Zeit. Bd. 180, Jg. 92, 1967, Heft 11, S. 333)

375. Sabais, Heinz Wilfried: Karl Krolow. In: Nonnemann, Klaus (Hg.): Schriftsteller der Gegenwart. Deutsche Literatur. Dreiundfünfzig Portraits. Freiburg 1963, S. 201

376. Intellektuelle Heiterkeit. In: Bender (Hg.): Mein Gedicht ist mein Messer, S. 74

377. Sabais: Krolow, S. 201

378. Krolow hat 1943 einen Artikel veröffentlicht, aus dem Schlenstedt kommentierend zitiert (nach einem Nachdruck des 'Spandauer Volksblattes' vom 14.2.1965): "In ihm verkündete der Dichter immerhin, daß sich auch die Lyrik am elementarsten Ereignis, dem Kriege, zu bewähren habe, indem sie 'ein neues, härteres und unsentimentales Gedicht des Krieges' schaffe, daß 'unser Volk in diesem zweiten Weltkrieg sein Leben dranzugeben gewillt' sei ..." (Emotion und Bild, S. 444)

379. Aspekte zeitgenössischer deutscher Lyrik, S. 12

380. Peter Rühmkorf: Abendliche Gedanken über das Schreiben von Mondgedichten. Eine Anleitung zum Widerspruch. In: P.R.: Kunststücke. Fünfzig Gedichte nebst einer Anleitung zum Widerspruch. Hamburg 1962, S. 105. Diese Aussage bezieht sich auf die expressionistischen Mondbilder, auf die er im Zusammenhang einer Untersuchung des 'metaphorischen Mondwechsels' zu sprechen kommt, der Beginn und Ende des bürgerlichen Zeitalters signalisierte: "... daß nämlich bürgerliche Poesie in Deutschland sich mit silbernem Mondschein einführte und daß das bürgerliche Zeitalter mit metaphorischem Mondwechsel verabschiedet wurde. Am Anfang der freudige Willkommensgruß Klopstocks: 'schöner stiller Gefährte der Nacht' - am Ende die Verwünschungen Heyms: 'der kalte Mond, der seine Gifte träuft', 'der dunklen Nacht Tyrann', 'ein unge-

heurer Schädel, weiß und tot'." (S. 106). "Am Ende" hätten ebenso
Krolows zahlreiche feindselige Monde stehen können, ohne den ideologischen Begründungssammenhang zu fälschen: auch nach 1945, wie schon
nach 1918, geriet der Traum von Ende des bürgerlichen Zeitalters zur
Illusion

381. Richter, Hans: Probleme der westdeutschen Lyrik. In: H.R.: Verse,
Dichter, Wirklichkeiten. Aufsätze zur Lyrik. Berlin/Weimar 1970, S. 55

382. Holthusen, Hans Egon: Naturlyrik und Surrealismus. Die lyrischen Errungenschaften Karl Krolows. In: H.E.H.: Ja und Nein. Neue kritische
Versuche. München 1954, S. 100. Zum Existenzialismus im Spiegel der
Zeitgenossen vgl. Hennemann, Gerhard: Was besagt die Existenzphilo-
sophie? In: Universitas. Jg. 5, 1950, S. 153-161; Münster, Clemens:
Randbemerkungen zum Existenzialismus. In: Frankfurter Hefte. Jg. 4,
1949, Heft 2, S. 169-170; Kästner, Erich: Ist Existenzialismus heil-
bar? In: Die kleine Freiheit. Chansons und Prosa. Mit Zeichnungen von
Paul Flora. Frankfurt/Hamburg 1971 (zuerst 1952), S. 50-54

383. Münster, vorige Anmerkung

384. Holthusen: Naturlyrik und Surrealismus, S. 102

385. Aspekte zeitgenössischer Lyrik, S. 78 f.

386. Aspekte zeitgenössischer Lyrik, S. 78 f.

387. Vgl. die Widmung aus dem Band 'Heimsuchung': "Für L., die die Jahre
der Heimsuchung mit mir teilte." Damit sind geschichtlicher Hintergrund der Texte und zeitkritische Absicht des Autors dem Leser von
Anfang an deutlich gemacht

388. In: Ulenspiegel. Jg. 1, 1946, Nr. 23, S. 4 (Unter der Rubrik: 'Wir
stellen vor'). Vgl. auch Stephan Hermlins Vorwort zu 'Heimsuchung':
"Mir scheint, auch hier lebt unsere Zeit, ein Teil von ihr ist nur
gesehen, aber bezwingend, zuweilen unvergeßlich ... Die Strophen der
'Heimsuchung' haben ein Anrecht auf unsere ergriffene Aufmerksamkeit,
weil sie - ich möchte es noch einmal sagen - Geist vom Geiste in dieser Zeit und in diesem Lande sind." (S. 8)

389. Vgl. S. 154 ff.; zur Rezeption S. 175, Anm. 748

390. Ein Kreis von Natur- und Landschaftslyrikern, die sich um 1930 um die
von Martin Raschke herausgegebene Zeitschrift 'Kolonne' versammelten

391. Gesammelte Werke. Hg. vom Suhrkamp Verlag in Verbindung mit Ilse
Eichinger und unter Mitwirkung von Susanne Müller-Hanpft, Horst Ohde,
Heinz F. Schafroth und Heinz Schwitzke. Frankfurt 1973. Band 1: Die
Gedichte. Die Maulwürfe, S. 9 f. - Die Einzelbände innerhalb des
ersten Bandes werden im folgenden zitiert als G = Gedichte; A = Abge-
legene Gehöfte (1948); U = Untergrundbahn (1949)

392. Die Maulwürfe. In: Werke 1 (G), S. 9

393. Verse an vielen Abenden. Ebda

394. Bemerkungen über Lyrik. Eine Antwort an Bernhard Diebold. In: Werke
4: Vermischte Schriften u.a., S. 389

395. Nebelmosaik. In: Werke 1 (A), S. 47

396. Manchmal. In: Werke 1 (A), S. 56

397. Pfaffenhut. In: Werke 1 (A), S. 43 f.

398. Weg durch die Dünen. Ebda, S. 59

399. Nach Eichs eigenen Angaben gab er sich noch im Band 'Botschaften des
Regens' (1956) als Naturdichter, der die Schöpfung akzeptiert habe.
Dann habe er auch der Natur sein Einverständnis aufgekündigt und seine Haltung des "Nichteinverstandenseins" auch auf die Schöpfung übertragen. (Coreth, Peter: Die etablierte Schöpfung. Ein Gespräch mit
dem 'neuen' Günter Eich. In: Werke 4, S. 414 f.)

400. Werke 1 (A), S. 24 f.
401. Erwachendes Lager. Ebda, S. 29
402. Gefangener bei Nacht. Ebda, S. 37
403. Ebda, S. 30
404. Müller-Hanpft, Susanne: Lyrik und Rezeption. Das Beispiel Günter Eich. München 1972, S. 44
405. Vgl. auch das Gedicht 'Latrine' (Werke a (A), S. 36 f.), in dem im Bild der konkreten Situation auf der Lagerlatrine die tiefe Erniedrigung des Menschen, der Schmutz, das Eklige und Verwesliche der Welt überhaupt gezeichnet werden und in dem kontrastierenden Reim "Hölderlin" - "Urin" die äußerste Zuspitzung erfahren
406. Schon in der wohl ersten Kritik (1948) des 'Inventur'-Gedichtes ist Weyrauch der Ansicht, daß dieses Gedicht "eine große Bedeutung für uns alle hat" (Neue Lyrik, S. 803). Auch und gerade diese bereits damals erkannte Bedeutung dieses Gedichts, das Weyrauch in der Rezension von Richters Band 'Deine Söhne, Europa' als einziges herausgreift und am ausführlichsten interpretiert, rechtfertigt die folgende, ebenfalls ausführliche Besprechung dieses Gedichts
407. Werke 1 (A), S. 35
408. Richter (Hg.): Vorwort zu: Deine Söhne, Europa, S. 5
409. Vgl. dazu auch: Wehdeking, Volker: Über die Konstituierung der deutschen Nachkriegsliteratur in den amerikanischen Kriegsgefangenenlagern. Stuttgart 1971
410. Kahlschlag. (Nachwort zu: Tausend Gramm) in: Mit dem Kopf durch die Wand. Geschichten, Gedichte, Essays und ein Hörspiel. Darmstadt/Neuwied 1972, S. 45-53. Vom Kahlschlag ist zum ersten Mal die Rede in dem Gedicht 'Berlin I' (Lerche und Sperber. München 1948, S. 26)
411. Weyrauch: Kahlschlag, S. 47
412. Ebda, S. 48
413. Ebda, S. 49 f.
414. Demetz, Peter: Die süße Anarchie. Deutsche Literatur seit 1945. Eine kritische Einführung. Aus dem Amerikanischen von Beate Paulus. Frankfurt/Berlin/Wien 1970, S. 57
415. Zur literarischen Vorlage dieses Gedichts vgl. Müller-Hanpft: Lyrik und Rezeption, S. 36 f.
416. Alfred Döblin berichtet in einer Rezension der Anthologie 'Tausend Gramm', daß ihm ein "höchst empfindlich reagierender Leser gesagt (habe), das sei kein Gedicht, sondern ein Ent-dicht" (Neue Bücher. In: Das Goldene Tor. Jg. 5, 1950, S. 156) - was Döblin wohlwollend kommentiert. Ebenso meinte eine Schülerin der Abendschule, das sei bloß eine "Aufzählung", aber kein Gedicht, denn ein Gedicht umfasse mehr, es sei "schwärmerischer, poetischer, gefühlsvoller". (Mehr über die heutige Rezeption S. 91)
417. Höllerer: Rede auf den Preisträger, S. 16
418. Kahlschlag, S. 51. Vgl. auch Eich: Der Schriftsteller 1947, S. 394
419. Schnurre, Wolfdietrich: Vorwort zu: W.Sch.: Man sollte dagegen sein. Geschichten. Olten/Freiburg 1960, S. 9 f.
420. vgl. S. 51
421. Das Begräbnis (1946). In: Richter (Hg.): Almanach der Gruppe 47, S. 60, Vgl. auch Roch, Herbert: Tausend Gramm. In: Weyrauch (Hg.): Tausend Gramm, S. 129-133
422. Eich: Der Schriftsteller vor der Realität (1956). In: Werke 4, S. 442
423. Ebda, S. 392-394

424. Gemeint sind die Gedichte 'Betrachtet die Fingerspitzen!', 'Wenn du
die Klapper des Aussätzigen hörst -' (beide zuerst in (U)), 'Augen-
blick im Juni' (entst. 1949, in: 'Botschaften des Regens' (1956).
Vgl. auch S. 149 ff.
425. Vgl. als Gegenbeispiele die Gedichte von Nick und Krolow (S. 63 ff.,
S. 73 ff.), die durch explizite Gegenüberstellung von Einst und Jetzt
einen Rahmen für historisch-genetisches Denken abstecken
426. Neue Lyrik, S. 804. Diese Kritik ist konsequent abgeleitet aus den
von Weyrauch formulierten prinzipiellen Aufgaben von Literatur und
Lyrik (vgl. S. 45)
427. Rede auf den Preisträger, S. 46
428. Über das Lakonische in der modernen Lyrik. In: K.K.: Schattengefecht.
Frankfurt 1964, S. 102
429. Bauer, Johann (Hg.): Lyrik interpretiert. Lernzielplanung und Unter-
richtsmodelle für das 7.-10. Schuljahr. Textgrundlage: Lesewerk
schwarz auf weiß - Gedichte. In Zusammenarbeit mit Ulrich Hötzer
u.a. Hannover 1972, S. 201
430. Schlafpulver oder Explosivstoff? In: Werke 4, S. 395. Krolows Plädoyer für das "offene" Gedicht (vgl. S. 80) bezieht nur eine scheinbare Gegenposition zum hermetischen Gedicht: Er hat mehr die Offenheit gegenüber sprachlichen Experimenten als jene im Auge, die sich
mittels 'allgemeinverständlicher' Sprache an den Leser wendet.
431. Walter Hilsbecher. In: Bänkelsang, S. 61
432. Hermann Mostar. Frankfurt 1947
433. Zur Theorie und Geschichte dieser 'Gattung' vgl. Riha, Karl: Moritat.
Song. Bänkelsang. Zur Geschichte der modernen Ballade. Göttingen 1965;
Ruttkowski, Victor: Das literarische Chanson in Deutschland. Bern/
München 1966; Pablé, Elisabeth: Einführung zu: E.P. (Hg.): Rote Laterne Schwarzer Humor. Chansons von Bierbaum bis Biermann. München 1973
434. Friedrich: Bettlerlied. In: Bänkelsang, S. 27
435. Weyrauch. In: Lerche und Sperber, S. 9
436. Weyrauch: Lied vom armen Pfeifer. Ebda, S. 10
437. Einfache Lieder, S. 17
438. Vgl. S. 61
439. Brasch, Helmut. In: Ulenspiegel. Jg. 1, 1946, Nr. 26, S. 9
440. Ruttkowski charakterisiert mit dieser Bestimmung das 'gesellschafts-
kritische und Reportage-Chanson' (das erste kritisiere, das zweite
stelle lediglich dar), die er abhebt gegenüber dem 'politischen
Chanson', das - in Deutschland vor allem als 'Roter Song' - den Akzent
mehr auf die politische Aktion setze auch da, wo es ein soziales Anliegen verfechte (S. 133 . Außerdem unterscheidet er das 'mondäne
Chanson', das 'volkstümliche Chanson' und 'Gesungene Lyrik')
441. Vgl. Döblin: Zeitschriftenschau. In: Das Goldene Tor, Jg. 1, 1946,
S. 299
442. Zeitkritik, satirisch und in allen Formen verpackt, dominierte: zu
aktuellen Themen und Vorkommnissen passende Texte aus der Literatur-
geschichte, Karikaturen, zeitgenössische Geschichten, treffende, spontan niedergeschriebene Gedankensplitter, die in Witz und Schärfe den
'Zeitgeist' zur rechten Gelegenheit wiedergaben oder angriffen, und
Lyrik, immer wieder Lyrik, im Schnitt auf jeder Seite mindestens ein
Gedicht (vgl. S. 44 f.): von vielen Unbekannten, von Weyrauch (fast
alle Gedichte), Krolow, die meisten von dem satirischen Redakteur
Karl Schnog; von Elisabeth Langgässer und Oda Schäfer bis Erich Kästner, Kurt Tucholsky und Werner Fink, von Carl Zuckmayer bis Kuba, Johannes R. Becher, Stephan Hermlin, Günter Kunert und Berthold Brecht,

der besonders mit seinen Songs einigen Lyrikern zum Vorbild wurde.
Die Namen zeigen: Der 'Ulenspiegel' - zunächst im Westen, dann, vor
allem wegen der Schwierigkeiten durch die Blockade, in den Osten Berlins umgezogen - war eine 'Ost-West'-Zeitschrift, gedacht für ganz
Berlin, auch wenn von der Auflage, die um 50 000 (!) schwankte, mehr
im Westen verkauft wurde (was nach Weyrauch eher geographisch als
politisch begründet war.) Die 14-tägig erscheinende Zeitschrift war,
da sie im Abonnement, in Buchläden und an Kiosken usw. für einen
Preis von 50-70 Pfennig verkauft wurde, jedem zugänglich. Großforma-
tige Aufmachung und bunte Titelblätter mit hervorragenden Großkarika-
turen sorgten dafür, daß diese faszinierende Zeitschrift, die auf dem
Boulevard verkauft wurde, ohne deswegen eine Boulevard-Zeitschrift
zu sein, nicht im Blätterwald der anderen Leseangebote unterging.
In Art und Aufmachung dem 'Ulenspiegel' vergleichbar ist die ebenfalls sehr lyrikfreundliche Münchner Zeitschrift 'Der Simpl' (hg. 1946
von Willi Ernst Freitag), auch wenn sie weder jene Vielfalt von Themen und Autoren aufweisen kann noch mit gleichem Nachdruck die Aufar-
beitung aufklärerischer Literaturtradition betrieben hat. Außerdem
enthält der 'Ulenspiegel' wesentlich mehr Gedichte, die, über die Kritik am Bestehenden hinaus, positive 'Aufbau'- und 'Neubau'-Elemente
enthalten.

443. In diesem Zusammenhang ist auch der Rundfunk zu nennen, der in den Nachkriegsjahren eine weitere wichtige Vermittlungsinstanz war, die der
Kabarett-Lyrik zur Popularität verhalf. So heißt es z.B. über den Autor von 'Das Trümmerkind' in einer redaktionellen Anmerkung: "Helmut
Brasch ist als Chansonsänger in Berliner Kabaretts und im Rundfunk
durch seine packende Schlichtheit aufgefallen." (Vgl. S. 96, Anm. 439)

444. Hermann Wodak: Die Schaubude. In: Frankfurter Hefte. Jg. 1, 1946, Heft
4, S. 88 f.

445. In: Der tägliche Kram, S. 59-61

446. Wodak: Die Schaubude, S. 89. Ausdrücke wie "schneidende Kraft" und
"asphaltblanker Charme" lassen, obwohl hier auf Ursula Herking zugeschnitten, stilistisch etwas von der prinzipiellen Vortragssituation
des Chansonniers erkennen, die nach Ruttkowski "vor allem durch
D i s t a n z v o m V o r t r a g s s t o f f und N ä h e
z u m P u b l i k u m bestimmt ist (Das literarische Chanson,
S. 167)

447. Wodak: Die Schaubude, S. 89

448. Ruttkowski: Das literarische Chanson, S. 138

449. Ruttkowski: Das literarische Chanson, S. 136

450. Wodak: Die Schaubude, S. 88. Carl Udo dagegen beklagt die "empörende(r)
Mittelmäßigkeit" des zeitgenössischen Kabaretts, nimmt aber den
'Ulenspiegel' und die 'Schaubude' (und die 'Hinterbliebenen') als
rühmliche Ausnahmen aus diesem Urteil heraus (Das deutsche Kabarett
unserer Tage. In: Der Zwiebelfisch. Jg. 3, 1948, Heft 9, S. 23)

451. Vgl. S. 45, Anm. 234

452. Reger, Erik: Vom künftigen Deutschland. Aufsätze zur Zeitgeschichte,
S. 106

453. Vgl. S. 80 f.

454. Von des Glücks Barmherzigkeit. Berlin 1947, S. 19

455. Dagmar Nick: Märtyrer, S. 12

456. Land im Gericht. In: Heimsuchung, S. 50

457. Bergengruen, Werner: Dies irae. Eine Dichtung. München 1946, S. 33. -
Geschrieben im Sommer 1944; 1948 in Berlin in einer Auflage von 10 000
neu aufgelegt

458. Ebda
459. Ebda
460. In: Universitas. Jg. 1, 1946, S. 581
461. Motto zu: Schneider: Der Mensch vor dem Gericht der Geschichte, S. 579
462. Die Sonette von Leben und Tod, dem Glauben und der Geschichte. Köln/ Olten 1954, S. 225
463. In: Frankfurter Hefte. Jg. 1, 1946, Heft 8, S. 773 f.
464. Vgl. S. 15
465. Der SS-Staat. Das System der deutschen Konzentrationslager. München 1974 (zuerst: 1946)
466. München 1949. Vgl. vor allem ab S. 450
467. Die Schuldfrage (1946). In: K.J.: Hoffnung und Sorge. Schriften zur deutschen Politik 1945-1965. München 1965, S. 78 f.
468. Ebda, vor allem S. 77 ff.
469. Karl Jaspers: Hoffnung und Sorge, S. 102
470. Ebda, S. 77 f.
471. Neue Bücher. In: Das Goldene Tor. Jg. 2, 1947, S. 95
472. Geistige Grundlagen eines schöpferischen Deutschlands der Zukunft, S. 48
473. Der SS-Staat, S. 390
474. Ebda, S. 388
475. Vgl. S. 80, Anm. 378. Vgl. ebenso den Brief von 'Wolfgang Weyrauch an Johannes R. Becher', in dem Weyrauch, von Becher kritisiert, Abbitte leistet - "Ich habe ohne Instinkt, ohne Gedanken, ohne Gewissen gehandelt, und ich schäme mich deswegen" - wegen mehrerer zwischen 1933-1945 veröffentlichter 'böser Sätze'. In: Aufbau. Jg. 4, 1948, Heft 7, S. 588-590
476. Vgl. S. 37
477. Die Schuldfrage, S. 133
478. Lohmeyer: Die Heimkehr der Soldaten. In: Bänkelsang, S. 57
479. Vgl. auch S. 50
480. Vitalis: Deutsches Soldatenlied. In: Richter: Deine Söhne, Europa, S. 96-98. Die folgenden, nicht nachgewiesenen Zitate ebf. von hier
481. Dies ist das einzige mir bekannte Gedicht, in dem - mit dem Hinweis auf die Zugehörigkeit zur Nation und der sinnreichen Unterscheidung von "Schulden" und "Schuld" - die moralische Schuld und vor allem auch die moralisch verstandene Kollektivschuld abgelehnt werden zugunsten einer Bejahung der Kollektivhaftung, als deren Folgen auch Jaspers die Wiedergutmachung, die faktisch alle zu tragen hätten, angesehen hat (vgl. Jaspers: Die Schuldfrage, S. 81)
482. Vitalis: Die Kriegsgefangenen. In: Deine Söhne, Europa, S. 99 f.
483. Mit dem Hinweis auf die Kriegsgewinnler, die Herren, die Antreiber usw. übertreffen Vitalis' Gedichte die Schuldbekenntnisgedichte bei weitem an kritischem Gehalt (vgl. dazu S. 133). Aber diese Hinweise werden zum Anlaß genommen, auch den geringsten eigenen Schuldanteil von vornherein von sich zu weisen. Vergessen wird dabei, daß, wie verführt auch immer, auch der 'kleine Mann' dem Nationalsozialismus zur Macht verholfen hat. Gefährlich auch - auch deswegen, weil hier kein 20-Jähriger spricht, der außer der nationalsozialistischen Schulung nichts anderes kennenlernen konnte - das fragwürdige Ethos vom Soldaten, der sich aus allem heraushalten, seine militärische Leistung aber anerkannt haben will
484. Paul Celan: Todesfuge. In: P.C.: Gedichte in zwei Bänden. Frankfurt 1975, Bd. I, S. 42
485. Lerche und Sperber, S. 47

486. S. 5. Dem Text sind in den Anmerkungen kurze historische Erläuterungen beigegeben. So heißt es über die "Friedriche": "Von Hohenstaufen und von Preußen, der zweiten ihres Namens." (S. 17; also: 1220-1250 und 1740-1786). In der Ahnenreihe Hitlers - "der schlimmste Knecht" - werden auch "Heinrich", "Manfred", "Konradin" genannt (S. 6, dazu die Erläuterung: "Der Vierte; Friedrichs Bastard; Friedrichs Sohn", S. 17)
487. S. 6. In der Anmerkung heißt es dazu: "Dies haben b e i d e   Friedriche getan." (S. 17). Auch der aufgeklärte Absolutismus des Preußenkönigs, der sich als erster Diener des Staates verstand, nimmt also keine positive Sonderstellung ein
488. Diese intendierte Wirkung verkehrt sich dann in ihr Gegenteil, wenn der Argumentier-Stil - mangels Argument - in einem wirren Gestammel zu verkommen droht. Vgl. S. 139
489. Vgl. S. 54 ff.
490. Ebda
491. Freudenfeld, Burghard: Rückblick auf eine Ära. In: Aus Politik und Zeitgeschichte. Beilage zur Wochenzeitung 'Das Parlament'. B. 1/64. 2. Januar 1964, S. 3
492. Vom künftigen Deutschland, S. 14
493. Ebda, S. 50
494. Die deutsche Katastrophe. Wiesbaden 1946, S. 26
495. S. 23
496. Geistige Grundlagen eines schöpferischen Deutschlands der Zukunft, S. 36 f.
497. Schmid: Wollen und Ziele der neuen Hochschule, S. 364
498. Ungleiche Welten, S. 232
499. Vom künftigen Deutschland, S. 13
500. Die Schuldfrage, S. 117
501. Germanien, S. 9
502. Meinecke: Die deutsche Katastrophe, S. 20
503. Ebda, S. 58 ff.
504. Schmid: Wollen und Ziele der neuen Hochschule, S. 363
505. Meinecke: Die deutsche Katastrophe, S. 62 ff.
506. S. 50
507. Jünger: Die Perlenschnur, S. 29
508. Karl Marx: Das Kapital, Bd. 1, S. 402. - Tatsächlich erinnert diese 'poetische' in manchem an die Marx'sche Analyse der gesellschaftlichen Arbeit in ihrer kapitalistischen Formbestimmtheit; in der Sortierung der verschiedenen Gestalten, in denen die Arbeit auftritt, vor allem aber in der Einschätzung des in der Maschinerie total verselbständigten Arbeitsprozesses als ein "mechanisches Ungeheuer", das im "fieberhaft tollen Wirbeltanz" seine Produzenten zu verschleißen droht (ebda). Allerdings, nach Marx produziert das Ungeheuer seine eigenen Totengräber, das Proletariat, wohingegen der Pessimismus Jüngers keine transzendierenden Momente kennt. Das ist nicht der der Lyrik immanenten Tendenz zu Knappheit zuzurechnen, sondern der festen Überzeugung des Autors, wie er sie in seinem Buch 'Über die Perfektion der Technik' (Frankfurt 1944) dargelegt hat, über das ein zeitgenössischer Kritiker schreibt: "Das entworfene düstere Bild ist vollkommen geschlossen und ausweglos. Wer solches beschwört, sollte es auch bannen. Aber aus einer utopischen Not kann man keinen realistischen Ausweg erwarten ... Wir würden uns mit dem Aufweis echter Chancen bescheiden - Jünger zeigt sie nicht ..." (Münster, Clemens: Meinungen über Technik. In: Frankfurter Hefte. Jg. 1, 1946, Heft 1, S. 54.) Auch Hans

Mayer geht mit der Jünger'schen Dämonisierung der mechanisierten Welt scharf ins Gericht, wenn er dessen Buch als "Theorie der Unmenschlichkeit" charakterisiert (Der Schriftsteller und die Krise der Humanität. In: H.M.: Literatur der Übergangszeit. Essays. Wiesbaden 1949, S. 195)

509. Vorrede zu: 'Die Silberdistelklause'

510. Vgl. die beißende Kritik von Albrecht Fabri (Kritische Briefe. Sechster Brief. In: Deutsche Beiträge. Jg. 2, 1948, S. 472 ff.)

511. In: Strom der Zeit. Leipzig 1949, S. 21

512. Vgl. auch Kaschnitz, Marie Luise: Totentanz und Gedichte zur Zeit. Hamburg 1947

513. Ebda. Das Motiv des Schwangeren ist in- und außerhalb der Lyrik beliebt: es ist zum einen Ausdruck der Ungewißheit, was kommen wird, und der Machtlosigkeit, das Kommende zu beeinflussen, zum andern aber auch Zeichen des Vertrauens in das Mütterliche (Vgl. S. 166 ff.)

514. Erlenbach/Zürich 1946

515. Picard: Hitler in uns selbst, S. 36

516. Schmid: Wollen und Ziele der neuen Hochschule, S. 364

517. Vgl. S. 27, Anm. 136. Die folgenden Zahlen im Text sind Seitenzahlen des 'Venezianischen Credo'

518. Brinkmann, Donald: Aufstieg oder Niedergang unserer Kultur? In: Universitas. Jg. 2, 1947, S. 1291

519. Vgl. Maiwald, Serge: Der massensoziologische Hintergrund der heutigen Kulturkrise. In: Universitas. Jg. 4, 1949, S. 1167

520. Sedlmayer, Hans: Verlust der Mitte. Die bildende Kunst des 19. und 20. Jahrhunderts als Symbol der Zeit. Salzburg 1948. Sedlmayer verfolgt den "Prozeß der Deshumanisierung" seit Ende des 18. Jahrhunderts in der Kunst, deren "Symptome aber s y m b o l i s c h e r Ausdruck für analoge Tendenzen im Menschen überhaupt (sind)." (S. 151 f.)

521. Hagelstange: Venezianisches Credo, S. 25. - Auch F.G. Jünger hat in dem ewigen Kreislauf zwischen "Wiege und Sarg ... Die Mitte gefunden" (Die Perlenschnur, S. 15), ebenso Bergengruen, der sich seiner "Mitte ... unter friedfertigen Büschen" bewußt wird (Die heile Welt. Gedichte. München 1950, S. 31)

522. Vgl. S. 26 ff., S. 33 ff.

523. Hagelstange: Venezianisches Credo, S. 17

524. Dies irae. S. 41 f.

525. Die Schuldfrage, S. 122. Jaspers nennt in diesem Zusammenhang das Konkordat mit dem Vatikan 1933, die Olympiade 1936, die Besetzung des Rheinlandes mit Frankreichs Billigung 1936 und zitiert aus einem Offenen Brief Churchills an Hitler, der 1938 in der 'Times' abgedruckt wurde: "Sollte England in ein nationales Unglück kommen, das dem Unglück Deutschlands 1918 zu vergleichen wäre, so werde ich Gott bitten, uns einen Mann zu senden von Ihrer Kraft des Willens und des Geistes." (!)

526. Ebda, S. 120 f.

527. Vgl. S. 119 f.

528. Carossa: Der volle Preis. In: Stern über der Lichtung, S. 32

529. Schneider: Die Überlebenden. In: Die Sonette von Leben und Tod, S. 226; Weyrauch: Berlin I. In: Lerche und Sperber, S. 29; Kaschnitz: Rückkehr nach Frankfurt. In: Überallnie (Totentanz und Gedichte zur Zeit, 1947), S. 79

530. Nossak, Hans Erich: Die Sintflut. In: Gedichte. Hamburg 1947, S. 57

531. Ernst Fritz: Anklage. In: Die Dichterbühne, S. 135; vgl. auch Wey-
     rauch: Berlin 1946. In: Von des Glücks Barmherzigkeit, S. 38;
     Anm. 3 (Schneider)
532. Maria Mahler: Was jetzt geschieht. In: Die Dichterbühne, S. 58
533. Beheim-Schwarzbach: Dämonenschlacht. In: Die Krypta. Hamburg 1946,
     S. 56
534. Gertrud Diettrich: Götterdämmerung. In: Die Dichterbühne, S. 27; vgl.
     Reinhold Schneider: In Licht zerlöst. In: Die Sonette von Leben und
     Tod, S. 163
535. Werner-Günter Grimke: Liebe, Maß und Güte. In: Die Dichterbühne, S. 71
536. Lernet-Holenia: Germanien, S. 8;
537. (Unbekannt) Die Schönheit ist nicht tot. In: Richter: Deine Söhne,
     Europa, S. 119
538. Fritz Usinger: Der Zeiten-Gott. In: Birkenfeld (Hg.): Deutsche Lyrik
     der Gegenwart, S. 60 f.
539. Ebda
540. Vgl. S. 32
541. Sonett. In: Rasche (Hg.): Das Gedicht in unserer Zeit, S. 61
542. Vgl. Müller-Gangloff, Erich: Die Erscheinungsformen des Bösen. In:
     Merkur. Jg. 3, 1949, S. 1182-1187. Er unterscheidet drei Formen des
     Bösen: das "Mephistotelische" (will das Böse, schafft das Gute), das
     "Hypokritische" (will das Gute, schafft das Böse) und das "Lemurische",
     die "äußerste Steigerungsform der Bosheit." Dieses, jenseits von Gut
     und Böse, entspreche dem heutigen Bösen und zeige sich vor allem im
     Massenmenschen, zu dem notwendig der demgogische Führer gehöre
543. Erneuerung der Universität. In: K.J.: Hoffnung und Sorge, S. 32
544. Vom künftigen Deutschland, S. 10
545. Ebda, S. 28
546. Ebda, S. 76 f.
547. Über die Situation, S. 29
548. Ebda, S. 20
549. Die Gegenwart. Jg. 1, 1946, Nr. 6/7, S. 31-32
550. Hitler. In: Die Gegenwart. Jg. 1, 1946, Nr. 10/11, S. 21,22
551. Mythisiert? In: Die Gegenwart. Jg. 1, 1946, Nr. 14/15, S. 11-12
552. Universitas. Jg. 1, 1946, Heft 1, S. 19-34 und Heft 2, S. 146-161
553. Thielicke: Über die Wirklichkeit des Dämonischen, S. 22
554. Holthusen: Der Morgen. In: Labyrinthische Jahre. Neue Gedichte.
     München 1952, S. 58
555. In: Hier in der Zeit, S. 9
556. Der Mann und das Mädchen. Ebda, S. 54
557. Holthusen: Himmel und Blut. In: Labyrinthische Jahre, S. 45
558. Ebda
559. Ebda
560. Ebda, S. 47
561. Seliger Fischzug. In: Hier in der Zeit, S. 64
562. Vgl. auch Helmut Lamprecht, der die 'Trilogie des Krieges' aus densel-
     ben Gründen zum "ontologisch-reaktionäre(n) Typus des politischen Ge-
     dichtes" rechnet (Reflexionen über politische Lyrik. In: Lecke (Hg.):
     Projekt Deutschunterricht 8, S. 80)
563. Venezianisches Credo, S. 18
564. Felix Culpa. In: Die Sonette von Leben und Tod, S. 156
565. In: Gesammelte Gedichte, S. 48
566. Die literarische Situation. Baden-Baden 1947, S. 38
567. zit. nach: Lattmann: Stationen einer literarischen Republik, S. 34
568. Hitler in uns selbst, S. 247

569. Vom künftigen Deutschland, S. 28
570. Ebda, S. 17
571. 'Metapher' wird hier nicht im strengen Sinne der rhetorischen Defini-
     tion, sondern im Sinne von 'bildhafte Wendung' gebraucht (vgl. Alle-
     mann, Beda: Die Metapher und das metaphorische Wesen der Sprache. In:
     Weltgespräch. 4. Welterfahrung in der Sprache. Freiburg 1968, S. 29)
572. Über die Phasenbedingtheit der Anschaulichkeit der Metapher vgl.
     Allemann: Die Metapher, S. 30. (In manieristischen Phasen der Litera-
     tur sei die unanschauliche Metapher beliebt, ebenso in der modernen
     Dichtung, deren Tendenz zur undurchsichtigen, zur 'absoluten' Metapher
     vermutlich als Reaktion auf die konventionelle Anschauungsmetapher zu
     werten sei)
573. Vgl. Ingendahl, Werner: Komplexe Sprachgebilde als Erzeugnisse meta-
     phorischen Verfahrens. In: Muttersprache. Heft 82, 1972, S. 383
574. zit. nach Allemann: Die Metapher, S. 31.
     Allemann diskutiert die Frage nach der Leistung der metaphorischen
     Rede anhand Nietzsches Aufsatz 'Über Wahrheit und Lüge im außermora-
     lischen Sinn' (1873); nach Nietzsche werde der Dichter, und möge er
     subjektiv noch so wahrheitsliebend sein, zur Lüge gezwungen – durch
     das metaphorische Wesen der Sprache selber, das in der Dichtung be-
     sonders zum Ausdruck komme. Sogar schon vor jedem zu bildenden Wort,
     bei der Umwandlung der Sinneseindrücke in ein Bild, finde eine meta-
     phorische Übertragung, d.h. eine Verfälschung der Wirklichkeit statt.
     Von daher seien die Dichter der Wahrheit doch wieder am nächsten,
     weil sie die Identität von Sprache und Wirklichkeit schon gar nicht
     behaupteten, sondern das metaphorische Wesen der Sprache, d.h. ihre
     Wahrheit, voll entfalteten. Die Dichter seien daher, so Allemann,
     "Lügner im Dienste der Wahrheit" (ebda)
575. Wo bleibt die junge Dichtung? In: Welt und Wort. Jg. 2, 1947, S. 310-
     312
576. Vorwort zu: Der Totenwald. Ein Bericht. München 1946
577. Vgl. S. 45, Anm. 233
578. In: Ulenspiegel. Jg. 1, 1946, Nr. 12, S. 2
579. Trommler: Der zögernde Nachwuchs, S. 24
580. Ebda
581. Vgl. S. 112
582. Eine Vorform dieser Argumentationsweise wurde bereits am Beispiel des
     'Venezianischen Credo' gezeigt (vgl. S. 121 f.); Vorform deshalb,
     weil trotz des Sich-Absetzens von der Masse die Gemeinsamkeit mit ihr
     immer wiederhergestellt wird. In gewisser Weise können auch die in den
     letzten drei Unterkapiteln diskutierten Beispiele als solche Vorformen
     von Differenzierungsversuchen gelten, weil man ja germanische Kriegs-
     wut, preußischen Militarismus, das Schicksal, das Dämonische usw.
     nicht nur als Erklärungshintergrund für die allen gemeinsame Schuld,
     sondern gerade auch als Vehikel zur Schuldentlastung benutzt hat,
     also die eigentlichen Schuldigen gefunden zu haben vorgab. Doch sind
     diese Schuldigen so 'beschaffen', daß, wer sie zu solchen erklärt,
     immer schon untrennbar mit ihnen verbunden ist
583. Deutsches Ringelspiel. In: Der tägliche Kram, S. 136 f.
584. Der tägliche Kram, S. 93 f.
585. Kästner: Die Chinesische Mauer. In: Der tägliche Kram, S. 64
586. Vgl. S. 63, Anm. 316
587. In: Richter: Deine Söhne, Europa, S. 83
588. Die Schuldigen. In: Erste Gedichte, S. 46

589. René Schwachhofer: Spruch. In: Weyrauch (Hg.): Die Pflugschar, Sammlung neuer deutscher Dichtung. Berlin 1947, S. 9
590. Ernst R. Mellinghoff: Zusammenbruch. In: Richter: Deine Söhne, Europa, S. 66
591. Vgl. S. 110 ff.
592. Vgl. S. 110
593. In: Weyrauch (Hg.): Die Pflugschar, S. 381-389
594. Mundstock: Mütter. In: Weyrauch (Hg.): Pflugschar, S. 387
595. Emil Belzner. In: Ulenspiegel. Jg. 1, 1946, Nr. 19, S. 7
596. Belzner: Richter 1933-45
597. Ebda. Eine weitere scharfe Attacke gegen die "talarnen Überschlau'n", die "Zutreiber des Schafotts" in den Richtersesseln vgl. Belzner: Zur Auffrischung des Gedächtnisses. In: Ulenspiegel. Jg. 2, 1947, Nr. 1, S. 7
598. Alba Troß: Im Westen nichts Neues. In: Ulenspiegel Jg. 4, 1959, Nr. 16, S. 5. Guderian war Organisator der deutschen Panzerwaffe, gegen Kriegsende Chef des Generalstabs
599. In: Ulenspiegel. Jg. 3, 1948, Nr. 24, S. 5
600. Die Strophen, die im folgenden zitiert werden, bilden im Gedicht eine 'Reihe'; der eingelagerte Text ist also keine Paraphrase übersprungener Strophen, sondern (mein) historischer Kommentar zu den zitierten
601. Vgl. auch die Anklage gegen das Militär in W. Borcherts Stück 'Draußen vor der Tür' (vor allem während Beckmanns Besuch bei seinem früheren Oberst; S. 122 ff.)
602. Alba Troß: Die Gretchenfrage. In: Ulenspiegel. Jg. 4, 1949, Nr. 20, S. 2
603. Alba Troß: Die Herren der Saar - privat. In: Ulenspiegel. Jg. 4, 1949, Nr. 22, S. 10
604. Als diese aufgebaut war, brauchte man einen zuverlässigen Verwerter für das reichlich produzierte Kriegsmaterial: den Krieg. Es ist deshalb nur konsequent - konsequent nach der Logik des Kapitals - , wenn Carl Krauch, Vorstand der IG-Farben, im Kriegsjahr 1939 geschichtsbewußt erklärt: "Heute wie 1914 erscheint die politische und wirtschaftliche Lage - eine von der Welt belagerte Festung - eine rasche Kriegsentscheidung durch Vernichtungszuschläge gleich zu Beginn der Feindseligkeiten zu verlange." Außerdem erfordere die ökonomisch notwendige "Großraumplanung" die "Einbeziehung des südosteuropäischen Wirtschafts- und Rohstoffraumes" (zit. nach Eichholtz, Dietrich/Kurt Gossweiler: Noch einmal: Politik und Wirtschaft 1933-45. In: Das Argument. 47, 1968, Heft 3, S. 226)
605. Ich verweise in diesem Zusammenhang auf folgende Arbeiten: Czichon, Eberhard: Der Primat der Industrie im Kartell der nationalsozialistischen Macht. In: Das Argument. 47, 1968, Heft 3, S. 168-193; Eichholz/Gossweiler (vorige Anmerkung); Reinhard Kühnl: Probleme der Interpretation des deutschen Faschismus. In: Das Argument, 58, 1970, Heft 4-6, S. 258-280. Reinhard Kühnl: Formen bürgerlicher Herrschaft. Liberalismus - Faschismus. Reinbek 1971, vor allem ab S. 77
606. S. 15, Anm. 74
607. Zuckmayer: Des Teufels General, S. 37
608. Vgl. Heinz Hartwigs auf eine entsprechende Zeitungsmeldung hin geschriebenes Gedicht 'Spielzeug? Kruppzeug' (Der Simpl, Jg. 4, 1949, Heft 8, S. 91)
609. Aus einem Bericht der alliierten Untersuchungsbehörden, zit. nach: Kühnl.: Probleme der Interpretation des deutschen Faschismus, S. 270

610. Holthusen: tabula rasa, zit. nach Büttner, Ludwig: Von Benn zu Enzensberger. Eine Einführung in die zeitgenössische deutsche Lyrik 1945-
1970. Nürnberg 1971, S. 42
611. Vgl. S. 134 f.
612. Kurt Bork: Der Krieg ist lange aus. In: Ulenspiegel. Jg. 1, 1946, Nr. 9,
S. 4
613. Nossak: Sintflut. In: Gedichte, S. 57
614. Lernet-Holenia: Germanien, S. 10
615. Vorwort zu: Richter: Deine Söhne, Europa, S. 6
616. Vgl. S. 41 ff.
617. In: Ulenspiegel. Jg. 3, 1948, Nr. 20, S. 7
618. Vgl. auch S. 72. Ebenso: "Und werden darum neu geboren, / Neu geboren
aus Dreck, Schlamm und Kot." (Friedrich: Das Leben hat uns manchen
Sturm gebracht. In: Bänkelsang, S. 31)
619. Vorwort zu: Heimsuchung, S. 9
620. Schneider-Schelde, Rudolf: Die Schriftsteller heut. In: Merkur, Jg. 2,
1948, S. 445. - Über den historischen Umschlag in der Poesie von der
Affirmation zur Negation des Bestehenden vgl. Enzensberger: Poesie und
Politik
621. Schneider-Schelde: Die Schriftsteller heut, S. 445
622. Ebda
623. Deutsche Literatur der Gegenwart, S. 32
624. Richard Drews: Formalismus? In: Ulenspiegel. Jg. 4, 1949, Nr. 6, S. 2
625. Vgl. S. 63
626. Richard Drews: Der Mensch und seine Ärzte. In: Ulenspiegel. Jg. 2, 1947,
Nr. 4, S. 4
627. Ebda
628. Mayer, Hans: Der totale Ideologieverdacht. In: H.M.: Zur deutschen Literatur der Zeit. Zusammenhänge, Schriftsteller, Bücher. Reinbek 1967,
S. 300-320
629. Richard Drews: Der Mensch und seine Ärzte. In: Ulenspiegel. Jg. 2, 1947,
Nr. 4, S. 4
630. Friedrich Rasche: Geistfahrt. In: Weyrauch (Hg.): Die Pflugschar, S. 361
631. Dagmar Nick: Treck. In: Gedichte, S. 15
632. Hans Poser: Wieder klirren die Glocken. In: Die Dichterbühne, S. 172 f.
633. Elegie von den Soldaten. In: Heimsuchung, S. 63
634. Beschwörung. In: Totentanz und Gedichte zur Zeit, S. 86
635. Kaschnitz: Rückkehr nach Frankfurt. In: Überallnie. Ausgewählte Gedichte 1928-1965. München 1969, S. 80 (Totentanz und Gedichte zur
Zeit)
636. Vom künftigen Deutschland, S. 76 f.
637. Von des Glücks Barmherzigkeit, S. 22-28
638. Die Schuldfrage, S. 98
649. Nachwort 1962 zu: Die Schuldfrage, S. 147
640. Ebda
641. Ebda, S. 148; vgl. auch Kogon: Der SS-Staat, S. 388. Vgl. auch Horst
Lommer: Nürnberger Betrachtungen: "Nach allem, was ich letzthin las, /
Ist mir die Politik ein Graus. Nur eine Politik macht Spaß, / Die Politik des Vogel Strauß. // Ach, litte doch die ganze Welt / An Rudolf-
Heß-Gedächtnisschwund, / Dann wär es wohl um mich bestellt, / Zur Klage hätte keiner Grund." (Ulenspiegel. Jg. 1, 1946, Nr. 9, S. 5)
642. Das ist unser Manifest, S. 313
643. Dann gibt es nur eins! In: Das Gesamtwerk, S. 318 ff. - Eine didaktische
Anmerkung: Das einseitige Bild, das der Schüler in der Regel von Borchert erhält - über seine Kurzgeschichten, in denen Ohnmacht und Aus-

weglosigkeit dominieren - könnte durch diesen Aufruf, der auch an Fa-
brikbesitzer, Wissenschaftler, Richter, Ärzte, Dichter, Schneider,
Pfarrer, Mütter gerichtet ist, korrigiert werden. Ob Borcherts Appell
wohl befolgt worden ist? - Didaktisch ergiebig ist die Konfrontation
dieses Textes mit folgendem Fall (1970): Ein Soldat der Bundeswehr bekam zwei Wochen Arrest, weil er vor der Kaserne ein Flugblatt verteilt
hatte, in dem es - mit Borchert und gegen die Notstandsgesetze - u.a.
hieß: "Wenn diese Herren in Bonn Angst bekommen, weil die Arbeiter
streiken - dann können diese Herren in Bonn die Bataillone der Bundeswehr gegen Arbeiter und Studenten hetzen. Das, Kameraden, müssen wir
verhindern! Wenn sie morgen befehlen, Häuserkampf und Straßenschlach-
ten zu üben - sagt Nein!" (Beide Texte sowie die Begründung des Bun-
desverfassungsgerichtes für die Zurückweisung der von dem Soldaten ein-
gelegten Verfassungsbeschwerde - "... versucht, Kameraden gegen die
freiheitlich-demokratische Grundordnung aufzuhetzen" - in: Hartmann,
Dieter-Dirk: Wolfgang Borchert zum Gedächtnis, der vor 25 Jahren, am
20. November 1947, starb. In: Diskussion Deutsch. 11, 1973, S. 2-3)

644. Krolow: Elegie für ein spielendes Kind. In: Heimsuchung, S. 64
645. Karl Schnog: Ein Kölner anno 1948 an einen kleinen Doktor. In: Ulenspiegel. Jg. 3, 1948, Nr. 2, S. 2
646. Vgl. S. 137, Anm. 602. Hintergrund: der wirtschaftliche Anschluß des
Saarlandes an Frankreich (1947), das (1950) auch einstweilen die politische Trennung von Deutschland durchsetzen konnte
647. Alba Troß: Der Zug nach dem goldenen Westen. In: Ulenspiegel. Jg. 4,
1949, Nr. 12, S. 8. - Die Anfangsverse aus dieser gelungenen Parodie
auf Goethes Gedicht 'Mignon': "Kennst du das Land, wo die Millionen
blühn, / am Broadway nachts die Filmreklamen glühn, / im Hafen hoch
die Freiheitsstatue steht, / Gott Dollar selbst die Kurbel dreht ... /
Kennst du es wohl? / Dahin! Dahin / möcht ich mit dir, o mein Gelieb-
ter, ziehn!"
648. Vgl. S. 135, Anm. 598
649. Hans Max Hackenberger. In: Ulenspiegel. Jg. 3, 1948, Nr. 21, S. 12
650. Th. Miegler: Spießers Stoßgebet. In: Der Simpl. Jg. 1, 1946, Heft 4,
S. 38
651. Richard Drews: Man kennt sie ja. In: Ulenspiegel. Jg. 4, 1949, Nr. 3,
S. 2
652. Karl Schnog: Die Nominellen. In: Ulenspiegel. Jg. 1, 1946, Nr. 17, S. 2
653. Heinz Hartwig: Die Kriegslüsternen. In: Der Simpl. Jg. 2, 1947, Heft 19,
S. 233
654. Herbert Roch: Splitter und Späne. In: Ulenspiegel. Jg. 1, 1946, Nr. 9,
S. 10
655. Richard Drews: Gespräch im Massengrab. In: Ulenspiegel. Jg. 3, 1948,
Nr. 23, S. 5
656. Die Herausgeber des Ulenspiegel (in einer Bilanz des Jahres 1947): Vom
Sitzen zwischen den Stühlen. In: Ulenspiegel. Jg. 2, 1947, Nr. 26,
S. 10
657. In dem Gedicht 'Worauf wartet man denn noch?' folgt Richard Drews ihren
Überlegungen: "Natürlich brauchen wir ein Heer, / Wir brauchen eine
stolze Wehr, / Uns unsrer Haut zu wehren. / ... Was kann denn noch im
Wege stehn, / Es dürfte doch, so weit wir sehn, / Nun endlich an der
Zeit sein!" (In: Ulenspiegel. Jg. 4, 1949, Nr. 3, S. 10). Sollte Drews
auch dem ersten Kanzler der Bundesrepublik 'nachgedacht ' haben, hätte
er ein seltenes Talent im Gedankenlesen bewiesen, denn Adenauer äußerte
1948 auf eine Frage, welche Auffassung er über Remilitarisierungspläne
habe: "Ich denke über dieses Problem überhaupt nicht nach." (zit. nach:

Albrecht, Ulrich: Die Wiederaufrüstung der BRD. Köln 1974, S. 6); 1949,
auf dieselbe Frage: "Ich möchte ein für allemal klarstellen, daß ich
grundsätzlich gegen eine Wiederbewaffnung der Bundesrepublik und folglich auch gegen die Schaffung einer neuen Wehrmacht bin" (ebda). 1951,
so ein zeitgenössischer Berichterstatter, habe Adenauer auf einer Aus-
landspresse die Alliierten mit dem Hinweis geschockt, "daß er bereits
als Privatmann 1948 die heutige weltpolitische Lage vorausgesehen und
den Aufbau einer westdeutschen Wehrmacht vorbereitet habe. General
Speidel habe in seinem Auftrage schon damals eine Denkschrift über die
vergleichsweisen Stärken der europäischen Armeen und die Vorschläge
für einen deutschen Verteidigungsbeitrag ausgearbeitet" (ebda)

658. Selbst die Erfolge in Mao Tse-Tungs revolutionärem Volkskrieg wurden in
der Lyrik registriert, wenn man folgende "Abzählverse für politische
Kinderchen" zur Lyrik rechnen will: "Drei zu Null und eins, zwei,
drei, / Futsch ist nun die Mandschurei. / Alle Felle schwimmen weg, /
Armer, armer Tschiangkaischek!" (In: Ulenspiegel. Jg. 3, 1948, Nr. 26,
S. 2)

659. Vgl. S. 149, Anm. 655

660. Karl Heinz Renneisen: Unser Schicksal. In: Die Dichterbühne, S. 180

661. Wenn du die Klapper des Aussätzigen hörst. In: Werke 1 (U), S. 73 f.

662. Vgl. S. 83

663. Vgl. S. 90

664. Enzian: Die platteste Platte. In: Ulenspiegel. Jg. 4, 1949, Nr. 12,
S. 10

665. Die neuen Kriegshetzer. In: Ulenspiegel. Jg. 1, 1946, Nr. 10. S. 9

666. Heinz Hartwig: Neo-Faschismus. In: Der Simpl. Jg. 2, 1947, Heft 3,
S. 31

667. Günter Weisenborn: Siebenundsiebzig Männer. In: Ulenspiegel. Jg. 1,
1946, Nr. 19, S. 4

668. Vgl. S. 138, Anm. 612

669. Heinz Hartwig: Kruppzeug und Flickzeug. In: Der Simpl. Jg. 2, 1947,
Heft 5, S. 184

670. Drei Zentner Staub. In: Ulenspiegel. Jg. 1, 1946, Nr. 8, S. 9

671. Wilhelm Horkel. In: W.H. (Hg.): Trost in Trümmern, S. 5

672. Edwin Redslob: Die Reaktion. In: Ulenspiegel. Jg. 1, 1946, Nr. 11, S. 5

673. Ernst R. Mellinghof: Zusammenbruch. In: Richter (Hg.): Deine Söhne,
Europa, S. 67

674. Hagelstange: Venezianisches Credo, S. 37

675. Die Schönheit ist nicht tot. In: Richter (Hg.): Deine Söhne, Europa,
S. 119

676. Carossa: Der volle Preis. In: Stern über der Lichtung, S. 32

677. Ernst R. Mellinghof: Zusammenbruch. In: Richter: Deine Söhne, Europa,
S. 68

678. Unser Frühling. In: Ulenspiegel. Jg. 3, 1948, Nr. 7, S. 6. Dies ist ein
anderer "Gesang" als der, den das bereits genährte Ich in Lehmanns Gedicht vernimmt, n a c h d e m das "Weltgedicht" zu Ende gegangen
ist (vgl. S. 66 ff.). Politischer Natur sind auch die "Frühlings-Stür-
me", die Schnog zwei Jahre zuvor miterlebt hat (In: Ulenspiegel. Jg.
1, 1946, Nr. 9, S. 9); eine Schlechtwetterfront in der ganzen Welt,
aber "Dennoch: ich ahne: / Trotz der Orkane, / Glaubt mir: es taut! /
... Hoffe und harre. / Trotz Frost und Starre: / Einmal wird's warm! /
... Unter der Kruste / Wirkt das Bewußte: / Frühlingssaat reift!"
Naturmetaphern zum Zeichen des erwarteten Neuen sind nicht nur in der
Lyrik beliebt. Im 'Geleitwort des Verlages' zu der Anthologie 'Die Pflugschar' heißt es zum Beispiel: "Der Stand der Saaten ist noch schwer

erkennbar" und "Es ist noch früh am Tage. Die Sonne steht noch tief
hinter den Wolken am Horizont." (S. 5). Vgl. ebenso die Wiechert-Rede
(S. 17) und die Zeitschriftennamen 'Die Saat' und 'Der Strom', über
den auch 'Die Fähre' führt
679. Lohmeyer: Rede des Soldaten an den Tod. In: Bänkelsang, S. 6
680. Ebda, S. 35
681. Walter Bauer: Heimgekehrt. In: Birkenfeld (Hg.): Deutsche Lyrik der
Gegenwart, S. 58
682. Eine ausführliche Bibliographie findet sich in: W.W.: Auf der bewegten
Erde. Baden-Baden o.J. (Signal-Bücherei 4), S. 154-168
683. Werner Schumann stellt in der Rezension des Bandes 'Von des Glücks
Barmherzigkeit' die Nähe zur Prosa Weyrauchs fest und lobt: "Unleugbar
ist Wolfgang Weyrauch ein bedeutender Könner, eine sprachschöpferische
Vitalität, und unter den Lyrikern der Gegenwart einer von denen, die
sich bewußt um neue Ausdrucksmittel bemühen." (In: Welt und Wort. Jg. 2,
1947, S. 243)
684. So mündet auch Borcherts 'Manifest' in ein an Deutschland gerichtetes
stürmisches Bekenntnis der Liebe (Das ist unser Manifest, S. 313 ff.),
und: "Ich will verflucht sein, wenn ich dich nicht liebe", heißt es in
dem Gedicht "Gewalt zerbrechen" (Heinz Rusch. In: Weyrauch (Hg.): Die
Pflugschar, S. 11); ebenso reagiert Lohmeyer auf die veränderte Situation nicht mit einer erklärten Deutschland-Verachtung, sondern mit dem
Wunsch, mit Deutschland ein inniges Verhältnis einzugehen: "Nimm mich
auf! Ich habe dich nie besungen, / deinen Namen nie verzückt genannt - /
nun jedoch, da tausend faĺsche Zungen / jäh verstummten, grüß ich dich,
mein Land!" (An die Heimat. In: Erste Gedichte, S. 55). Und er grüßt
und besingt es in vielen Gedichten
685. In: Das Goldene Tor. Jg. 2, 1947, S. 195
686. Ebda
687. "Ich schwöre, daß ich versuchen werde, so zu schreiben, wie der Dichter
Gotthold Ephraim Lessing geschrieben hat, nämlich im Gedanken, in der
Toleranz und in der Wahrheit." (Weyrauch, Der Eid des Gotthold Ephraim.
In: Die Gegenwart. Jg. 5, 1950, Nr. 11, S. 19)
688. Weyrauch: Die Brücke. In: Von des Glücks Barmherzigkeit, S. 35. Auch
Beheim-Schwarzbach läßt sein Epos 'Der deutsche Krieg' nun, da "die
trunkenen Enkel der Goten / das Erbe verspielt (haben)", mit den Tönen
klassischer Musik ausklingen: "Nur die Musik, sie ertönt noch gar leise
und heißet uns hoffen, / Beethoven, Mozart und Bach trotzen dem Irr-
sinn des Schwerts." Doch diese Hoffnung ist fade, drangehängt, sie über-
zeugt ihn selber nicht, wenn er vom "Erbe" sagt "Nimmer kehrt es zurück." Bei Weyrauch dagegen erwachsen diese Töne aus einem Entwurf von
Gesellschaft, sie runden das zuvor gegebene Bild nur anschaulich ab,
sind Ausdruck des kommenden und zum Teil schon vorhandenen Glücks,
nicht Ersatz für das verlorene
689. Weyrauch: Berliner Brief, S. 195
690. Die Brücke. In: Von des Glücks Barmherzigkeit, S. 35. - Die Weyrauch'
schen Brückenarbeiter sind "fröhliche Männer", die die wahre Solidarität eines Arbeits- und Lebenskollektivs demonstrieren. Sie machen sich
Mut mit "Sätze(n) der Liebe ... / der wechselseitigen Hilfestellung, /
der Treue, des gemeinsamen Entschlusses" und vergessen auch nicht, sich
mit Späßen - auch die sind vorbildlich kollektiv produziert - bei Laune
zu halten: "... willst du nicht endlich runterfallen? / Den Gefallen
tu ich dir nicht, / rief der andre zurück, / dir nicht, du Lausekerl, /
der hängt am Leben, meinte ein dritter, / er hat noch was vor, rief ein
vierter, / heute abend, wenn es dunkel ist, lachte ein fünfter, / der
Heini, wir kennen ihn, ... Ja, solche Männer waren das ..." (Ebda, S.34)

691. Gerhard Weidenmüller: Es ist nicht zu spät, Leute. In: Ulenspiegel. Jg. 3, 1948, Nr. 20, S. 7

692. Vgl. das Stephan Hermlin gewidmete Gedicht 'An den Frieden', das endet: "Du Trost, du Engel, dem sich Knie biegen / Im Knochenanger: setz den MENSCHEN ein!" (In: Heimsuchung, S. 49)

693. Weyrauch: Der Eid des Gotthold Ephraim, S. 19

694. Begleitwort zu der Aufzeichnung 'Eiche und Angora' im Fernsehen, Südwest III, 12.6.1975 (aus der Reihe 'Die Stunde Null')

695. Günter Weisenborn: Die Nationen. In: Ulenspiegel. Jg. 3, 1948, Nr. 3, S. 4

696. Vgl. eine Rezension über Weyrauchs Anthologie 'Die Pflugschar', in der es über die dort vertretenen Schriftsteller heißt, sie seien "auf der großen Wanderung zum brüderlichen Du" (Erich Fetter. In: Welt und Wort. Jg. 3, 1948, S. 237)

697. Vgl. S. 159, Anm. 695. Vgl. auch Döblin, der sein Buch 'Die literarische Situation' eindrucksvoll mit den Worten schließt: "Die Harfen werden neu gestimmt. Das ist keine Zeit für Klassen, Nationen und private Eigenbrötler. Es ist die Epoche, in der wieder, und nicht das letzte Mal, die Frage nach dem Menschen aufgeworfen wird." (S. 62)

698. Schallück, Paul: Deutschland - Gestern und heute. In: P.Sch. (Hg.): Deutschland. Kulturelle Entwicklungen seit 1945. München 1969, S. 13

699. Walter Bauer: Ich bin dein Sohn, Europa. In: Richter (Hg.): Deine Söhne, Europa, S. 7-11

700. Vollafried Schuster: Nachlese. In: Richter (Hg.): Deine Söhne, Europa, S. 88 f.

701. Als ob er es bei allem Optimismus geahnt hätte, daß der unterm Faschismus (und auch schon vorher) eingepeitschte Antikommunismus der Deutschen nur sehr schwer zu vertreiben sein würde - man sehe sich einmal die Untermenschen und Teufel aus dem roten Osten auf Wahlplakaten der 50er Jahre oder höre sich Wahlslogans von 1976 an! - , bezieht Weyrauch in die brüderliche Gemeinde der Erdenkinder ausdrücklich auch den Rotarmisten ein, dem er eigens eines seiner wenigen Sonette widmet: "Ach, Bruder, du bist so wie ich und der, / der neben mir geht: Wir sind alle gleich, / ... Komm, lieber Bruder, gib mir deine Hand, / wir alle haben nur ein Vaterland." (Der Rotarmist. In: Von des Glücks Barmherzigkeit, S. 31)

702. Vgl. Anm. 700

703. Was ihr den Geist der Zeiten heißt ... Gesellschaftskritik in Versen. Künzelsau 1973 (Süder-Buchkreis. Postfach 203; für 5.-- DM und mit einem strammen "Besten Dank und Gruß!" auf der Rechnung kriegt man es zugeschickt...). Der Gesellschaftskritiker Urban verdammt die "verdammte weiche Welle", in der "Massenferkelei'n" auf Pop-Festivals an der Tagesordnung, die "Todesstrafe abgeschafft", die "Justitia" ganz "abgeschlafft" sind, und, man stelle sich das einmal vor, "die Schwulen frei" herumlaufen. Er dagegen setzt auf die Tugenden des deutschen Soldaten, der "kein Lauer war, / vielmehr entschieden, kurz und klar"; "Gekämpft hat er mit Löwenmut / wie es wohl keiner besser tut." "Du", damit meint er den deutschen Arbeiter, "trotztest dem Sturm und der Not als Soldat, / du bist in die Breschen gesprungen, / und niemand war treuer als du, Kamerad, / verhaßt dir die doppelten Zungen." und was hat er dafür gekriegt? - "Des Vaterlands Dank war dir niemals zuteil", im Gegenteil, als er "waffenlos und ohne Schutz" nach Hause kam, "begossen ihn mit Kübeln Schmutz / Gesindel und Lizenzempfänger, /Skribenten und Parteiengänger." (S. 43, 57, 102 f., 143, 151) - In Vitalis' 'Deutschem

Soldatenlied' (vgl. S. 109 ff.) werden die Soldaten, die auch alles fürs
Vaterland gegeben haben, ähnlich behandelt, wenn sie von den Kindern be-
pißt werden. Bei allem Unterschied - vor allem hat Vitalis das soldatische nicht zum gesellschaftlichen Organisationsprinzip erhoben - :
die Gemeinsamkeiten sind nicht zu übersehen. Ein Beispiel mehr für die
Schwierigkeit der auch ehrlich darum Bemühten, die unter den Nazis und
als Soldaten gemachten Erfahrungen von Gemeinschaft, die in ihrer Grund-
struktur menschlichen Bedürfnissen entsprechen, von ihrem historischen
Anlaß zu lösen und dies auch sichtbar zu machen. Einen ähnlich zwie-
schlächtigen Charakter weist das zitierte Gedicht 'Nachlese' auf: die
Intensivität des Gemeinschafts- und Solidaritätserlebnisses schlägt um
in seine Mystifizierung. Macht über die Menschen haben wieder einmal
der Erdenschoß, das Strömen aus Äckern und Schollen und das Strömen
und Pochen des Blutes. Doch Vorsicht vor einem allzu schnellen 'Blut-
-und-Boden-Lyrik!', wenn erkennbar Klage und Leid und Schrecken die
Feder oft einfacher Menschen geführt haben; so auch hier: "Laßt uns
doch fliehen; die Welt ist uns verschlossen, / o Kameradschaft! Kamerad,
hör zu! / Dein Blut war einmal wohl in meins geflossen: / Ich bin so
leidgequält, so matt wie du." Ernst R. Mellinghoff: Zusammenbruch. In:
Richter (Hg.): Deine Söhne, Europa, S. 65

704. Berliner Brief, S. 195. "In Berlin bindet sich der französische Geist
mit der russischen Fruchtbarkeit, englische Modernität kommuniziert
mit amerikanischer Fülle, jedes reibt sich mit jedem, alles schließt
sich zusammen" - das System der neuen Welt im kleinen

705. Berlin II. In: Lerche und Sperber, S. 31-34, hier: S. 33; Berlin I:
Ebda, S. 26-30; Berlin 1946. In: Von des Glücks Barmherzigkeit, S.
36-40, und viele Berlin-Passagen in anderen Gedichten

706. Berlin II. In: Lerche und Sperber, S. 33 f.

707. In: Ulenspiegel. Jg. 3, 1948, Nr. 3, S. 4

708. Ebda. Einige Gegensatzpaare aus dem interessanten Schema 'vertikale/
horizontale' Lyrik:
-"Nach oben gerichtet. / In die Weite gerichtet.
-Vereinzelung. Ich. / Kontakt. Wir.
-Exklusiv, weltabgewandt. / Weltoffen. Vielen verständlich.
-Hauptbemühung: die Form. / Hauptbemühung: die neuen Inhalte.
-Auf den Gipfeln der Antike. / An den Wurzeln unserer Zeit.
-Königstorte in Bildern mit Reimsahne und Versschnee. / Brot.
-Die Empfindungen des Schreibers kultivierend. / Die gleichen Empfin-
dungen in allen Völkern darstellend." (Ebda)

709. Weyrauch: Nachwort zu: Weyrauch (Hg.): Die Pflugschar, S. 397

710. Der Eid des Gotthold Ephraim, S. 19 f.

711. 'Anruf', vgl. S. 154 ff.

712. Der Eid des Gotthold Ephraim, S. 20

713. Vgl. Der Fragensteller. In: Weyrauch: An die Wand geschrieben. Hamburg
1950, S. 71-78 ("Hört mir zu, wenn ihr Lust habt, Ich will Euch / eine
Geschichte erzählen ...", S. 73); allerdings ist die "Geschichte" nicht
zur bloßen Unterhaltung gedacht (vgl. S. 324)

714. Vgl. ganz deutlich in dem Gedicht 'Die Reaktion', S. 152

715. Fragen an die Alliierten. In: Ulenspiegel. Jg. 1, 1946, Nr. 10, S. 7

716. Langner, Ilse: Ein Mensch sieht unsre Stadt. In: Ulenspiegel. Jg. 1,
1946, Nr. 3, S. 7

717. Vgl. S. 98 ff.

718. Das ist unser Manifest, S. 314

719. "Aber was verschlägt's, sie haben sich wieder, sie haben die Gegenwart, die Zukunft, das Kind ist unterwegs. So, wie sie hier liegen, glücklich, doch im Elend, elend, doch im Glück, liegen überall in Europa die Paare, träumen von der Reinheit, von der Unantastbarkeit, vom Glanz des Menschen ..." (Weyrauch: Wind ihre Wand, Regen ihr Dach. In: Ulenspiegel, Jg. 1, 1946, Nr. 7, S. 7)

720) Gespräch mit Weyrauch

721. Vgl. S. 165, Anm. 718

722. In: Weyrauch (Hg.): Die Pflugschar, S. 381-389. Dem Inhalt nach zu schließen, ist dieses Gedicht vermutlich gegen Kriegsende entstanden (vgl. auch S. 244)

723. "Wenn etwas Gutes in mir ist, / dann weil Du meine Mutter bist. // Bin ich Dir auch so furchtbar fern, / ich seh Dich doch, Du stiller Stern.// Bist Du auch hoch und ich nur hier, / mein Leben sei der Weg zu Dir." Dieser Sohn, der ebenfalls weiß, was er seiner Mutter schuldig ist, trägt seinen Dank in einfachen, beruhigten Versen vor - im Vergleich zu Mundstocks Text, hebt man auf 'braunen Sprachbombast' ab, geradezu ein Exemplar aus der 'Kahlschlagpoesie', in Wirklichkeit aber eines aus dem Band 'Die Fahne der Verfolgten' (Berlin 1934, S. 54) von dem damals 27-jährigen Reichsjugendführer der NSDAP, Baldur von Schirach (vgl. auch S. 98, S. 290 f.)

724. Vgl. S. 153

725. Die in der Lyrik sichtbare Vorrangstellung der 'Kinder' vor den 'Jugendlichen' - von entsprechenden Selbstaussagen junger Schreiber, wenn sie 'wir' sagen, abgesehen - kann einmal mit der literarischen Konvention zusammenhängen, dem Kindesbild die Funktion eines Zukunftsverweises zu übertragen (z.B. in Kleists Novellen), zum anderen verlangte das schuldbeladene Gewissen der Älteren für die Zukunft nach einem möglichst unschuldigen und reinen Gewissen, das man im Kind eher garantiert sah als im schon 'verdorbenen' Jugendlichen und dem das reine lyrische Wort besonders entsprach

726. Else Wahl: Mütter, sperrt eure Kinder ein! In: Frankfurter Hefte. Jg. 5, 1950, Heft 8, S. 886. Vgl. auch S. 142, S. 241; ebenso meint der Soldat in Kaschnitz' 'Totentanz': "Krieg ist immer. / ... und eh er ausgeblutet, / Lebt er schon wieder fort in Knabenspiel." (Totentanz und Gedichte zur Zeit, S. 50)

727. Walter F.C. Lierke: Eine Mutter singt. In: Ulenspiegel. Jg. 4, 1949, Heft 12, S. 5

728. Friedrich Wendel: Der neue Erlkönig. In: Ulenspiegel. Jg. 2, 1947, Nr. 15, S. 10

729. Die Abendröte. In: Lerche und Sperber, S. 16

730. Der Sohn. In: Lerche und Sperber, S. 46

731. Und das Pferd schrie. Ebda, S. 44

732. Vgl. S. 67 ff.

733. Vgl. S. 71

734. Vgl. S. 74

735. In: Überallnie, S. 69-75 (Totentanz und Gedichte zur Zeit)

736. Vgl. S. 53

737. 'Friede', mit Abstand die Liste anführend, gerät oft in die Nähe des auch religiös verstandenen Seelenfriedens oder zum "Friede auf den lichten Höhn" (vgl. S. 176). Nach Reinhold Schneider ist dort oben auch die 'Freiheit' zu erlangen ("Ergreife deine Freiheit in den Sphären", In: Die Sonette von Leben und Tod, S. 164), der Karl Schnog freilich ihre politische Bedeutung zurückgibt ("Die schöne Freiheit - die wir mit erkämpften! - / Verdient sie täglich euch, zum Kampf bereit"; In

einer freien Welt. In: Ulenspiegel. Jg. 1, 1946, Nr. 12, S. 4). 'Heimat'
soll für Kaschnitz fortan "Urheimat", "Kinderland", "Urland" bedeuten,
weil sie von der "Besitzheimat" und "Machtheimat", die immer wieder
"mit Strömen von Blut" erkämpft wird, nicht mehr reden kann (Blick aus
dem Fenster. In: Überallnie, S. 92 (Zukunftsmusik); Heimat. Ebda, S.
107 f.). Zu 'Vaterland' vgl. S. 161, Anmerkung 701 und S. 176

738. An einigen Beispielen sei dieses Aufbauprinzip kurz skizziert: Weyrauchs Band 'Von des Glücks Barmherzigkeit' besteht aus den Abschnitten
"Daß niemals geschah, was gestern geschah" und "Die namenlose Addition"
– ein Weg von der Geschichte in die Natur, vom 'Anruf' an Deutschland
zu dem 'Spruch': "Die Lerche droben, sternenhaft, / die Gräser unten,
grün im Saft ...". Ganz ähnlich Dagmar Nicks 'Märtyrer' (von dem Schicksal der 'Märtyrer', so der Titel der ersten Gedichte, in die Natur
'An den See'). Der Band 'Heimsuchung' von Krolow hat die Abschnitte
'Die zweite Zeit', 'Widerfahrung', 'Hoffnung' – ein Weg von einer von
Spuk und Naturwildnis durchsetzten 'Zeit', eben der 'zweiten', über
die wirkliche, geschichtliche Zeit in die Natur (der Rahmen für die
"Hoffnung" ist abgesteckt durch die Gedichte 'Nußernte' und 'Mahlzeit
unter Bäumen', wieder friedlichere und freundlichere Naturgedichte).
Es ist die Vorform eines Aufbautyps, in dem die Bewegung im Außergesellschaftlichen nicht nur endet, sondern hier auch beginnt. Die zeitgeschichtliche Thematik wird eingebettet: so in Lohmeyers 'Erste Gedichte' der Abschnitt 'Der Krieg' in die 'Lieder des alten Jahres' und
in 'Heimkehr', die mit dem Gedicht 'Gang im Februar' endet, das in den
ersten Versen die Richtungsänderung deutlich ankündigt: "Wieder bergan /nach all dem Getriebe – / wieder bergan"; so in der Anthologie
'Deutsche Lyrik der Gegenwart' (Birkenfeld) verschiedene zeitbezogene
Themenbereiche in die Abschnitte 'Stimmen von innen' und 'Geleit in
die Zukunft' ('Zwischen Sonne und Mond', 'Herbstnacht', 'Vollendung'
sind die Titel der letzten Gedichte, eine Vollendung wiederum in der
Natur: "In den Ästen eines Baumes, / dem Vollender meines Traumes ...").
Vgl. auch F.G. Jüngers Zyklus 'Das Weinberghaus' (S. 29, 118 ff. dieser Arbeit)

739. Diese Gegenläufigkeit wird besonders der Längsschnitt durch Weyrauchs
Lyrik deutlich machen

740. Vgl. S. 12 ff.

741. Vgl. S. 26

742. Frisch, Max: Tagebuch 1946-1949. Frankfurt 1950, S. 222

743. Vgl. vor allem S. 26, S. 28 ff.

744. Vgl. S. 70 f. Vgl. auch Horst Martin, der das 'öffentliche' Gedicht
als auf dem Boden des Grundgesetzes stehend definiert (Das öffentliche
Gedicht der Bundesrepublik. New Orleans 1969; maschinengeschr. Dissertation)

745. Theorie der modernen politischen Lyrik, S. 137 f.

746. Vgl. S. 154 ff.

747. Weyrauch: Berliner Brief, S. 193. Mag Weyrauch noch so 'einfach für die
Einfachen' schreiben: die Auffassung vom Dichter als dem ganz Anderen,
mit prophetischen Gaben Gesegneten, behält er bei. Kein Wunder, daß er
Hagelstange, der auf der Erhabenheit der Dichterposition besteht
(vgl. S. 26), überschwenglich lobt ("die Unerbittlichkeit des Gefüges
stärkt das Strophenfleisch") und meint, er sei ein "rechter Seher",
bei dem man "in die Lehre gehen" könne (Neue Lyrik. In: Aufbau. Jg. 2,
1946, Heft 12, S. 1249 f.)

748. Sowohl in Diskussionen in drei Schulklassen als auch in einem Referat
einer stud. Arbeitsgruppe wurde diese Unterscheidung entweder ganz
übersehen - Weyrauch vertrete "fälschlicherweise" die Auffassung, daß
sich Deutschland in seinem Inwendigsten der Waffen entledigt habe -
oder aber keine Konsequenz für die Interpretation daraus gezogen. Entsprechend fielen die Urteile über den Autor aus: das Ganze sei ein
"einziges selbstgefälliges Gerede, nichts Sachliches dahinter." Sicher,
er wolle die "Bevölkerung aus der Resignation herausholen", aber er
mache das "zu drastisch, nicht recht logisch irgendwie, er macht es
zu rosig, das Ganze." Außerdem (bezogen auf "Wir sind alle Menschen
..."), nun plötzlich sollen Indianer und Neger Menschlichkeit üben,
die sie noch nie erfahren hätten, "das ist zuviel verlangt." Auf Ablehnung und Unverständnis stieß vor allem die Proklamation der 'deutschen Gesinnung': diese "Litanei der Selbstanbetung der Deutschen" sei
von den Nationalsozialisten ja zur Genüge bekannt. - Ob Weyrauch aber
nicht doch zu "einer Art Revolution aufrufen" und das "irrationale
Denken vom Vaterland anprangern" wolle? Und: "Daß diese Menschen (die
überlebenden Nationalsozialisten) von heute auf morgen nicht umdenken,
das war dem Weyrauch ja auch bewußt. Deshalb war es utopisch." -
Utopisch, revolutionär, fromm, nationalistisch und ein bißchen NS-ver-
dächtig und überhaupt völlig widersprüchlich: für den 'durchschnitt-
lichen' Leser, selbst für den in einem Unterrichtsprojekt 'präparierten', ist es schwierig, zu einem für ihn selber schlüssigen und zugleich historisch gerechten Urteil über solch heftig bewegte Aufbruchs-
literatur zu kommen

749. Eine ähnliche Aufbaustruktur hat das Gedicht 'Fantasie in Dur' von Wolf
Mohr, das beginnt: "Das wäre schön: ein großer Staat auf Erden - / (ich
hab mir das nur mal so vorgestellt) - / das wäre, ach, ein Atmen,
Blühen, Werden, / e i n   Staat der Völker, eine neue Welt." Doch das
"Finale in Moll" dämpft, stärker als bei Weyrauch, die traumhaften
Vorstellungen: "Das wäre schön! Doch ward ein Traum gesponnen, / es
bleibt, ich fürchte, alles wie es war. / Die Völker haben sich noch n
nicht besonnen; / es brodelt noch: die Welt ist noch nicht gar." (In:
Der Simpl. Jg. 3, 1948, Heft 5, S. 173)

750. Vgl. S. 184

751. Drei Dinge. In: Lerche und Sperber, S. 5

752. In: An die Wand geschrieben, S. 67

753. Ebda, S. 47-51

754. Liebesglück. In: Von des Glücks Barmherzigkeit, S. 50

755. Lerche und Sperber, S. 19

756. Ich trage dich. In: Lerche und Sperber, S. 23

757. Die Geburt. In: An die Wand geschrieben, S. 33

758. Ihr kommt dran. In: An die Wand geschrieben, S. 38

759. An die Wand geschrieben, S. 8-11

760. In dem frühen Gedicht 'Student 1946' ist die Hoffnung auf eine Ver-
schmelzung beider Pole noch ungebrochen: "... den Mörtel aufbringen. /
Aber im Mörtel bebt der Gedanke. / ... Du Buch, Kelle du, ihr heiter-
dunklen / Zwillinge. Meine Brüder." (In: Ulenspiegel. Jg. 1, 1946, Nr.
16, S. 8)

761. Schwarze Zähne. In: An die Wand geschrieben, S. 27

762. Geburtsanzeige. Ebda, S. 30-32

763. Ebda, S. 35 f.

764. Weyrauch über dieses Gedicht (im Gespräch)

765. An die Wand geschrieben, S. 71-78

766. In: An die Wand geschrieben, S. 79

- 233 -

. Hasselblatt, Dieter: Lyrik heute. Kritische Abenteuer mit Gedichten.
     Gütersloh 1963, S. 74
768. Bitte an die Bäume. In: Lerche und Sperber, S. 45
769. Legende. In: An die Wand geschrieben, S. 69. Letztes Gedicht eines
     vierteiligen Zyklus über Beginn, Verlauf und Ende eines dritten
     Krieges (S. 62-69)
770. Vgl. auch Erich Kästners 'Kinderroman' 'Die Konferenz der Tiere' (1949),
     dessen historischer Bezug im ersten Satz hergestellt ist: "telegramm
     an alle welt: -..- konferenz in London beendet -..- verhandlungen er-
     gebnislos ..." (In: E.K.: Gesammelte Schriften in sieben Bänden. Bd. 7:
     Romane für Kinder. Zürich/Berlin/Köln 1959, S. 337)
771. Vgl. S. 178
772. Der Mensch II. In: An die Wand geschrieben, S. 109
773. Vgl. S. 177
774. In: Lerche und Sperber, S. 41
775. Im Gehäuse. In: An die Wand geschrieben, S. 93
776. Geh in die Mitternacht hinein. Ebda, S. 105
777. In: An die Wand geschrieben, S. 111
778. Törichter Mann. In: An die Wand geschrieben, S. 114
779. Die Äquinoctialstürme. In: An die Wand geschrieben, S. 95
780. Vgl. S. 45. Vgl. ebenso: "Ich helfe nicht, / indem ich voll Mitleid
     bin, / ich helfe vielmehr, / indem ich dreierlei tue: / die Ursachen
     dessen erkennen, / was den Zustand der Hilflosigkeit verursacht hat, /
     die Ursachen verändern / und also die Wirkungen verändern." (ABC. In:
     An die Wand geschrieben, S. 84)
781. Weyrauch über sich (im Gespräch)
782. Neue Lyrik. In: Aufbau. Jg. 2, 1946, S. 1247 f.
783. Weyrauchs lyrische Entwicklung ist nicht das einzige lyrische Barometer,
     an dem sich die politischen Veränderungen ablesen lassen. Ein ebenso
     unermüdlicher Kämpfer für die Humanität, Erich K ä s t n e r , der
     in dem 'Deutschen Ringelspiel 1947' die Figur der "Jugend" sagen ließ:
     "Seid Menschen, nicht Nationen! / Vergeßt den alten Brauch!" (Der täg-
     liche Kram, S. 134), verbannte in dem 1952 veröffentlichten Gedicht
     'Die Maulwürfe oder Euer Wille geschehe' (In: Die kleine Freiheit,
     S. 134 f.) eben diese Menschen bzw. Völker, "krank von den letzten Krie-
     gen", unter die Erde, die "wüst und leer" war. "Nun galten wieder die
     ewigen Regeln. / D i e Gesetzestafeln zerbrach keiner mehr" - nach-
     dem die "durch öffentliche Wahlen bestellten Vorturner" die Gesetzes-
     tafeln der Humanität erneut zerbrochen hatten: "Wir hatten gemeint,
     sie kehrten ihre Gesichter der Zukunft zu. Das war ein fundamentaler
     Irrtum gewesen. Was wir für Gesichter gehalten hatten, waren Masken.
     Die Gesichter selber blickten sehnsüchtig in die Vergangenheit. Dort
     leuchteten ihre Ideale, und dort winkten die Geschäfte.... Mit der
     Entflechtung der Konzerne und der Demontage der Rüstungswerke begann
     es. Mit der Rückgabe des Kruppschen Vermögens und dem Bau 'europäischer'
     Kasernen hörte es auf. Hörte es auf?" (Nachträgliche Vorbemerkungen.
     Ebda, S. 7 f.) K r o l o w s Lyrik bestätigt die aufgezeigten Ent-
     wicklungslinien (Vgl. auch S. 144) auf besondere Weise; hier gab es
     keinen 'flammenden' Glauben an die Vernunft und Menschlichkeit abzu-
     bauen: er war kaum entwickelt. Diese unterschiedliche Vorerfahrung
     mußte auch eine andere Reaktion auf die Zementierung der Verhältnisse
     nach sich ziehen: das lyrische Ich, zunächst hoffnungslos in den Hexen-
     sabbat der Nachkriegsgeschichte verstrickt, läßt das "Erdenhaus, vom
     Nichts umlauert", hinter sich und begibt sich auf 'sel'ge Reise'
     (Irdische Fülle. In: Die Zeichen der Welt. Neue Gedichte. Stuttgart

1952, S. 7). Auf seiner - verspäteten - Suche nach dem Positiven hat
es anstelle einer neuen Welt die Welt der 'intellektuellen Heiterkeit'
entdeckt (vgl. S. 80, Anm. 376)
784. Vgl. S. 22 f.
785. Es konnte gezeigt werden, daß sein Urvertrauen ins Praktisch-Mensch-
liche Weyrauch daran gehindert hat, den im Nachkriegsdeutschland vorhandenen Gegenkräften frühzeitig die nötige Beachtung zu schenken -
im Unterschied etwa zu den (vor allem S. 151 ff. zitierten) Autoren,
die schon 1946 (und vermutlich noch vorher, bevor es den 'Ulenspiegel'
und den 'Simpl' gab) in ihren Gedichten demonstriert haben, daß man
unnachsichtig gegen die alten Nazis und die Reaktion überhaupt vor-
gehen muß, um die so sehr gepriesene 'tabula-rasa'-Situation als
Basis für das 'neue Leben' erst einmal herzustellen
786. Vom künftigen Deutschland, S. 86
787. Reger: Vom künftigen Deutschland, S. 49
788. Geistige Grundlagen eines schöpferischen Deutschlands der Zukunft,
S. 43
789. Deutsche Literatur in der Entscheidung, S. 24
790. Andersch: Deutsche Literatur in der Entscheidung, S. 22
791. Weyrauch, Berliner Brief, S. 195
792. Zum Zusammenhang von Rückgang des 'kulturellen Hochbetriebs' und ökonomischer Entwicklung vgl. Maiwald: Der massensoziologische Hintergrund der heutigen Kulturkrise, S. 1169 f.
793. Benn: Berliner Brief (an den Herausgeber einer süddeutschen Monatsschrift). In: Gesammelte Werke, Bd. 4: Autobiographische und vermischte Schriften. Wiesbaden 1961, S. 281. Benn ist zunächst vom
Nationalsozialismus fasziniert. In seiner 'Antwort an die literarischen Emigranten' (Ebda, S. 239-248) preist er die "schöpferische
Wucht" des NS, sieht mit dem Jahr 1933 "einen Teil der Menschenrechte
neu proklamiert" und weiß sich eins mit einem Volk, das "hinter dieser
Bewegung steht, friedliebend und arbeitswillig, aber, wenn es sein
muß, auch untergangsbereit." Benn korrigiert sich, erhält nach eigenen
Angaben (Berliner Brief, S. 280) 1936 Schreibverbot, das nach 1945,
wegen seiner Haltung zum NS, gleich verlängert wird
794. Vgl. S. 88
795. Vortrag in Knokke. In: Gesammelte Werke, Bd. 1, S. 544
796. Vgl. S. 179
797. Berliner Brief, S. 281 f.
798. Berliner Brief, S. 283
799. Ebda, S. 282 f.
800. Vortrag in Knokke, S. 544 ff.
801. Den jungen Leuten. In: Gesammelte Werke, Bd. 3, S. 456
802. Das Jahr 47, S. 21
803. Die ausgehaltene Realität. In: Richter (Hg.): Almanach der Gruppe 47,
S. 53
804. Vgl. Lettau, Reinhard (Hg.): Die Gruppe 47. Bericht, Kritik, Polemik.
Ein Handbuch. Neuwied/Berlin 1967. - Sieht man sich die (von Teilneh-
mern verfaßten) Berichte über die ersten zehn Tagungen der Gruppe an
(1947-52), so fällt auf, daß ab 1949 die Kritik der Berichterstatter
an Texten und Diskussionen zunimmt: das "Handwerkliche" werde überbe-
wertet und der "Inhalt des Dargestellten" komme kaum zur Sprache
(S. 47); "zu viel imaginäre Welten" würden vorgestellt, die "aktu-
elle(n) Situation in Deutschland" aber kaum, so daß das böse Wort von
einer "Literatur der Flucht" in Umlauf gekommen sei (S. 67); "von Politik wird nicht gesprochen, es sei denn, daß man diese Lücke bereits
als Symptom nimmt ..." (S. 71)

805. Jens: Deutsche Literatur der Gegenwart, S. 150. Jens hat ihren Beginn auf den Tag genau datiert: die Tagung der Gruppe 47 in Niendorf (Mai 1952), als die bis dahin Unbekannten Paul Celan und Ingeborg Bachmann mit ihren Versen ergriffene Aufmerksamkeit erregten
806. Die gestundete Zeit. Frankfurt 1953; Anrufung des Großen Bären. München 1956
807. Verteidigung der Wölfe. Frankfurt 1957. (Der Rückgriff auf die 'Trümmer-literatur' ist in dem Gedicht 'Verteidigung der Wölfe gegen die Lämmer' nachweisbar, in das wörtlich das Bild vom 'General mit dem Blutstreif an der Hose' aus Borcherts Stück 'Draußen vor der Tür' aufgenommen ist (vgl. S. 137, Anm. 601)
808. Kassiber. Frankfurt 1956
809. Rühmkorf. In: Riegel, Werner/Peter Rühmkorf: Heiße Lyrik. Wiesbaden 1956, S. 15. Vgl. dagegen Bauers glühenden Aufruf an Europa, S. 288
810. Karl Schnog: Wann wird das sein? In: Ulenspiegel. Jg. 3, 1948, Nr. 5, S. 2

V Literaturverzeichnis

(Unter A sind die lyrischen, unter B die übrigen Texte aufgeführt)

A

Beheim-Schwarzbach, Martin: Der Deutsche Krieg, Hamburg 1946

Benn, Gottfried: Gesammelte Werke in vier Bänden. Hg. von Dieter Wellershof. Bd. 3: Gedichte. Wiesbaden 1960

Bergengruen, Werner: Dies irae. Eine Dichtung. München 1946 (entst. 1944)

Bergengruen, Werner: Die heile Welt. Gedichte. München 1950

Bingel, Horst (Hg.): Zeitgedichte. Deutsche politische Lyrik seit 1945.
München 1963

Birkenfeld, Günter (Hg.): Deutsche Lyrik der Gegenwart. Berlin/Hannover
1950

Carossa, Hans: Stern über der Lichtung. Hameln 1946

Celan, Paul: Gedichte in zwei Bänden. Frankfurt 1975

Domin, Hilde (Hg.): Nachkrieg und Unfrieden. Gedichte als Index 1945 -
1970. Berlin/Neuwied 1970

Eich, Günter: Gesammelte Werke. Hg. vom Suhrkamp Verlag in Verbindung mit
Ilse Eichinger u.a. Frankfurt 1973. Bd. 1: Die Gedichte. Die Maulwürfe

Friedrich, Heinz/ Hilsbecher, Walter/ Lohmeyer, Wolfgang: Bänkelsang der
Zeit. Karlsruhe 1948

Hagelstange, Rudolf: Venezianisches Credo. Wiesbaden 1946

Hagelstange, Rudolf: Strom der Zeit. Leipzig 1949

Hartwig, Heinz: Keine sanften Flötentöne ... sondern neue Verse. München
1948

Holthusen, Hans Egon: Klage um den Bruder. Hamburg 1947

Holthusen, Hans Egon: Hier in der Zeit. Gedichte. München 1949

Holthusen, Hans Egon: Labyrinthische Jahre. Neue Gedichte. München 1952

Horkel, Wilhelm (Hg.): Trost in Trümmern. Eine Auswahl deutscher Lyrik
seit Goethe. Nürnberg 1948

Jünger, Friedrich Georg: Der Westwind. Frankfurt 1946

Jünger, Friedrich Georg: Die Perlenschnur. Hamburg 1947

Jünger, Friedrich Georg: Die Silberdistelklause. Hamburg 1947

Jünger, Friedrich Georg: Das Weinberghaus. Hamburg 1947

Kaschnitz, Marie Luise: Totentanz und Gedichte zur Zeit. Hamburg 1947

Kaschnitz, Marie Luise: Überallnie. Ausgewählte Gedichte 1928-1965. München 1969 (zuerst 1965)

Krolow, Karl: Gedichte. Konstanz 1948

Krolow, Karl: Heimsuchung. Berlin 1948

Krolow, Karl: Auf Erden. Hamburg 1949

Krolow, Karl: Gesammelte Gedichte. Frankfurt 1965

Lehmann, Wilhelm: Sämtliche Werke in drei Bänden. Gütersloh 1962. Bd. 3 (Gedichte, Essays)

Lernet-Holenia, Alexander: Germanien. Berlin 1946

Lohmeyer, Wolfgang: Erste Gedichte. Baden-Baden 1947

Lüth, Paul E.H. (Hg.): Der Anfang. Anthologie junger Autoren. Wiesbaden 1947

Mostar, Hermann: Einfache Lieder. Frankfurt 1947

Nick, Dagmar: Märtyrer. Gedichte. München 1947

Nossack, Hans Erich: Gedichte. Hamburg 1947

von Radetzky, Robert/ Blaschker, Erich (Hg.): Die Dichterbühne, für die namenlosen der gegenwart auf welcher dreiundsechzig dichter und vierunddreißig dichterinnen deutscher zunge zu wort kommen. Berlin 1950

Rasche, Friedrich (Hg.): Das Gedicht in unserer Zeit. Das Forum. Schriftenreihe zu Fragen der Zeit. Hannover 1946

Richter, Hans Werner (Hg.): Deine Söhne, Europa. Gedichte deutscher Kriegsgefangener. München 1947

Schneider, Reinhold: Die Sonette von Leben und Tod, dem Glauben und der Geschichte. Köln 1954

Schnog, Karl: Jedem das Seine. Satirische Gedichte. Zeichnungen von Herbert Sandberg. Berlin 1947

Schnog, Karl: Zeitgedichte - Zeitgeschichte von 1925-1950. Berlin 1949

Voigtländer, Annie/ Witt, Hubert (Hg.): Denkzettel. Politische Lyrik aus der BRD und Westberlin. Frankfurt 1974

von der Vring, Georg: Die Lieder des Georg von der Vring 1906-1956. München 1956

Weyrauch, Wolfgang: Von des Glücks Barmherzigkeit. Berlin 1947

Weyrauch, Wolfgang (Hg.): Die Pflugschar. Sammlung neuer deutscher Dichtung. Berlin 1947

Weyrauch, Wolfgang: Lerche und Sperber. München 1948

Weyrauch, Wolfgang: An die Wand geschrieben. Hamburg 1950

(Bachmann, Ingeborg: Die gestundete Zeit. Frankfurt 1953

Bachmann, Ingeborg: Anrufung des Großen Bären. München 1956

Enzensberger, Hans Magnus: Verteidigung der Wölfe. Frankfurt 1957

Riegel, Werner/ Rühmkorf, Peter: Heiße Lyrik. Wiesbaden 1956

Schnurre, Wolfdietrich: Kassiber. Frankfurt 1956)

B

Abendroth, Wolfgang: Bilanz der sozialistischen Idee in der Bundesrepublik Deutschland. In: Richter, H.W. (Hg.): Bestandsaufnahme, S. 233-263

Adenauer, Konrad: Rede in der Aula der Kölner Universität 1946. In: Huster: Determinanten der westdeutschen Restauration, S. 394-416

Adorno, Theodor W.: Auferstehung der Kultur in Deutschland. In: Frankfurter Hefte. Jg. 5, 1950, Heft 5, S. 469-477

Adorno, Theodor, W.: Rede über Lyrik und Gesellschaft. In: Th.W.A.: Noten zur Literatur I. Frankfurt 1958, S. 73-105

Albrecht, Ulrich: Die Wiederaufrüstung der BRD. Köln 1974 (Hefte zum Geschichts- und Sozialkundeunterricht 5)

Allemann, Beda: Die Metapher und das metaphorische Wesen der Sprache. In: Weltgespräch. 4. Welterfahrung in der Sprache. Erste Folge. Mit Beiträgen von K.O. Apel, B. Allemann, Th. Bonhoeffer. Freiburg 1968, S. 29-43

Andersch, Alfred: Das junge Europa formt sein Gesicht. In: Schwab-Felisch, H. (Hg.): Der Ruf, S. 21-26

Andersch, Alfred: Deutsche Literatur in der Entscheidung. Ein Beitrag zur Analyse der literarischen Situation. Karlsruhe 1948

Autorenkollektiv: Die Kämpfe der westdeutschen Arbeiterklasse - die restaurative Entwicklung der BRD. In: Alternative. Jg. 16, 1973, Heft 90. S. 114-125

Bach, Rudolf/ Schäfer, Oda/ Schwarz, Georg: Bekenntnis zur Lyrik. In: Welt und Wort. Jg. 1, 1946, S. 9-11

Bender, Hans: Ende - Übergang - Anfang. 15 Jahre Gegenwartsliteratur. In: Akzente. Jg. 8, 1961, Heft 4, S. 374-383

Bender, Hans (Hg.): Mein Gedicht ist mein Messer. Lyriker zu ihren Gedichten. München 1961 (erw. Auflage v. 1955)

Benn, Gottfried: Berliner Brief (an den Herausgeber einer süddeutschen Monatsschrift). In: Gesammelte Werke, Bd. 4: Autobiographische und vermischte Schriften. Wiesbaden 1961, S. 280-285

Benn, Gottfried: Probleme der Lyrik. In: Gesammelte Werke in vier Bänden. Hg. von Dieter Wellershof. Bd. 1: Essays, Reden, Vorträge. Wiesbaden 1959, S. 494-532

Benn, Gottfried: Vortrag in Knogge. In: Gesammelte Werke, Bd. 1, S. 541-549

Berglar-Schröer, Hans-Peter: Kleines deutsches Lyrikum 1947. In: Frankfurter Hefte. Jg. 2, 1947, Heft 11, S. 1131-1140

Berglar-Schröer, Hans-Peter: Die Vertrauenskrise der Jugend. In: Frankfurter Hefte. Jg. 2, 1947, Heft 7, S. 693-701

Bezzel, Chris: dichtung und revolution. In: Text und Kritik 25. Konkrete Poesie I, 1971, S. 35-36

Böll, Heinrich: Bekenntnis zur Trümmerliteratur. In: H.B.: Erzählungen, Hörspiele, Aufsätze. Köln/Berlin 1961, S. 339-343

Bollnow, Otto Friedrich: Friedrich Georg Jünger - Werner Bergengruen. Zwei Dichter der neuen Geborgenheit. In: O.F.B.: Unruhe und Geborgenheit im Weltbild neuerer Dichter. Acht Essays (3. durchges. Auflage). Stuttgart 1968

Borchert, Wolfgang: Das ist unser Manifest. In: Das Gesamtwerk. Mit einem biographischen Nachwort von Bernhard Meyer-Marwitz. Hamburg 1949, S. 308-311

Böttcher, Karl Wilhelm: Die junge Generation und die Parteien. In: Frankfurter Hefte. Jg. 3, 1948, Heft 8, S. 756-761

Brinkmann, Donald: Aufstieg oder Niedergang unserer Kultur? In: Universitas. Jg. 2, 1947, S. 1291-1296 u. S. 1435-1440

Büttner, Ludwig: Von Benn zu Enzensberger. Eine Einführung in die zeitgenössische deutsche Lyrik 1945-1970. Nürnberg 1971

Carossa, Hans: Ungleiche Welten. Ein Lebensbericht. Wiesbaden 1951

Czichon, Eberhard: Der Primat der Industrie im Kartell der nationalsozialistischen Macht. In: Das Argument. 47, 1968, Heft 3, S. 168-193

Cwojdrak, Günther: Gruppe 47 anno 62. In: G.C.: 'Eine Prise Polemik'. Sieben Essays zur westdeutschen Literatur. Halle 1968, S. 63-77

Demetz, Peter: Die süße Anarchie. Deutsche Literatur seit 1945. Eine kritische Einführung. Aus dem Amerikanischen von Beate Paulus. Frankfurt/ Wien/Berlin 1970

Deppe, Freyberg, Kievenheim u.a.: Kritk der Mitbestimmung. Partnerschaft oder Klassenkampf? Frankfurt 1969

Dirks, Walter: Mut zum Schönen. In: Frankfurter Hefte. Jg. 2, 1947, Heft 3, S. 235-236

Döblin, Alfred: Die literarische Situation. Baden-Baden 1947

Eich, Günter: Gesammelte Werke. Bd. 4: Vermischte Schriften u.a.

Eichholtz, Dietrich/ Gossweiler, Kurt: Noch einmal: Politik und Wirtschaft 1933-1945. In: Das Argument. 47, 1968, Heft 3, S. 210-227

Enzensberger, Hans Magnus: Poesie und Politik. In: H.M.E.: Einzelheiten. Frankfurt 1962, S. 334-353

Fingerhut, Karl-Heinz: Zum Begriff der politischen Lyrik. In: Fingerhut, Hopster (Hg.): Politische Lyrik. Arbeitsbuch (Begleitheft). Frankfurt 1973, S. 8-20

Flechtheim, Ossip K.: Gibt es einen dritten Weg? Alternativpläne der deutschen Parteien nach dem 2. Weltkrieg. Hessischer Rundfunk, 17.4.1973

Freudenfeld, Burghard: Rückblick auf eine Ära. In: Aus Politik und Zeitgeschichte. Beilage zur Wochenzeitung 'Das Parlament'. B. 1/64, 2. Januar 1964, S. 3-10

Freund, Michael: Deutsche Geschichte. Gütersloh 1967. S. 1509-1566

Friedländer, Ernst: Deutsche Jugend. Fünf Reden. Darmstadt 1947

Friedrich, Heinz: Das Jahr 47. In: Richter, H.W. (Hg.): Almanach der Gruppe 47, S. 15-21

Friedrich, Hugo: Die Struktur der modernen Lyrik. Von der Mitte des neunzehnten bis zur Mitte des zwanzigsten Jahrhunderts. Hamburg 1967 (erw. Neuausgabe)

Fritz, Walter Helmut: Karl Krolow. In: Weber, Dietrich (Hg.): Deutsche Literatur seit 1945. In Einzeldarstellungen. Stuttgart 1970 (2. überarb. u. erw. Auflage), S. 66-86

Girschner-Woldt, Ingrid: Theorie der modernen politischen Lyrik. Berlin 1971

Glaser, Hermann: Vor dreißig Jahren. Zum geistigen Profil der Trümmerzeit. In: Frankfurter Rundschau, 3. Mai 1975, S. III

Grenzmann, Wilhelm: Dichtung und Glaube. Probleme und Gestalten der deutschen Gegenwartsliteratur. Bonn 1952 (2. erw. Auflage)

Grosser, Alfred: Deutschlandbilanz. München 1972 (4. erw. Auflage)

Hagelstange, Rudolf: Die Form als erste Entscheidung. In: Bender, H. (Hg.): Mein Gedicht ist mein Messer, S. 37-47

Hartmann, Dieter-Dirk: Wolfgang Borchert zum Gedächtnis, der vor 25 Jahren, am 20. November 1947, starb. In: Diskussion Deutsch. 11, 1973, S. 2-3

Hartung, Rudolf: Zur Situation unserer Literatur. Strömungen und Möglichkeiten. In: Welt und Wort. Jg. 1, 1946, S. 107-110

Hermlin, Stephan: Wo bleibt die junge Dichtung? In: Welt und Wort. Jg. 2, 1947, S. 310-312

Hinderer, Walter: Von den Grenzen moderner politischer Lyrik: Einige theoretische Überlegungen. In: Akzente. Jg. 18, 1971, Heft 6, S. 505-519

Hinderer, Walter: Probleme politischer Lyrik heute. In: Kuttenkeuler, Wolfgang (Hg.): Poesie und Politik. Zur Situation der Literatur in Deutschland. Stuttgart 1973, S. 91-136

Hiller, Kurt: Geistige Grundlagen eines schöpferischen Deutschlands der Zukunft. Hamburg/Stuttgart 1947

Hoffmann, Detlef/ Merkelbach, Valentin: Politische Dichtung und die Ästhetik ihrer spätbürgerlichen Verächter. In: Diskussion Deutsch. Jg. 3, 1972, Heft 9, S. 224-227

Höllerer, Walter: Thesen zum langen Gedicht. In: Akzente. Jg. 12, 1965, Heft 2, S. 128-130

Holthusen, Hans Egon: Exkurs über schlechte Gedichte. In: Merkur. Jg. 2, 1948, S. 604-608

Holthusen, Hans Egon: Die Überwindung des Nullpunkts. In: H.E.H.: Der unbehauste Mensch. Motive und Probleme der modernen Literatur. München 1951, S. 137-168

Holthusen, Hans Egon: Naturlyrik und Surrealismus. Die lyrischen Errungenschaften Karl Krolows. In: H.E.H.: Ja und Nein. Neue kritische Versuche. München 1954, S. 86-124

Holthusen, Hans-Egon: Vollkommen sinnliche Rede. In: Bender, H. (Hg.): Das Gedicht ist mein Messer, S. 48-49

Huster, Kraiker, Scherer u.a.: Determinanten der westdeutschen Restauration. Frankfurt 1972

Ingendahl, Werner: Komplexe Sprachgebilde als Erzeugnisse metaphorischen Verfahrens. In: Muttersprache. 82, 1972, S. 380-385

Jaspers, Karl: Erneuerung der Universität (1945). In: K.J.: Hoffnung und Sorge, S. 31-40

Jaspers, Karl: Die Schuldfrage (1946). In: K.J.: Hoffnung und Sorge. Schriften zur deutschen Politik 1945-1965. München 1965, S. 67-149

Jens, Walter: Deutsche Literatur der Gegenwart - Themen, Stile, Tendenzen. München 1961

Just, Klaus Günther: Die deutsche Lyrik seit 1945. In: Universitas. Jg. 15, 1960, S. 517-530

Just, Klaus Günther: Von der Gründerzeit bis zur Gegenwart. Geschichte der deutschen Literatur seit 1871. Bern/München 1973, S. 599-613

Kahler, Erich: Der Mensch und die Sachen. In: Deutsche Beiträge. Jg. 1, 1946/47, S. 51-66

Kantorowicz, Alfred: Deutschland-Ost und Deutschland-West. Kulturpolitische Einigungsversuche und geistige Spaltung in Deutschland seit 1945. Münsterdorf o.J. (Sylter Beiträge 2)

Karsunke, Yaak: Abrißarbeiter im Überbau. Gedanken zum Gebrauchswert politischer Lyrik. In: Text und Kritik. 9/9a, Politische Lyrik, S. 15-23

Kästner, Erich: Der tägliche Kram. Chansons und Prosa 1945-1948. Zürich 1949

Kästner, Erich: Die kleine Freiheit. Chansons und Prosa. Mit Zeichnungen von Paul Flora. Frankfurt/Hamburg 1971 (zuerst 1952)

Klein, Ulrich: Lyrik nach 1945. München 1972

Knörrich, Otto: Die deutsche Lyrik der Gegenwart 1945-1970. Stuttgart 1971

Koebner, Thomas (Hg.): Tendenzen der deutschen Literatur seit 1945. Stuttgart 1971

von Koenigswald, Harald: Die Gewaltlosen. Dichtung im Widerstand gegen den Nationalsozialismus. Herborn 1962, S. 48-68

Kogon, Eugen: Der SS-Staat. Das System der deutschen Konzentrationslager. München 1974 (zuerst 1946)

Kogon, Eugen: Das Recht auf politischen Irrtum. In: Frankfurter Hefte. Jg. 2, 1947, Heft 7, S. 641-656

Kogon, Eugen: Über die Situation. In: Frankfurter Hefte. Jg. 2, 1947, Heft 1, S. 17-37

Kreuder, Ernst: Vom Einbruch des Amusischen. In: Welt und Wort. Jg. 2, 1947, S. 346-347

Kreuder, Ernst: Zur literarischen Situation der Gegenwart. In: Akademie der Wissenschaften und der Literatur. Abhandlungen der Klasse der Literatur. Jg. 1951, Nr. 1. Wiesbaden 1951, S. 3-15

Krolow, Karl: Das Gedicht in unserer Zeit. In: Rasche, F. (Hg.): Das Gedicht in unserer Zeit, S. 3-9

Krolow, Karl: Intellektuelle Heiterkeit. In: Bender, H. (Hg.): Das Gedicht ist mein Messer, S. 71-78

Krolow, Karl: Aspekte zeitgenössischer Lyrik. München 1963 (zuerst 1961)

Krolow, Karl: Kritische Analyse des zeitgenössischen deutschen Gedichts. In: Sprache im technischen Zeitalter. 1964, Heft 9/10 (Sonderheft: Maßstäbe und Möglichkeiten der Kritik), S. 777-781)

Krolow, Karl: Über das Lakonische in der modernen Lyrik. In: K.K.: Schattengefecht. Frankfurt 1964, S. 85-113

Krolow, Karl: Die Lyrik in der Bundesrepublik seit 1945. In: Lattmann, D. (Hg.): Die Literatur der Bundesrepublik Deutschland, S. 347-533

Kühnl, Reinhard: Probleme der Interpretation des deutschen Faschismus. In: Das Argument. 58, 1970, Heft 4-6, S. 258-280

Kühnl, Reinhard: Formen bürgerlicher Herrschaft. Liberalismus - Faschismus. Reinbek 1972

Kühnl, Reinhard: Deutschland zwischen Demokratie und Faschismus. München 1973, S. 67-82

Kurz, Paul Konrad: Vom Erhabenen zum Anti-Ikarus. Selbst- und Weltbewußtsein des Menschen in der deutschen Lyrik nach 1945. In: Stimmen der Zeit. Monatsschrift für das Geistesleben der Gegenwart. Bd. 180, Jg. 92, 1967, Heft 11, S. 326-337 und Heft 12, S. 375-392

Lattmann, Dieter (Hg.): Die Literatur der Bundesrepublik Deutschland. München 1973

Lecke, Bodo: (Hg., in Verbindung mit dem Bremer Kollektiv): Projekt Deutsch-Unterricht 8. Politische Lyrik. Stuttgart 1974

Lecke, Bodo: Einleitung: Politische Lyrik in didaktischer Absicht. In: B.L. (Hg.): Projekt Deutschunterricht 8, S. 1-46

Lehmann, Wilhelm: Sämtliche Werke in drei Bänden. Gütersloh 1962

Lettau, Reinhard (Hg.): Die Gruppe 47. Bericht, Kritik, Polemik. Ein Handbuch. Neuwied/Berlin 1967

Loerke, Oskar: Tagebücher 1903-1939. Hg. von Hermann Kasack. Heidelberg/ Darmstadt 1955

Lohner, Edgar: Schiller und die moderne Lyrik. Göttingen 1964

Maiwald, Serge: Der massensoziologische Hintergrund der heutigen Kulturkrise. In: Universitas. Jg. 4, 1949, S. 1167-1178

Mannzen, Walter: Die Selbstentfremdung des Menschen. In: Schwab-Felisch, H. (Hg.): Der Ruf, S. 37-42

Martin, Horst: Das öffentliche Gedicht der Bundesrepublik. New Orleans 1969 (maschinengeschr. Dissertation)

Maurer, Georg: Welt in der Lyrik. In: Sinn und Form. Jg. 20, 1968, Heft 1, S. 133-181; Heft 2, S. 368-408

Mayer, Hans: Irrwege deutscher Lyriker und Verleger. In: H.M.: Deutsche Literatur und Weltliteratur. Berlin 1957, S. 655-660

Mayer, Hans: Der Schriftsteller und die Krise der Humanität (Rede, gehalten in der Paulskirche in Frankfurt am 20. Mai aus Anlaß des deutschen Schriftstellerkongresses). In: H.M.: Literatur der Übergangszeit. Essays. Wiesbaden 1949, S. 188-199

Mayer, Hans: Der totale Ideologieverdacht. In: H.M.: Zur deutschen Literatur der Zeit. Zusammenhänge, Schriftsteller, Bücher. Reinbek 1967, S. 300-320

Meinecke, Friedrich: Die deutsche Katastrophe. Betrachtungen und Erinnerungen. Wiesbaden 1946

Meister, Max: Hitler. In: Die Gegenwart. Jg. 1, 1946, Nr. 10/11, S. 21-22

Müller-Gangloff, Erich: Die Erscheinungsformen des Bösen. In: Merkur. Jg. 3, 1949, S. 1182-1187

Müller-Hanpft, Susanne (Hg.): Über Günter Eich. Frankfurt 1970

Müller-Hanpft, Susanne: Lyrik und Rezeption. Das Beispiel Günter Eich. München 1972

Münnich, Horst Richard: Die Krise der Literatur. In: Der Zwiebelfisch. Jg. 1, 1946, Heft 2, S. 19-23

Pablé, Elisabeth: Einführung zu: E.P. (Hg.): Rote Laterne, Schwarzer Humor. Chansons von Bierbaum bis Biermann. München 1973, S. 9-24

Picard, Max: Hitler in uns selbst. Erlenbach/Zürich 1946

Pross, Harry: Die Ideen von 1947. Reflexionen nach zwanzig Jahren. In: Offene Welt. 1967, Nr. 95/96 (Eine politische Bilanz 1947-1967), S. 13-19

Quandt, Carl Udo: Heimkehr. In: Der Zwiebelfisch. Jg. 1, 1946, Heft 3, S. 11-13

Raddatz, Fritz J.: Die ausgehaltene Realität. In: Richter, H.W. (Hg.): Almanach der Gruppe 47, S. 52-59

Reger, Erik: Vom künftigen Deutschland. Aufsätze zur Zeitgeschichte. Berlin 1947

Reifenberg, Benno: Über die Liebe zum Vaterland. In: Die Gegenwart. Jg. 1, 1946, Nr. 6/7, S. 11-14

Reifenberg, Benno: Mythisiert? In: Die Gegenwart. Jg. 1, 1946, Nr. 14/15, S. 11-12

Richter, Hans: Probleme der westdeutschen Lyrik. In: H.R.: Verse, Dichter, Wirklichkeiten. Aufsätze zur Lyrik. Berlin/Weimar 1970, S. 50-94

Richter, Hans Werner: Deutschland - Brücke zwischen Ost und West. In: Schwab-Felisch, H. (Hg.): Der Ruf, S. 46-49

Richter, Hans Werner: Die versäumte Evolution. In: Schwab-Felisch, H. (Hg.): Der Ruf, S. 120-124

Richter, Hans Werner (Hg.): Almanach der Gruppe 47. 1947-1962. Reinbek 1962

Richter, Hans Werner (Hg.): Bestandsaufnahme. Eine deutsche Bilanz 1962. München/Wien/Basel 1962

Richter, Hans Werner: Fünfzehn Jahre. In: H.W.R. (Hg.): Almanach der Gruppe 47, S. 8-14

Richter, Hans Werner: Zwischen Freiheit und Quarantäne. Eine Einführung. In: H.W.R. (Hg.): Bestandsaufnahme, S. 9-25

Riha, Karl: Moritat. Song. Bänkelsang. Zur Geschichte der modernen Ballade. Göttingen 1965

Riha, Karl: Das Naturgedicht als Stereotyp der deutschen Nachkriegslyrik. In: Koebner, Th. (Hg.): Tendenzen der deutschen Literatur seit 1945, S. 157-178

Rühmkorf, Peter: Abendliche Gedanken über das Schreiben von Mondgedichten. Eine Anleitung zum Widerspruch. In: P.R.: Kunststücke. Fünfzig Gedichte nebst einer Anleitung zum Widerspruch. Hamburg 1962, S. 91-107

Rühmkorf, Peter: Das lyrische Weltbild der Nachkriegsdeutschen. In: P.R.: Die Jahre, die Ihr kennt. Anfälle und Erinnerungen. Reinbek 1972, S. 88-110

Ruttkowski, Victor: Das literarische Chanson in Deutschland. Bern/München 1966

Schallück, Paul: Deutschland - Gestern und heute. In: P.Sch. (Hg.): Deutschland. Kulturelle Entwicklungen seit 1945. München 1969, S. 5-27

Sedlmayer, Hans: Verlust der Mitte. Die bildende Kunst des 19. und 20. Jahrhunderts als Symbol der Zeit. Salzburg 1948

Schlenstedt, Dieter: Emotion und Bild. Theoretische Aspekte ihrer Grundbeziehungen im bürgerlichen Gedicht nach 1945. Berlin 1967 (maschinengeschr. Dissertation)

Schlotthöfer, Fritz: Dämonie. In: Die Gegenwart. Jg. 1, 1946, Nr. 6/7, S. 31-32

Schmid, Josef: Wollen und Ziele der neuen Hochschule (Ansprache des Rektors zur Wiedereröffnung der Mainzer Universität im Mai 1946). In: Universitas. Jg. 1, 1946, Heft 3, S. 361-368

Schmidt, Ute/ Fichter, Tilman: Der erzwungene Kapitalismus. Klassenkämpfe in den Westzonen 1945-1948. Berlin 1971

Schneider, Hermann: Probleme des geistigen Schöpfertums. In: Universitas. Jg. 2, 1947, Heft 5, S. 555-562

Schneider, Reinhold: Der Mensch vor dem Gericht der Geschichte. In: Universitas. Jg. 1, 1946, S. 579-588

Schneider-Schelde, Rudolf: Die Schriftsteller heut. In: Merkur. 2, 1948, S. 442-446

Schnurre, Wolfdietrich: Unterm Fallbeil der Freiheit (1946). In: W.Sch.: Schreibtisch unter freiem Himmel. S. 11-15

Schnurre, Wolfdietrich: Auszug aus dem Elfenbeinturm (1949). In: W.Sch.: Schreibtisch unter freiem Himmel. Polemik und Bekenntnis. Freiburg 1964, S. 16-20

Schonauer, Franz: Deutsche Literatur im Dritten Reich. Versuch einer Darstellung in polemisch-didaktischer Absicht. Olten/Freiburg 1961

Schöne, Albrecht: Über politische Lyrik im 20. Jahrhundert. Mit einem Textanhang. Göttingen 1969 (2. Aufl.)

Schröder, Albrecht: La réaction du public allemand devant les oeuvres littéraires de caractère politique pendant la periode 1945-1950. Genf 1964

Schröder, Rudolf Alexander: Vom Beruf des Dichters in der Zeit. In: Merkur. Jg. 1, 1946, Heft 6, S. 863-876

Schuhmacher, Kurt: Aufgaben und Ziele der deutschen Sozialdemokratie (Referat im Mai 1946). In: Huster: Determinanten der westdeutschen Restauration, S. 363-370

Schwab-Felisch, Hans (Hg.): Der Ruf. Eine deutsche Nachkriegszeitschrift. München 1962 (mit einem Geleitwort von H.W. Richter)

Schwerte, Hans: Die deutsche Lyrik nach 1945. In: Der Deutschunterricht. Jg. 14, 1962, Heft 3, S. 47-59

Stammen, Theo (Hg.): Einigkeit und Recht und Freiheit. Westdeutsche Innenpolitik 1945-1955. München 1965

Stein, Peter (Hg.): Theorie der Politischen Dichtung. Neunzehn Aufsätze. München 1973

Stein, Peter: Die Theorie der Politischen Dichtung in der bürgerlichen Literaturwissenschaft. In: P.St.: Theorie der Politischen Dichtung, S. 7-53

Thielicke, Helmut: Über die Wirklichkeit des Dämonischen. In: Universitas. Jg. 1, 1946, Heft 1, S. 19-34 u. Heft 2, S. 146-161

Trommler, Frank: Der zögernde Nachwuchs. Entwicklungsprobleme der Nachkriegsliteratur in Ost und West. In: Koebner, Th. (Hg.): Tendenzen der deutschen Nachkriegsliteratur seit 1945, S. 1-116

Vieregge, Joachim: Probleme politischer Lyrik. In: Politik und Soziologie. Zeitschrift zur Gestaltung des politischen Unterrichts. Jg. 1, 1970, Heft 2, S. 14-18

Vogt, Jochen: Keine Fragen und falsche Antworten. Böll im Lesebuch. Zu einem beispielhaften Fall unserer Literaturpädagogik. In: Frankfurter Rundschau, 29.1.1972, S. IX

Vormweg, Heinrich: Frühe Phase der Spaltung. In: Akzente. Jg. 21, 1974, Heft 4, S. 340-346

Wehdeking, Volker: Über die Konstituierung der deutschen Nachkriegsliteratur in den amerikanischen Kriegsgefangenenlagern. Stuttgart 1971

Werner, Hans-Georg: Über Politische Dichtung. In: Stein, P. (Hg.): Theorie der Politischen Dichtung, S. 257-263

Weyrauch, Wolfgang: Neue Lyrik. In: Aufbau. Jg. 2, 1946, Heft 12, S. 1246-1250

Weyrauch, Wolfgang: Neue Lyrik. In: Das Goldene Tor. Jg. 3, 1948, S. 803-812

Weyrauch, Wolfgang: Berliner Brief. In: Das Goldene Tor. Jg. 2, 1947, S. 195-200

Weyrauch, Wolfgang: Wolfgang Weyrauch an Johannes R. Becher. In: Aufbau. Jg. 4, 1948, Heft 7, S. 588-590

Weyrauch, Wolfgang: Kahlschlag. Nachwort zu 'Tausend Gramm', 1949. In: W.W.: Mit dem Kopf durch die Wand. Geschichten, Gedichte, Essays und ein Hörspiel. Darmstadt/Neuwied 1972, S. 45-53

Weyrauch, Wolfgang: Der Eid des Gotthold Ephraim. In: Die Gegenwart. Jg. 5, 1950, S. 18-20

Wiechert, Ernst: Rede an die deutsche Jugend. In: Sämtliche Werke, Bd. 10, München/Wien/Basel 1957, S. 381-411

Wiesner, Herbert: 'Innere Emigration'. Die innerdeutsche Literatur im Widerstand 1933-1945. In: Kunisch, Hermann (Hg.): Handbuch der deutschen Gegenwartsliteratur. München 1972 (verb. u. erw. Auflage), S. 383-408

Wodak, Hermann: Die Schaubude. In: Frankfurter Hefte. Jg. 1, 1946, Heft 4, S. 88-89

Wolf, Gerhard: Deutsche Lyrik nach 1945. Berlin 1965

Zeller, Bernhard (Hg.): Als der Krieg zu Ende war. Literarisch-politische Publizistik 1945-1950. Stuttgart 1973

ÄTHENÄUM
SCRIPTOR

Postfach 1348
D - 6242 Kronberg

Texte der Weimarer Republik im SCRIPTOR VERLAG

REIHE Q: QUELLENTEXTE ZUR LITERATUR- UND KULTURGESCHICHTE
herausgegeben von Helmut Kreuzer

Band 1:
Edlef Köppen
HEERESBERICHT
Mit einem Nachwort von Michael Gollbach
488 Seiten, 32,– DM, ISBN 3–589–20525–3

Der im Jahre 1930 erschienene, mittlerweile fast vergessene Anti-Kriegsroman verdient nicht nur als zeit- und literaturgeschichtliches Dokument Beachtung, sondern überragt auch, indem er die Widersprüche zwischen Kriegsideologie und Frontwirklichkeit rationnal und formal überzeugend sichtbar macht, die Vielzahl der zeitgenössischen Kriegsromane. Köppen gestaltet das Kriegsthema distanziert-engagiert, unpathetisch und ehrlich. Durch die Montage von Dokumenten in die Romanhandlung wird die Perspektive und Entwicklung des »Helden« objektivierend bestätigt, der Gegensatz zwischen erfahrener Wahrheit und offizieller Lüge episch verdeutlicht.

Band 2:
Arno Schirokauer
FRÜHE HÖRSPIELE
Herausgegeben und mit einem Vorwort versehen von Wolfgang Paulsen
164 Seiten, 24,– DM, ISBN 3–589–20523–7

Arno Schirokauer – Exilschriftsteller und späterer prominenter Universitätsgermanist in den Vereinigten Staaten – gehörte bereits in der Weimarer Ära zu den fortschritt-lichsten Funktheoretikern und -regisseuren. Diese Tatsache ist in der literarischen Öffentlichkeit nicht mehr bekannt, ebensowenig wie die Tatsache, daß seine damals gesendeten Hörspiele zu den bedeutendsten in der Frühgeschichte dieser Gattung zu zählen sind. Wolfgang Paulsen – Freund und Nachlaßverwalter Schirokauers – gibt, neben theoretischen Begleittexten, aus dem Nachlaß ausgewählte frühe Hörspiele heraus: »Der Kampf um den Himmel«, mit einem theoretischen Vorspann, »Straßen-rondo«, ein in streng gebundener Prosa gehaltenes Hörgedicht, das Hörspiel »Zwi-schen den Rassen«, sowie eine Hörfolge zu Kleists 125. Todestag im Jahre 1931, die auch als Wirkungszeugnis im Kleist-Jahr 1977 von Bedeutung ist.

Band 3:
Erik Reger
UNION DER FESTEN HAND
Roman einer Entwicklung
Mit einem Nachwort von Karl Prümm
710 Seiten, 36,– DM, ISBN 3–589–20524–5

Der Roman umreißt am Beispiel der Krupp-Werke die Geschichte der Arbeiterbewe-gung und ihrer großindustriellen Gegenspieler von den Frühjahrsstreiks 1918 bis zum Beginn der großen Krise 1929. Er dokumentiert mit außergewöhnlicher Vollständigkeit die politische, ökonomische und soziale Geschichte der Weimarer Republik und ent-hüllt prägnant die Konspiration von Schwerindustrie und NSDAP.

ÄTHENÄUM

Postfach 1348 · D-6242 Kronberg

ATHENÄUM
SCRIPTOR
Postfach 1348
D - 6242 Kronberg

STUDIENBÜCHER ZU SCHRIFTSTELLERN DES 20. JAHRHUNDERTS

Kurt Bartsch / Uwe Baur / Dietmar Goltschnigg (Hrsg.)
HORVÁTH-DISKUSSION
1976, 170 Seiten, 19,80 DM, ISBN 3–589–20403–6 (Scriptor)

Peter U. Beicken
FRANZ KAFKA
Eine kritische Einführung in die Forschung
1974, 462 Seiten, 22,80 DM, ISBN 3–8072–2014–3 (Athenäum)

Hanno Beth (Hrsg.)
HEINRICH BÖLL
Eine Einführung in das Gesamtwerk in Einzelinterpretationen
1975, S 52, 214 Seiten, 12,80 DM, ISBN 3–589–20052–9 (Scriptor)

Gertrude Cepl-Kaufmann
GÜNTER GRASS
Eine Analyse des Gesamtwerkes unter dem Aspekt von Literatur und Politik
1975, 316 Seiten, 28,– DM, ISBN 3–589–20061–8 (Scriptor)

Hugo Dittberner
HEINRICH MANN
Eine kritische Einführung in die Forschung
1974, 240 Seiten, 12,80 DM, ISBN 3–8072–2053–4 (Athenäum)

Tildy Hanhart
MAX FRISCH: ZUFALL, ROLLE UND LITERARISCHE FORM
Interpretation zu seinem neueren Werk
1976, S 99, 136 Seiten, 9,80 DM, ISBN 3–589–20408–7 (Scriptor)

Jan Knopf
BERTOLT BRECHT
Ein kritischer Forschungsbericht
Fragwürdiges in der Brecht-Forschung
1974, 228 Seiten, 10,80 DM, ISBN 3–8072–2028–3 (Athenäum)

Rainer Nägele
HEINRICH BÖLL
Einführung in das Werk und in die Forschung
1976, 210 Seiten, 12,80 DM, ISBN 3–8072–2084–4 (Athenäum)

Robert L. Roseberry
ROBERT MUSIL
Ein Forschungsbericht
1974, 176 Seiten, 14,80 DM, ISBN 3–8072–2073–9 (Athenäum)

Peter Schütze
PETER HACKS
Ein Beitrag zur Ästhetik des Dramas
Mit einem Originalbeitrag von Peter Hacks: »Der Fortschritt in der Kunst«
1976, 304 Seiten, 19,80 DM, ISBN 3–589–20400–1 (Scriptor)